LES MANNEQUINS
NE SONT PAS
DES FILLES MODÈLES

Du même auteur

Les talons hauts rapprochent les filles du ciel, Éditions du Masque,
Prix du premier roman du festival de Beaune 2012

Le Boucher, Éditions Midgard/Lokomodo, 2012

www.lemasque.com

Olivier Gay

LES MANNEQUINS NE SONT PAS DES FILLES MODÈLES

ÉDITIONS DU MASQUE
17, rue Jacob 75006 Paris

ISBN : 978-27024-3845-9

Pour François, Ursula et Anne-Laure,
parce qu'avoir une telle famille, c'est rare...

... et pour toutes celles et ceux qui ont suivi
les conseils beauté de Fitz
en étalant de la préparation H sur leurs cernes.
Désolé pour l'odeur de poisson...

Comme Marguerite cherchait à préserver les fraises en tenant la jambe de Sophie, celle-ci la poussa avec tant de colère et si rudement que la pauvre Marguerite alla rouler à trois pas de là. Aussitôt que Camille vit Marguerite par terre, elle s'élança sur Sophie et lui appliqua un vigoureux soufflet. Sophie se mit à crier, Marguerite pleurait, Madeleine cherchait à les apaiser, Camille était toute rouge et toute honteuse.

La Comtesse de Ségur,
Les petites filles modèles.

Prologue

Philippe tira les rideaux pour observer la rue. Il était une heure du matin ; seule l'enseigne au néon du kebab d'en face se détachait dans la semi-pénombre. Les lampadaires restaient éteints, leurs ampoules détruites par les jets de pierres des riverains. Au bout de la rue, presque invisible dans l'obscurité, un vieil homme promenait son chien.

C'était un quartier fatigué, qui respirait la tristesse et la pauvreté. Des effluves de friture remontaient jusqu'ici pour se mêler avec l'odeur de renfermé de l'appartement. À l'étage supérieur, les caissons de basse d'une chaîne hi-fi réglée trop fort diffusaient du mauvais R'n'B.

Philippe n'aurait pu trouver meilleur endroit.

Son compagnon ne semblait pas partager son avis. L'expression boudeuse, Tony contemplait les graffitis qui ternissaient le mur du salon.

— On aurait pu se trouver quelque chose de plus sympa que ce trou. C'est un véritable taudis.

Philippe ne bougea pas de son poste d'observation.

— On n'est pas là pour profiter du luxe. Pas tout de suite, en tout cas. Pour l'instant, on a besoin de garder profil bas. Ici, personne ne fera attention à nous.

— Ouais. En attendant, c'est pas toi qui devras monter la garde toute la journée. Ya rien, ici. Une semaine dans cet endroit et je me tire une balle.

L'expression pouvait être prise au sens propre ; l'homme arborait à la ceinture un revolver à l'éclat mat, à l'aspect inquiétant. Un Sig Sauer, l'arme des policiers, chargé en permanence. Philippe en portait un, lui aussi, dans un étui contre son flanc. Il n'avait jamais aimé les armes à feu, ni la violence, mais elle pouvait se révéler nécessaire. Désormais, ils jouaient dans la cour des grands.

— Il faudra t'y faire. J'ai déjà signé le bail.

— Super. Juste super. Comme d'habitude, tu fais tout en solo. Le jour où on te lâchera, faudra pas t'étonner.

Cette fois-ci, Philippe se retourna. Son regard froid se plongea dans celui de Tony jusqu'à ce qu'il baisse les yeux.

— Je te trouve bien difficile. C'est moi qui vous amène cette affaire sur un plateau, c'est moi qui ai réglé tous les détails. Toi, tu vas rester le cul sur une chaise et tu ressortiras plus riche de dix mille euros. Tu vas vraiment me casser les couilles pour une histoire de déco ?

— C'est pas ça, mais…

Tony haussa les épaules et sa voix s'éteignit. Il ne paraissait toujours pas convaincu, mais la mention de l'argent l'avait calmé. Comme toujours.

Philippe l'abandonna pour visiter les deux autres pièces. Il n'y avait aucun meuble, comme précisé sur le bail, et les murs étaient *d'usage*. C'est en tout cas ce qu'indiquait l'état des lieux qu'il avait signé aveuglément la veille. Le propriétaire s'était dépêché de déguerpir avec son chèque de caution. À voir le parquet fatigué et la peinture écaillée, on comprenait sa hâte.

Ça n'avait aucune importance. Philippe ne comptait pas rester ici longtemps.

Et puis, cinq cents euros de loyer pour un appartement de cette taille dans Paris, c'était déjà une aubaine. On ne pouvait pas s'attendre à un palace.

D'habitude, Philippe menait trois ou quatre opérations dans l'année. Des petites arnaques, des combines qui lui rapportaient de quoi payer ses beaux costumes et flamber au casino, pas assez pour mettre le moindre sou de côté.

Cette fois-ci, les enjeux étaient différents. Cette fois-ci, il deviendrait riche. Même en ôtant la part de ses trois complices, il lui resterait assez pour être à l'abri du besoin quelques années. Il rejoindrait les meilleures tables de poker, celles où la blinde est à cent – non, cinq cents euros. Un marchepied vers une nouvelle vie. Il roulerait en voiture allemande, comme les vrais caïds. Il se forgerait une respectabilité. On pouvait tout s'acheter, quand on avait assez d'argent. Même l'amour. Il connaissait des bars où les filles ne se montraient pas difficiles, à condition que l'on paye une bouteille de champagne au patron. Pas de la prostitution, pas vraiment : on profitait du plaisir des bulles.

Il termina rapidement son inspection avant de revenir dans le salon. À défaut de siège, Tony s'était adossé au mur ; il avait allumé son lecteur MP3 et fredonnait une chanson de R'n'B, un des nouveaux hits de Sexion d'Assaut.

C'est ma direction, j'ai pété les plombs, sans abandonner ni baisser les bras...

— Tu as acheté tout ce que je t'ai demandé ?

Perdu dans sa musique, l'autre ne répondit pas. Philippe soupira. Il espérait que Tony serait plus concentré lorsqu'il garderait l'appartement. Il ne manquerait plus qu'il se laisse surprendre à cause de sa foutue musique. Il se pencha, tira sur le cordon des écouteurs jusqu'à les lui arracher des oreilles. Tony ouvrit la bouche pour protester, puis la referma devant l'expression glaciale de son compagnon.

— Tu as acheté tout ce que je t'ai demandé ? répéta Philippe.

— Ouais, j'ai tout.

— Montre-moi.

— J'ai tout, je te dis ! Tu me fais pas confiance ?

— Montre-moi.

Tony éteignit son lecteur MP3 avec des gestes délibérément lents, puis se pencha pour ouvrir son sac à dos. Parfois, son boss lui tapait sur les nerfs ; mais, pour dix mille euros, il était prêt à ravaler sa dignité.

Il plongea la main dans sa besace et en ressortit un rouleau de ruban adhésif marron, du genre qu'on utilise dans les déménagements.

— Du gros scotch, tout droit sorti de Castorama. Faudra pas oublier de me rembourser, d'ailleurs, j'en ai eu pour six euros. Je dois avoir mis le ticket de caisse quelque part.

Il continua à fouiller, sortit une épaisse corde d'alpiniste enroulée sur elle-même, rayée rouge et violet.

– Vingt mètres de corde. Je sais que tu m'avais demandé dix, mais c'était en rupture de stock. Alors je me suis dit qu'il valait mieux plus que pas assez, tu vois...

Devant le regard impavide de Philippe, Tony replongea dans son sac.

– Deux paires de menottes en acier, toutes simples, solides et efficaces.

– Tu as bien pensé à acheter chaque objet dans un magasin différent ?

– Tu me prends pour qui ? Bon, attends, qu'est-ce qui reste ? Ah oui, un appareil photo Polaroïd. C'est cher, ces conneries. On pouvait pas faire sans ?

Philippe secoua la tête d'un air absent. Ils avaient besoin d'un cliché, avec le journal du jour, comme dans les films. Un frisson lui parcourut l'échine, et il referma la fenêtre.

Bientôt, ils recevraient le mail de confirmation et le premier virement. Mille euros pour commencer et puis plus, bien plus.

Il y avait tant de choses à prévoir ; des détails, certes, mais qui avaient leur importance. La nourriture à stocker. Les meubles à acheter. Peut-être même une télévision, pour que cet abruti de Tony cesse de râler. Et puis, comme ça, Rufus pourrait regarder ses dessins animés favoris.

Autant Philippe pouvait gérer Tony, autant il valait toujours mieux faire plaisir à Rufus. L'homme était imprévisible, implacable, dangereux. Philippe avait hésité à le recruter sur cette opération – il n'aurait pas besoin de muscles, sauf si les choses tournaient mal.

Mais c'était la première fois que Philippe envisageait un kidnapping ; on ne savait jamais ce qui pouvait se passer. Avec ses cent dix kilos de muscles, Rufus saurait impressionner n'importe qui. Le simple fait de voir sa silhouette trapue prouverait leur capacité à mettre leurs menaces à exécution.

Au loin, une sirène de police hurla ; il sursauta avant de se reprendre. Il n'avait rien à craindre, il ne s'était encore rien passé – pour l'instant. Le bruit se rapprocha et il avança jusqu'à la fenêtre pour voir la lumière du gyrophare se mêler à celle du kebab. Puis la voiture passa, et l'obscurité retomba.

Tony vint regarder par-dessus son épaule. Il mâchait un chewing-gum, et sa mâchoire se tendait en une expression agressive.

— Et si elle essaie de jouer au plus malin avec nous ? Et si elle ne veut pas nous payer quand on aura enlevé la fille ?

Philippe mit la main dans sa poche et en ressortit un vieil Opinel à la lame rouillée, à la bague fatiguée. Il tenait ce couteau de son père, qui l'avait luimême reçu du sien. Il ne coupait plus grand-chose, mais c'était un souvenir qu'il se refusait à abandonner. Il déplia la lame et observa les reflets à la lumière du néon.

— On verra si elle refuse encore lorsqu'elle recevra le premier doigt.

1

Déborah trouvait que c'était une mauvaise idée. Elle me l'avait seriné sur tous les tons, d'abord amusée, ensuite boudeuse, finalement en colère.

Ça ne marcherait jamais, et puis de toute façon quel intérêt, et j'allais me retrouver de nouveau dans une situation impossible, et cette fois-ci personne ne se mouillerait pour me sortir de là, et je ne pourrais m'en prendre qu'à moi-même.

J'avais dûment noté ses arguments, mais j'en possédais un meilleur : dans les films américains, ça fonctionnait.

— Mais tu sais que ta vie n'est pas une série télé, Fitz !

— Et pourtant... Parfois, j'ai l'impression d'entendre les rires enregistrés.

Elle se passa la main sur le visage avec un soupir, réajusta une mèche rebelle. Depuis son dernier passage chez le coiffeur, elle avait décidé de se friser les cheveux, et le résultat n'était pas des plus heureux. De toute manière, je ne cherchais plus à comprendre les tentatives capillaires de mes contemporaines. Celles qui avaient les cheveux raides souhaitaient à tout prix les boucler, celles qui ondulaient tentaient de les raidir. Pourquoi aller contre sa nature ? Est-ce que je tentais de jouer un rôle de composition, moi ? Non ? Bon.

Je pris une gorgée de mon cocktail multicolore, histoire de lui laisser le temps de réfléchir à ma proposition. En ce dimanche soir, nous nous trouvions à la terrasse du *Diable des Lombards*, à la frontière du premier et du quatrième arrondissements. Juin frappait aux portes de Paris et une chaleur caniculaire – *« on n'a jamais eu aussi chaud de notre vie »*, *« il va falloir arroser nos vieux »*, *« y'a plus de saisons »* – avait remplacé la fraîcheur surprenante des derniers jours – *« on n'a jamais eu aussi froid »*, *« c'est honteux de porter un pull en été »*, *« y'a plus de saisons »*. Les vaporisateurs d'eau au-dessus de nos têtes fonctionnaient à plein régime, et je sentais le coton de mon T-shirt Guess coller à ma peau moite.

Comme tous les dimanches, je venais de déjeuner chez mes parents, et j'étais d'assez mauvaise humeur.

— Ça va te coûter, Fitz.

— Ça me coûte toujours. Rien n'est gratuit en ce bas monde.

— À force de me faire des prix, tu vas finir ruiné. Tu le sais, ça ?

Je haussai les épaules. Déborah faisait partie des nombreux clients qui bénéficiaient de mes tarifs préférentiels sur de la coke de qualité. J'étais un dealer, certes, mais un dealer compréhensif.

— On verra bien. En attendant, ça veut dire que tu es d'accord ?

Elle me regarda. Elle grimaça. Elle replaça sa mèche pour la troisième fois. Elle se gratta le nez. Elle soupira.

— Tu sais que t'es chiant, Fitz, parfois.

— Allez, ce n'est qu'un repas ! Deux petites heures à passer, rien de plus ! Tu souris, tu hoches la tête, tu dis qu'être prof est le plus beau métier du monde, et tu me fais un bisou sur la joue.

Depuis Jessica, mon ex devenue commissaire de police, je n'avais pas eu de relation suffisamment stable pour pouvoir présenter qui que ce soit à mes parents. La plupart de mes aventures duraient une nuit, parfois deux ; dans le meilleur des cas, elles continuaient en pointillés sur plusieurs années, une fois par semaine, une fois par mois. Ma dernière histoire un peu sérieuse, ç'avait été Julie, et mes souvenirs restaient mitigés à ce sujet. Rien que d'y penser, je tendis la main pour aller caresser du doigt la cicatrice qui me mangeait le visage. Le médecin avait fait ce qu'il avait pu, mais je garderais à vie cette zébrure rageuse sur la joue droite. Moussah prétendait que ça me donnait du caractère – mais Moussah aimant aussi le look de M Pokora, je prenais ses commentaires avec un peu de recul.

Cinq ans sans leur avoir jamais présenté personne, pas étonnant que mes parents s'inquiètent. Ils ne connaissaient ni mes activités ni mon passé, ils m'imaginaient en bon garçon bien rangé, mais ça ne changeait pas leurs doutes à mon égard. Ce midi, alors que je me servais de poulet, ma mère avait abordé le sujet en me regardant droit dans les yeux.

— Tu sais, John-Fi, si tu es homosexuel, tu peux nous le dire.

J'avais manqué m'étouffer avec mon coca.

— Ton père et moi, on en a discuté, et ça ne nous dérangerait pas du tout. On est ouverts, malgré les apparences. Alors bien sûr, ça serait un peu dommage pour nos petits-enfants mais l'important pour nous, c'est que tu sois heureux !

J'avais mis quelques secondes à reprendre une contenance.

— Mais enfin, m'man, qu'est-ce qui te fait croire ça ?

— Eh bien, je ne sais pas, rien que la manière dont tu es habillé, par exemple. Je sais qu'on ne doit pas juger les gens sur leur apparence, mais ce T-shirt moulant avec des fleurs, et ces espèces de petits strass, là, ça fait un peu féminin, tu ne crois pas ?

À partir de là, la conversation s'était enlisée.

Ou bien je leur expliquais que la mode avait évolué et que la haute couture italienne méritait quelques sacrifices à la virilité.

Ou je niais tout en bloc, et je leur présentais une nouvelle copine pour qu'ils soient rassurés une fois pour toutes et puissent continuer de regarder les *Z'amours* en paix avant le repas de midi.

— Je ne vois toujours pas pourquoi c'est moi qui devrais jouer ce rôle. Ton portable est saturé de numéros de filles. Ne me dis pas qu'il n'y en a pas une dans le lot qui pourrait faire illusion ? Je suis sûre que certaines seraient ravies de te revoir.

— C'est bien ce qui m'inquiète. Comment je m'en débarrasse, après ?

— Tu ouvres la bouche et tu dis deux-trois conneries, comme d'habitude ?

Je ne répondis pas et fronçai les sourcils en voyant un homme pénétrer dans le bar. Je l'aurais reconnu n'importe où avec sa carrure impressionnante et ses cheveux longs qui se dégarnissaient sur le dessus. C'était un footballeur célèbre, mais aussi un de mes clients. Je le croisais d'habitude au VIP Room ; je l'aimais bien, car il payait rubis sur l'ongle. Mais je ne m'attendais pas à le rencontrer ici. Le dimanche soir, je ne travaillais pas.

Je me retournai vers mon amie.

— Non, il faut vraiment que ce soit toi. On se voit régulièrement, donc je pourrai te redemander la même chose dans six mois ou dans un an s'il le faut. Je sais que tu ne te barreras pas du jour au lendemain, que tu ne quitteras pas le pays...

— Ah ouais ? Tu me crois si casanière que ça ?

— Deb, tu es prof. Bien sûr que tu es casanière. C'est une qualité, tu sais, je déteste les gens qui ont la bougeotte.

Elle se mordillait la lèvre ; enfin, elle était prête à céder.

— Donc on va chez tes parents, on joue les amoureux neuneus, je leur confirme que tu es monté comme un taureau, et c'est tout ?

— À peu près. Sauf que ma mère m'a vu à poil quand j'étais môme, donc n'exagère pas avec le taureau, ça pourrait éveiller ses soupçons.

— Paraît que ça pousse à l'adolescence.

— Ouais. Il paraît...

Deux nouveaux cocktails arrivèrent à notre table et nous nous regardâmes dans les yeux en trinquant.

C'était une tradition qui remontait à je-ne-sais-quand : quiconque détournait le regard s'exposait à sept ans de malheur ou sept ans de mauvais sexe ça dépendait des versions. Dans les deux cas, je ne souhaitais pas tenter le sort.

Je la regardai dans sa robe ajustée, ses cheveux trempés par le brumisateur. C'était quand même une très jolie fille ; mes parents seraient ravis.

– On les voit quand, alors ? Je te préviens, la semaine prochaine, je ne suis pas là.

– Celle d'après, alors. J'y vais tous les dimanches. C'est un peu un rituel.

– Je ne sais pas comment tu tiens le coup. Tu quittes les soirées vers les dix heures du mat, ça veut dire que tu les vois après une nuit blanche, avec trois grammes d'alcool sous chaque paupière. Ils ne se rendent jamais compte de rien ?

– Mes parents sont adorables.

Elle regarda sa montre et je l'imitai par réflexe. Déjà vingt heures. Comment pouvait-il faire encore si chaud ?

Moussah devait nous rejoindre dans trente minutes. C'était le dernier élément de notre trio. Depuis l'aventure que nous avions vécue ensemble, nous étions devenus inséparables[1]. J'appréciais le tempérament tranquille du grand black, sa verve et sa fiabilité à toute épreuve. De son côté, il aimait le prix de ma coke.

Lui aussi avait trouvé l'amour – mais dans son cas, il ne s'agissait pas d'une chimère destinée à des parents

---

1. Voir *Les talons hauts rapprochent les filles du ciel*, Éditions du Masque.

anxieux. Il l'avait rencontrée alors qu'il travaillait comme videur au Black Calvados. Je ne savais pas grand-chose d'elle, à part qu'il s'agissait d'une métisse aux qualités spirituelles indéniables. Je me rappelai la phrase exacte : *et en plus, elle a de ces boobs, je te jure, un truc de malade sur une fille aussi mince !*

Oui, Moussah était tombé amoureux. Le mot n'était pas trop fort : un mois qu'il me serinait sur tous les tons à quel point elle était formidable, qu'elle lui avait fait oublier toutes les autres, et qu'il envisageait même de se poser définitivement.

Je connaissais bien mon ami. Il avait la même sainte horreur de l'engagement que moi. S'il commençait à s'attacher, la fille devait en valoir le coup – et pas seulement pour une obscure raison de bonnet de soutien-gorge.

Autant dire que nous n'étions qu'impatience alors qu'il devait nous la présenter ce soir.

— Je suis curieux de voir celle qui a réussi à apprivoiser notre fauve.

— Tu ne te moqueras pas, hein ?

Je ricanai.

— Il ne se gêne pas, lui. Pourquoi est-ce que je devrais l'épargner ?

— Parce qu'il trouve plus rarement que toi.

Ma modestie dusse-t-elle en souffrir, je devais admettre que c'était vrai. Moussah s'y prenait toujours comme un manche.

— Il fait trop chaud pour se foutre de la gueule des gens, de toute façon. Sérieux, on s'est tapé un printemps pourri, et maintenant on cuit dans notre jus. Y'a plus d'saisons, ma bonne dame.

Ce fut le moment que choisit le footballeur pour venir à notre table. Il le fit d'une manière que je connaissais bien, le sourire aux lèvres mais les yeux aux aguets, attentif à ne pas se faire remarquer alors qu'il posait la main sur mon épaule.

— Fitz ! Salut mon pote, je pensais vraiment pas te trouver là !

J'avais toujours détesté les contacts physiques imposés, encore plus par une telle chaleur. Il dut sentir ma répugnance, car il se recula aussitôt. Il baissa la voix.

— Hey, t'as du soleil sur toi ? Un gramme, même un demi ? Je paie cash.

Il sortit plusieurs billets de vingt avec l'anticipation du camé qui sent déjà la poudre lui brûler les narines. C'était plutôt discret, la main fermée vers l'intérieur, le fruit d'une longue habitude, mais tout de même. Un dealer aussi avait le droit à ses jours de repos.

— Désolé, je ne bosse pas aujourd'hui, je n'ai rien sur moi. Tu sais que je ne fournis qu'en soirée.

— Allez, te fais pas prier, tu dois bien en avoir un peu ?

Je secouai la tête, et son expression affable disparut. Tous des grands enfants, ces footballeurs, convaincus qu'on devrait accéder à leurs moindres caprices. En l'occurrence, j'aurais été ravi de lui faire plaisir, mais j'avais *réellement* les poches vides. J'avais une tête de bon aryen – en un ou deux mots – qui m'évitait la plupart des contrôles de police, mais il suffirait d'un seul si je gardais de la coke sur moi.

Il se pencha, serra les poings ; je pouvais lire la frustration dans ses yeux. Je sentis qu'il allait insister.

Ce fut le moment que choisit Moussah pour arriver. Il était aussi noir que Déborah était pâle, aussi musulman qu'elle était juive, aussi musclé qu'elle était fine, aussi bruyant qu'elle était contemplative. Il bouscula à moitié le footballeur pour passer, s'excusa avec un grand sourire, puis se laissa tomber sur une chaise en s'éventant avec la main.

— Non mais sérieusement, vous le croyez, qu'il est vingt heures ? Même au Congo, il fait pas si chaud.

— T'as jamais mis les pieds au Congo, Mouss'.

— Ouais mais je *sais.* C'est dans les gènes, ça s'oublie pas. (Il se tourna vers le footballeur.) C'est qui, lui ?

— Une connaissance de soirée. On se retrouve au Purple vendredi, comme d'habitude ?

L'homme me regarda un instant. Une veine battait à sa tempe. Ce n'était pas la première fois que je me disais que je trempais tout de même dans une activité dangereuse, et que la coke n'avait pas qu'un aspect récréatif.

Heureusement, malgré son côté junkie, le footballeur était assez intelligent pour ne pas provoquer de scandale dans un lieu public – ou pour se mesurer aux énormes biceps de Moussah. Il battit en retraite, l'air boudeur.

Moussah leva la main pour attirer le serveur, l'air plutôt content de lui.

— Ben alors, où est ta copine ? demandai-je.

— Elle arrive, elle est juste passée aux toilettes. Justement, la voilà !

Je suivis la direction de son doigt ; l'obscurité à l'intérieur du bar contrastait fortement avec la lumière du dehors.

— Où ça ?

Ce fut alors que je la vis. À ma décharge, elle n'était pas bien large. Je notai d'abord une tache plus claire dans l'ombre de la terrasse, puis des pupilles de chat, puis des dents blanches qui me souriaient en un éclair d'ivoire. Je me levai et m'inclinai en un baise-main parfait. Elle me sourit.

— Tu dois être Fitz, c'est ça ? Enchantée, je m'appelle Cerise.

— Condoléances.

Une plaisanterie publicitaire me vint spontanément aux lèvres, mais je la retins devant les yeux sombres de Moussah. Il m'avait demandé de ne pas trop me moquer, et j'étais mieux placé que quiconque pour connaître le poids d'un prénom. Mais quand même... Cerise... il y a des parents qui méritent de finir cloués au pilori.

Une fois qu'elle s'assit, je pus mieux la dévisager. C'était une métisse, avec ce mélange de douceur et de grâce féline qu'on ne trouve que dans les îles. Elle était grande, très grande – et fine, très fine. Le genre de femme qui mange une papaye le midi pour changer de son kiwi du matin. Il n'était pas compliqué de voir comment Moussah était tombé sous le charme. Elle était superbe. Si j'avais voulu me montrer cruel, j'aurais rajouté qu'elle était probablement trop belle pour lui. Ça n'amènerait que des ennuis : je n'avais pas la moindre confiance dans les couples dépareillés.

Tout le monde me trouvait superficiel, m'affirmait qu'il connaissait des amis qui... et que... et qu'au final ça marchait, mais il n'empêche : un trop grand écart entre les deux partenaires, et ça fragilise tout. Surtout dans un monde comme celui de la nuit, où chacun est évalué sur la fermeté de sa silhouette et le prix de ses vêtements. Une fille comme ça, elle devait se faire draguer tous les soirs par des mannequins souriants et quasi hétéros. Il fallait une sacrée dose de confiance en soi pour gérer ce genre de jalousie. J'avais des doutes sur le tempérament de Moussah.

— Elle est pas super ? rayonna celui-ci. T'as vu comme elle est belle ?

J'avais appris à mes dépens qu'il valait mieux ne pas parler des filles comme d'une marchandise, il paraît que certaines le prennent mal. À mes côtés, Déborah gardait sagement son opinion pour elle.

— Si, *elle* est formidable, acquiesçai-je avec juste ce qu'il faut de sarcasme. Et dis-moi, Cerise, qu'est-ce que tu fais de beau dans la vie ? Modèle ?

Ses yeux s'agrandirent.

— Comment tu as deviné ?

— Je suis magicien.

Un mètre quatre-vingts, un visage d'ange et des côtes saillantes ? Si elle n'était pas mannequin, elle revenait d'un séjour sportif au Darfour.

Moussah lui dédia une grimace énamourée.

— Elle est pas mal célèbre, en plus. Elle a tourné dans une pub pour un dentifrice – comment ça faisait encore, chérie ?

— Dentifab, le dentifrice...

— Ah oui, qui rend le sourire aux dents. Un truc de malade. Et bientôt, elle va participer au concours de miss Podium, c'est un truc encore plus dingue. J'ai aucun doute qu'elle va le remporter, belle comme elle est. Pas vrai, chérie ?

Je croisai le regard de Déborah, qui luttait pour ne pas rire. Moussah amoureux, c'était tout un spectacle. Je ne parvenais pas à imaginer garçon plus naïf, maladroit dans son admiration d'enfant sage, les yeux brillants devant une pochette-surprise.

En face, Cerise se montrait d'une patience à toute épreuve. Un sourire indulgent sur ses lèvres fines, elle recevait les compliments comme son dû. Dans le fond de la salle, les baffles se mettaient en route. Le dernier tube de l'été, *Tacata* des Tacabros (si si), un plaidoyer raffiné en faveur de l'ondulation du bassin. Je me penchai vers la métisse et lui criai dans l'oreille pour couvrir le bruit de la musique.

— On dit que c'est des vraies boucheries, ces concours de mannequins, que tout le monde est en compétition avec tout le monde, que vous êtes prêtes à tout pour gagner, que vous n'avez pas d'amies et aucun scrupule. C'est vrai, ça ?

Cerise se tourna vers Moussah pour lui donner un coup de coude.

— Dis donc, tu avais raison, il est vachement diplomate, ton pote !

— Je t'avais prévenue ! Il est génial !

Dale mamasita con tu tacata...

Le colosse étouffa un rire étrangement flûté pour sa stature, et voulut se resservir en alcool. Il contempla avec surprise le fond de la bouteille déjà vide. Je n'eus pas le temps de faire un geste qu'il avait déjà levé la main pour commander.

— C'est pour moi, mec. Je nage dans le bonheur !

La seconde bouteille arriva – deux cents euros, une paille – tandis que la fille se penchait vers moi. Sa queue de cheval vint me chatouiller l'épaule et je me reculai sur mon fauteuil, soudain inconfortable.

— Bien sûr que c'est une boucherie, le mannequinat. C'est Highlander au féminin, il ne peut en rester qu'une. Pour chaque fille qui finit par percer et qui vit au milieu des paillettes, il y en a cent ou mille qui n'arrivent pas à boucler leurs fins de mois malgré les shootings pourris et les jobs précaires. Cette élection, je vais tout faire pour la gagner. Surtout que je suis l'une des plus âgées, je n'ai plus beaucoup de temps devant moi. S'il n'y a pas de *big opening* dans les mois à venir, je vais finir périmée.

— Et tu as...

— Vingt-cinq ans.

— Ben merde.

Je sirotai ma vodka à travers une paille, comme toujours. J'avais entendu dire que ça faisait tafiole. Et alors ? Ces gars-là avaient tout compris.

— C'est quand, cette fameuse élection ?

— Il y a des présélections demain soir, et la finale dans trois semaines. Moussah m'a dit qu'il viendrait me soutenir demain. Vous pouvez passer aussi, si vous voulez.

Déborah secoua la tête. Ça faisait un moment qu'elle jouait avec son verre sans se resservir.

— Je passe mon tour, désolée. C'est la période des conseils de classe, je ne pourrai pas me libérer.

Franchement, j'aurais bien aimé voir comment ça se passe, mais c'est râpé pour cette fois-ci.

Cerise se tourna vers moi.

— Et toi ?

— Ouais, viens ! Franchement, ça ne peut être que sympa ! confirma Moussah.

Je les regardai, tous les deux. Ils se tenaient la main discrètement sous la table. Ils étaient dégoulinants d'amour.

— Attends que je réfléchisse. C'est un choix difficile. Tu me proposes de passer la soirée au milieu de belles filles court vêtues qui feront tout pour se mettre en valeur ?

Je me tournai vers Moussah, qui fixait le vide avec un sourire stupide.

— Tu sais quoi, je l'aime bien ta copine.

A mi me gusta cuanda las mamitas hacen Tacatà.

2

Lorsqu'on entend parler de concours de mannequins, certaines images nous viennent forcément à l'esprit. J'aime à me considérer comme plus civilisé que le commun des mortels – mais merde, des mannequins, quoi ! Qui ne rêve pas devant ces images léchées, photo-shoppées, retouchées, raffinées, qui parviennent à rendre érotique une publicité pour une serviette hygiénique ?

Puisque j'allais avoir le plaisir de rencontrer des dizaines d'apprenties modèles, j'avais pris la peine d'étudier ma tenue avec soin, hésitant devant ma garde-robe de jeans sombres et de chemises blanches. J'avais opté pour une combinaison Guess/Kenzo du meilleur goût. Je me sentais en confiance ce soir, prêt à soutenir Moussah, mais également à aller chasser la gueuse dans un territoire peu familier. J'avais même aspergé mon cou de parfum.

Pourtant, la première impression ne fut pas favorable.

La présélection se déroulait dans une salle des fêtes parisienne, au fin fond du vingtième arrondissement, là où j'essayais de mettre le moins possible les pieds pour coller à mon image de snob indécrottable. Je *savais* qu'il existait des lignes de métro comme la 3bis ou la 7bis, mais l'idée même de les emprunter ne m'avait jamais traversé l'esprit. Après tout, qu'est-ce qu'il y avait dans le coin, à part des kebabs qu'on trouvait également à Châtelet ?

Déborah m'avait déjà fait observer plusieurs fois que je m'embourgeoisais, mais je ne voyais pas ce qu'elle voulait dire par là.

Moussah arriva avec vingt minutes de retard, et j'avais eu le temps de fumer deux cigarettes sous un soleil déclinant. En ce moment, il effectuait un remplacement de congé maternité pour une comptable dans une entreprise de BTP, et il n'épargnait pas ses heures. Il espérait que la société reconduirait son contrat une fois la femme revenue, sans se faire trop d'illusions. Les muscles qui roulaient sous son T-shirt moulant n'avaient jamais plaidé en sa faveur pour des emplois de bureau.

Nous pénétrâmes dans le bâtiment. Les murs étaient en crépi fatigué et le toit menaçait de s'effondrer à moitié. Des milliers de pieds avaient usé les mosaïques du sol jusqu'à les rendre presque blanches. On avait aligné des dizaines de chaises le long du couloir ; une feuille format A4 sur laquelle on avait écrit *Salle de Casting* au feutre décorait la porte du fond. Ça ressemblait un peu aux coulisses d'un télé-crochet bricolé à la va-vite dans un garage.

Je me demandai vaguement si tout cela respectait les normes de sécurité.

Partout autour de nous, des filles. Malgré les faibles moyens, le concours avait attiré des dizaines de participantes. C'est vrai que les phalènes s'approchent tout autant d'une veilleuse que d'une lampe-tempête. Toutes les chaises étaient occupées, tandis que d'autres patientaient debout voire assises sur le sol. Certaines, venues en groupe, disputaient une belote dans un coin.

Il y avait des grandes, des petites, des minces, des grosses, des jeunes, des vieilles, des brunes, des blondes, des rousses, des métisses, des blacks, des asiatiques, des latinas, des sophistiquées, des vulgaires, des bien habillées et des adeptes du pantacourt (ne me lancez pas sur le pantacourt, on risquerait d'y passer la nuit), des cheveux longs et des crânes rasés, toutes réunies par la même attente angoissée et les mêmes yeux fiévreux tournés vers la porte derrière laquelle tout se jouait.

J'étais un peu déçu. Certaines étaient belles, bien sûr, mais je m'attendais à quelque chose de plus exceptionnel, de plus… télévisuel. J'avais cru que la fille de la publicité Aubade serait là, à discuter en sous-vêtements avec celle du dernier parfum Dior. Mais non, ce n'était que des filles comme les autres, comme celles que je croisais en soirée et auprès desquelles je testais mon numéro de séducteur minable, le sourire aux lèvres et le verre à la main.

Et elles n'étaient pas seules. De la même manière que Cerise avait requis notre présence, beaucoup se présentaient avec leur cour. Autour de ces jeunes filles en fleurs, les parents s'agglutinaient en petits groupes. Le visage fermé, l'expression grave, ces adultes habillés en adultes discouraient en comité restreint des chances de telle ou telle candidate. Oh, ils avaient fait des efforts vestimentaires, je le voyais bien – mais comme souvent lorsqu'on n'a pas l'habitude, c'était contre-productif. Je montrai d'un doigt discret à Moussah un homme chauve qui exhibait une cravate Batman avec le plus grand sérieux.

— On dirait qu'ils sont tous venus pour voir la messe. Regarde, il y en a même un en smoking.

— Tu sais, ils doivent sans doute nous trouver habillés bizarrement aussi.

— Ouais, mais nous on a raison. Et puis sérieusement, une cravate Batman ?

Malgré le côté cheap de l'ensemble, les lieux semblaient empreints d'une vraie ferveur. Les yeux des parents brillaient alors qu'ils déballaient leur caméscope ; pour eux, c'était sans doute l'un des moments les plus importants de leur vie. Quand j'étais gamin, je regardais *l'École des Fans* le dimanche. Je me rappelais encore l'envie que j'éprouvais devant ces enfants bien habillés et bien peignés qui chantaient d'une voix de fausset devant le regard énamouré de la France d'en bas. Oh, ce n'était pas leur gloire que j'enviais à l'époque, mais bien les jeux et les Legos avec lesquels ils repartaient à la fin. J'avais supplié mon père de me laisser participer, mais il m'avait toujours opposé un refus catégorique. J'avais trouvé ça plutôt injuste.

Moussah mit ses mains en visière contre la lumière crue des néons, plissa les yeux. Il devait y avoir près de cent personnes dans le hall, et il lui fallut quelques secondes pour repérer sa copine. Son visage s'éclaira.

— Elle est là-bas, viens !

Je lui emboîtai le pas. Cerise se trouvait dans un coin, assise sur une chaise, les écouteurs de son lecteur MP3 dans les oreilles. À la différence des autres candidates, elle ne discutait avec personne. Nous étions les seuls à venir la soutenir. Lorsqu'elle nous aperçut, elle se leva d'un bond et lui sauta dans les bras. Il la réceptionna sans le moindre effort, la porta à bout de bras en riant. Sans se soucier du regard des autres, ni même de me dire bonjour, elle l'embrassa à perdre haleine. Ses dents lui mordillaient la lèvre inférieure.

Je n'avais jamais aimé les couples qui se donnaient en spectacle, mais je devais avouer qu'ils étaient plutôt mignons, tous les deux. Enfin, surtout elle. Les bras musclés du videur la rendaient encore plus menue, comme un remake en Jimmy Choo de *King Kong*.

La veille, elle ne portait pas de maquillage et avait attaché ses cheveux en queue de cheval. C'était impressionnant de la voir aujourd'hui, apprêtée pour une compétition, les lèvres finement dessinées, la chevelure bien coiffée aux épaules. Avec un flegme surprenant après sa manifestation d'affection, elle sortit un tube de gloss de son sac et entreprit de réparer les dégâts causés par son baiser fougueux. Oui, elle était très belle. Je promenai mon regard autour de la salle, observai ses concurrentes, mais aucune ne lui arrivait à la cheville.

— Ça va mon bébé ? Tu n'es pas encore passée ? Je suis désolé, je suis sorti du boulot le plus vite possible.

— Non, j'y vais dans cinq minutes. Pour l'instant, ils n'ont retenu qu'une seule personne. La fille à tête de mannequin russe, là-bas. Elle a des yeux de poisson mort, mais il faut croire qu'ils aiment ça.

Je tournai la tête dans la direction qu'elle indiquait. Une femme d'une vingtaine d'années était en train de pavoiser devant ses amies, une sorte de diplôme dans les mains. Je supposai qu'il s'agissait du fameux sésame donnant accès à la finale. Cerise s'était montrée cruelle, mais pas forcément injuste : je croisai le regard de la candidate et n'y décelai pas la moindre étincelle de ce qu'on pouvait appeler l'intelligence. Alors d'accord, les yeux ne sont pas forcément les fenêtres de l'âme, mais je n'en restai pas moins froid devant sa plastique parfaite.

— Elle s'appelle Tania, précisa Cerise d'un ton détaché.

Un nom qui collait bien avec les cheveux blonds, la peau claire et les lèvres botoxées. Je hochai la tête lentement. Elle ne me plaisait pas du tout.

— C'est quoi l'enjeu, ce soir, exactement ? Et ils vont te sélectionner sur quels critères ? Je t'avoue que je suis un peu dans le flou, là.

— C'est le cas de tout le monde. Tu sais, les annonces de casting ne sont pas très précises, encore moins lorsque l'événement est prestigieux. Ils savent qu'ils auront des dizaines de candidates, alors pourquoi se fatiguer ? Je sais juste que je vais me retrouver en face du patron de l'agence avec probablement sa directrice artistique, peut-être d'autres personnes, et que je n'aurai qu'une ou deux minutes pour attirer leur attention.

— Ça paraît court, non ? fit Moussah.

— Et encore, je suis optimiste. Je dis deux minutes parce que j'ai un physique qui devrait leur plaire. Certaines sont ressorties au bout de dix secondes, à moitié en larmes. J'ai l'impression qu'ils ne s'embarrassent pas de diplomatie.

— Dix secondes ?

Je vis l'une des filles pousser la porte et disparaître dans la fameuse pièce. La respiration bloquée, je comptai jusqu'à dix. Elle ne réapparut pas.

— Ce n'est pas le cas à chaque fois, mais objectivement, il y a des candidates qui ne sont pas à leur place. Regarde la petite grosse dans le coin. Tu penses vraiment qu'elle a une chance ? Tout le monde ici se moque d'elle, et elle ne s'en rend même pas compte.

Je suivis la direction de son bras, observai la cible de son mépris. C'était une adolescente d'une quinzaine d'années, le visage encore grêlé d'acné, qui avait du mal à dissimuler son ventre sous un T-shirt trop court. Pas forcément une beauté, mais la manière dont elle avait dispensé son jugement me fit froid dans le dos.

— Vous n'êtes quand même pas tendres entre vous, marmonnai-je.

Elle sourit sans s'offusquer.

— Ah ? Tu la draguerais en soirée, toi ?

— Ce serait du détournement de mineure.

— Ce n'est pas ma question, et tu le sais. Si elle avait ton âge... avec ce physique... tu la draguerais ?

Je restai muet, et elle éclata de rire.

— Tu vois, Fitz, le monde de la nuit est aussi impitoyable que celui du mannequinat, et probablement plus fourbe. Parce que là, quelqu'un finira par dire à cette fille qu'elle n'a pas sa place ici. Tandis que toi, est-ce que tu expliqueras un jour à une femme que tu la trouves trop moche, ou est-ce que tu te retrancheras comme tout le monde derrière des excuses toutes trouvées du genre *tu es formidable, tu es adorable mais je ne veux pas gâcher notre belle amitié* ?

Je grimaçai un sourire, puis me détournai pour cacher mon embarras. C'est vrai que c'était toujours un moment difficile à passer. Heureusement que la vodka nous donnait – parfois – du courage.

Ce fut en refusant de croiser les yeux moqueurs de Cerise que je vis l'autre fille.

Elle était au fond de la salle, seule aussi, des écouteurs dans les oreilles aussi. Grande – évidemment – mince – évidemment, peau claire, quelques taches de rousseur, cheveux blond-roux, un sourire rêveur aux lèvres, et des yeux… quand nos regards se croisèrent, elle haussa un sourcil, et cela suffit pour me faire basculer. Je sentis mon cœur battre plus vite, l'adrénaline monter dans mes veines. C'était une sensation que je ressentais souvent en fin de soirée, avec trois grammes d'alcool en bandoulière, lorsque je me lançais en chasse de la fille avec qui passer le reste de la nuit. Je ne m'étais pas attendu à la ressentir à jeun, et en pleine lumière.

J'avais beau tenter de me montrer objectif, je ne voyais aucune fille plus attirante dans toute la cohue autour de moi, aucune qui avait ce fameux supplément d'âme, cet indéfinissable charme, cette petite flamme. Celle-là, elle l'a.

Je me tournai vers Cerise pour lui demander si elle connaissait cette concurrente, si elles s'étaient déjà croisées à un casting, mais les deux tourtereaux avaient profité de mon silence pour s'embrasser de nouveau à pleine bouche. Sale.

Dans un dernier bruit de succion, la métisse se dégagea de l'étreinte de mon ami, remit du gloss sur ses lèvres – ça devenait une manie – puis se dirigea vers la porte.

— C'est mon tour. Souhaitez-moi bonne chance !

Nous lui marmonnâmes des encouragements, et elle disparut de notre vue ; nous restâmes à fixer l'écriteau de fortune qui se balançait au bout d'un morceau de scotch.

— Elle est vraiment magnifique, murmura Moussah, les yeux rêveurs.

Je ne pouvais qu'acquiescer. Puis je réalisai qu'il parlait de Cerise, pas de la mystérieuse rousse, et mon hochement de tête se fit plus hésitant.

— J'avoue, quand je regarde toutes celles qui sont présentes ici, je crois qu'elle a toutes ses chances.

— Toutes ses chances ? Tu veux dire que c'est la plus formidable, oui, c'est une telle bombe que même Hiroshima dirait mon amour. Ils vont la prendre, obligé, sinon ils ont de la merde dans les yeux. Je te préviens, si le directeur la fait pleurer, je vais aller m'expliquer avec lui, et ça va saigner.

J'adressai une prière muette pour que Cerise soit sélectionnée. L'idée de voir cette joyeuse soirée dégénérer en pugilat ne m'intéressait que moyennement. Je tenais à garder aussi intact que possible le visage sensuel que les dieux m'avaient donné – déjà qu'une cicatrice me défigurait à moitié, autant ne pas tenter le sort.

Dix secondes se passèrent sans qu'elle ne revienne, ce qui était plutôt bon signe. Je croisai le regard de la mystérieuse inconnue, et elle haussa de nouveau le sourcil. Une fois, ça aurait pu être une coïncidence, mais deux...

— Mouss', je crois que je suis amoureux.

— Comme tous les soirs, quoi.

— Non, cette fois, c'est vrai.

— Comme tous les soirs, quoi. Bon, de qui ?

— La fille, là-bas, la rousse. Discrètement, bordel ! Faut que j'aille l'aborder.

Je ne pouvais lui reprocher de ne pas y mettre de la bonne volonté ; il se contorsionna dans tous les sens pour passer inaperçu. À voir l'air hilare de la jeune femme, il ne s'y prenait pas très bien. Il finit par se tourner vers moi.

— Ok, elle est pas mal. Mais tu sais, c'est pas vraiment une bonne idée de draguer ici. Déjà, c'est toutes des folles furieuses égocentriques qui ne pensent qu'à leur apparence.

— Je trouve que c'est plutôt un bon point, ça...

— Ensuite, je veux pas t'affoler, mais la moitié des filles ici sont mineures. Si ça se trouve, elle n'a que dix-sept ans. Je te rappelle que tu en as trente.

— Merde...

Je n'avais pas pensé à ça. C'est vrai que le maquillage habilement distribué pouvait tromper l'œil le plus exercé.

— Il n'y a qu'un moyen de le savoir...

— Qu'est-ce que tu vas faire ? Hey, Fitz !

Je pris une grande inspiration et marchai droit vers la jeune femme, tout sourire, les yeux dans les yeux. Je ne pris pas le temps de me demander si elle était en couple, si son compagnon se trouvait dans les parages, si elle était lesbienne, si je lui plaisais. À trop réfléchir, j'aurais fini par ne pas bouger.

— Bonjour, je m'appelle Fitz et je voulais savoir, quel âge as-tu ?

Elle me contempla sans la moindre surprise, comme si elle avait l'habitude qu'on lui saute dessus avec des questions saugrenues.

— D'habitude, on me demande d'abord mon prénom. L'âge, c'est plutôt une donnée sensible. Un vrai gentleman ne pose pas ce genre de questions.

— C'est que je ne suis pas un gentleman. Et je suis vraiment forcé d'insister, parce que je m'en voudrais de t'offrir un verre si tu avais moins de vingt-cinq ans.

Elle me regarda des pieds à la tête.

— Tu sais que vingt-cinq ans, c'est super vieux, pour un mannequin.

— On me l'a déjà dit, oui.

— Alors tu as de la chance, je viens de fêter mon anniversaire.

Elle agita la main en direction de quelqu'un derrière moi et je pivotai, inquiet à l'idée de découvrir un petit ami jaloux, sans doute 1,90 m au garrot et adepte de kick-boxing. Mais non, elle saluait simplement un couple dans la cinquantaine à l'argent clinquant qui se dirigeait vers nous. Merde, les parents.

— Impact prévu dans dix secondes, murmura-t-elle.

Mannequin ET ironique ? Dieu existait donc. J'avais déjà sorti mon téléphone avec la vitesse de l'habitude.

— Ça m'en laisse huit pour prendre ton numéro.

Au lieu de m'envoyer promener, je la vis fouiller dans sa poche pour en sortir une carte. Elle me la glissa dans la main avant de se détourner et d'avancer vers ses parents, un sourire figé aux lèvres.

— Vous avez pu venir ? Je suis la prochaine à passer !

— Tu penses bien qu'on ne manquerait ça pour rien au monde, ma chérie ! Tu vas être sélectionnée, c'est sûr !

J'étais plutôt d'accord avec eux. Je croisai le regard suspicieux de la mère – botoxée jusqu'aux oreilles, genre miss France en fin de vie – et m'esquivai dans un coin pour examiner mon butin.

C'était une carte de visite tout ce qu'il y a de plus professionnel, en carton épais.

Aurélie Dupin.
Actrice, mannequin, modèle

Suivait un numéro de portable.

Je n'avais pas la moindre idée de la différence entre un mannequin et un modèle, mais je me promis de le découvrir au plus vite. Je rentrai le nom et le numéro dans mon répertoire, lorsqu'une rumeur sourde résonna dans tout le hall. Les candidates se levaient et se haussaient sur leurs chaussures à talons pour mieux voir. La rumeur bruissa jusqu'à moi, portée par des dizaines de conversations.

— Une nouvelle sélectionnée ! Une nouvelle sélectionnée !

Cerise venait de sortir de la salle, les bras levés en signe de victoire. Dans sa main droite, la feuille qui l'invitait à la finale. Moussah était déjà à ses côtés. Il rayonnait.

Je me rapprochai d'eux pour les féliciter, sous les regards maussades des recalées.

— Alors, c'était comment ?

— C'était... bizarre. Il m'a demandé de marcher, comme si je voulais défiler. De m'asseoir, de me lever, de sourire, de prendre une ou deux poses. Et puis il m'a demandé si c'était moi qui m'étais maquillée. J'ai répondu que non, qu'une amie m'avait aidée.

— Et alors ?

— Et alors il a répondu que ce n'était pas une amie.

— C'est vraiment un connard, gronda Moussah.

— Non, il est franc. Ça m'a tellement prise par surprise que j'ai éclaté de rire, et je crois que ça lui a plu. Il m'a encore posé deux ou trois questions, et il m'a donné l'invitation. J'étais tellement heureuse... c'est dans deux semaines, c'est presque demain ! Et je vais gagner, j'en suis sûre !

Moussah hochait la tête en cadence avec elle.

— J'en suis certain !

Je ne répondis rien. J'étais moins convaincu qu'eux.

Car, quelques minutes plus tard, Aurélie Dupin, actrice, mannequin, modèle, sortait de la salle avec le sourire aux lèvres et le sésame à la main.

3

Beaucoup d'experts vous diront d'attendre trois jours avant d'appeler une fille ; Bénabar en a même fait une chanson (il m'arrivait de l'écouter entre deux David Guetta).

Ça, c'était la théorie. En pratique, mes bonnes résolutions ne durèrent que vingt-quatre heures.

Je venais de perdre pour la dixième fois consécutive ma partie de Diablo III en mode Armageddon, et j'étais d'une humeur massacrante. Moi qui tentais de freiner ma consommation de cigarettes, j'en avais désormais un plein cendrier et je sentais mes mains trembler de frustration. C'est fou, à quel point un simple jeu peut vous mettre dans des états impossibles. Des années que j'évitais de consommer la coke que je vendais et voilà que je me retrouvais tout de même en speed.

Il fallait que je me change les idées, et appeler Aurélie me paraissait une idée comme une autre. Elle décrocha à la première sonnerie.

— Allô ?

— Allô, Aurélie ? Euh, salut, c'est Fitz. Tu sais, l'histoire de l'âge. Hier.

— Je n'ai pas une si mauvaise mémoire, et tu as un nom qui reste en tête. Hello, Fitz.

Pour une fois que je pouvais remercier mes parents de m'avoir affublé d'un tel prénom !

— Bon, j'aimerais te dire que je voulais entendre le son de ta voix, mais en fait c'est surtout que mon ordinateur me saoule et que j'avais du temps à tuer. Du coup, hop, me revoilà avec ma proposition de verre. Quand est-ce que tu serais dispo ?

Un silence au bout du fil, le bruit d'une respiration.

— Tu fais quoi, là ? demanda-t-elle.

— Je crame dans mon studio. Il fait environ mille degrés. Et je viens de réaliser que j'ai oublié de remettre des glaçons au congel. Je suis un boulet.

— Si tu es prêt à bouger de chez toi, j'ai la clim dans mon appart.

— ...

— Enfin, c'est celui de mes parents, mais ils ne sont pas là.

— ...

— Tu es toujours en vie ?

— J'étais en train de me demander ce qui me plairait le plus entre te voir et profiter de la clim, mais oui, j'accours, je vole, je bondis... enfin, si tu es sur Paris. Rassure-moi, tu n'habites pas en banlieue, ça casserait tout le charme.

Elle eut un petit rire.

— Tu sais que tu as quand même pas mal d'exigences, pour un inconnu ? Tu cherches une fille de plus de vingt-cinq ans, qui habite Paris intra-muros...

– ...et si elle faisait du mannequinat, ce serait encore mieux.

– Ouais, voilà. Tant qu'à faire, elle pourrait même suivre des études à Sciences Po ?

– À vingt-cinq ans, j'espère bien qu'elle les aurait terminées.

– T'as vraiment de la chance. Douzième arrondissement, c'est assez parisien pour toi ?

Elle me donna l'adresse, et je m'emparai de mes clés avant de sortir en hâte.

J'avais toujours aimé la ligne 1. Elle dessert Paris d'ouest en est, et passe par de nombreux endroits agréables. Porte Maillot, les Champs bien sûr, Concorde, Louvre-Rivoli, Châtelet. Et, pour ceux qui apprécient les soirées étudiantes ou l'ambiance surchauffée d'un *Barrio Latino*, Bastille.

À la sortie du métro, je marchai cinq minutes avant de me retrouver devant un hall d'immeuble flambant neuf. Je ne connaissais pas bien le quartier Reuilly-Diderot mais ça semblait plutôt calme et familial, le genre d'endroit envahi de poussettes dès que le beau temps le permet.

Je composai le code, puis montai au quatrième. J'étais beau comme un abricot, sensuel comme une pêche melba, fier comme un paon, excité comme une comparaison qui ne me venait pas à l'esprit. Je sonnai à la porte, et elle m'ouvrit.

Elle avait nettoyé son maquillage outrancier de la veille et la lumière crue de son appartement jouait sur les contours fins de son visage. C'était une de ces filles qui possédait le même charme au naturel qu'apprêtée – ou qui parvenait à dissimuler avec talent les effets de ses produits. Ses cheveux fins tombaient sur ses épaules comme dans une publicité pour un déodorant. Elle me sourit et m'invita à entrer d'un grand geste de la main.

Le salon devait faire la taille de mon studio. C'est vrai, je n'avais pas réagi sur le moment, mais elle m'avait bien précisé qu'elle habitait chez ses parents.

— Dis donc, c'est pas mal du tout, ici.

— Oui, ils ont presque trois cents mètres carrés. Un bel appartement.

Trois cents... Ma bonne éducation ne put m'empêcher de siffler doucement.

— Ah oui, quand même. C'est rare, à Paris. Je ne sais pas ce que font tes parents, mais je leur tire mon chapeau.

— C'est surtout mon père. C'est un sportif réussi, et ma mère une miss ratée.

— Tu es un peu dure, non ?

Elle haussa les épaules.

— Pas du tout, il faut être réaliste : elle n'a pas percé. Mais je ne la juge pas, c'est peut-être ce qui va m'arriver aussi. Le concours dans deux semaines est l'une de mes dernières chances. Tiens, ma chambre est par là.

Nous passâmes par une enfilade de couloirs décorés de nombreux trophées et de photos – la plupart représentant un champion de course automobile que je ne reconnus pas, quelques autres montrant le visage souriant d'une jolie blonde un peu fade. Je n'y prêtai guère attention, concentré sur la silhouette fine qui avançait devant moi avec grâce. Comment pouvait-on mettre autant de charme dans un simple mouvement ? Ça me dépassait.

Elle ouvrit la porte de sa chambre, et me sourit. L'atmosphère était électrique. Je pouvais sentir la tension sexuelle entre nous. Dans un instant, nous allions nous sauter dessus avec toute l'énergie de deux corps qui se découvrent, et tant pis pour la planche à repasser qui irait voltiger dans un coin, les vêtements sur le sol, la robe de couturier attachée à un cintre et les animaux en peluche qui parsemaient le sofa. Ce soir, j'allais traumatiser Winnie l'Ourson. Je m'approchai avec mon regard irrésistible, celui auquel personne n'avait encore jamais résisté.

Elle m'esquiva d'une feinte de corps et s'assit sur le lit. Son expression devint sérieuse.

— Alors, tu peux me parler de Cerise ?

— Pardon ?

— Cerise. Tu la connais bien ?

Je la regardai, décontenancé.

— C'est plutôt mon ami qui la connaît. Moussah, le grand black qui était avec moi. Tu as dû le remarquer, il ne passe pas inaperçu.

— C'est vrai. Il s'habille un peu serré pour ses pectoraux, d'ailleurs. Tu lui diras que ça fait un peu *douchebag*.

— Ma chère, s'il y a bien un domaine dans lequel je ne me risquerai pas à critiquer Moussah, c'est sur ses goûts vestimentaires.

— Tu trouves qu'il s'habille bien ?

— Non, mais il est susceptible. Et costaud.

Je m'assis à ses côtés, un sourire figé aux lèvres. Quelque chose me disait que je n'allais pas aimer ce qui allait suivre.

— C'est pour ça que tu m'as demandé de passer ? Pour parler de Cerise ?

Elle n'eut pas même la courtoisie de rougir.

— Je ne sais pas, je me disais que tu pourrais me renseigner un peu. Je t'avoue que j'ai peur d'elle. Elle est très belle, très pro, elle a l'habitude des défilés. En plus, elle est métisse et c'est à la mode en ce moment.

Je commençai à perdre pied. Histoire de jouer la montre, je promenai mon regard alentour. Les murs étaient fraîchement repeints, et une reproduction du fameux tableau de Paul Colin, *Le Tumulte Noir*, pendouillait à un clou mal enfoncé. Une fille de goût, cette Aurélie, mais avec deux mains gauches.

Elle ne se laissa pas intimider par mon silence.

— Tu sais, j'ai vingt-cinq ans, et ça a l'air de te faire plaisir, mais c'est probablement ma dernière chance de percer. Pareil pour Cerise. C'est pour ça que j'aurais aimé que tu me parles d'elle, ce qu'elle cherche, ce qu'elle aime. Le savoir, c'est le pouvoir.

— Tu prends toute cette histoire très au sérieux, dis-moi.

— Bien sûr ! Pour toi, tout ça, c'est des paillettes, mais c'est mon job et c'est ma vie. Si je ne gagne pas cette élection, si je ne deviens pas Miss Podium, je peux faire une croix sur ce métier. C'est comme si je me faisais licencier sans indemnité. Comment est-ce que tu le vivrais, toi, si tu perdais ton boulot ?

Je dus reconnaître du bout des lèvres que ce serait ennuyeux, bien sûr. Est-ce qu'ils proposaient des ruptures conventionnelles chez les narcotrafiquants ?

J'étais en train de me demander pourquoi j'étais venu lorsqu'elle se pencha pour récupérer un dossier sous un meuble. Mes yeux se figèrent sur la toile tendue de son jean. Ah oui, voilà pourquoi.

Elle me fourra dans les mains une pochette cartonnée sobrement intitulée *Concours.*

— Regarde.

La couverture me rappelait furieusement le dossier d'enquête que m'avait donné Jessica, il y avait des mois de ça. De mauvais souvenirs remontaient à la surface – j'espérais que des photos de femmes ne se trouvaient pas à l'intérieur.

J'ouvris le premier rabat pour trouver ce que je redoutais : des portraits en format 20x27, tirés sur une imprimante maison. La seule différence, c'est que les filles étaient en vie. J'y trouvais Aurélie, et Cerise, et Tania, et dix-sept autres clichés triés par ordre alphabétique.

— C'est toutes celles qui sont sélectionnées pour la finale. Et à côté, les informations que j'ai pu récolter sur elles. Mensurations bien sûr, mais aussi loisirs, phobies, tout ça.

Je regardai la première photo, atterré. Une jolie maghrébine me regardait avec un air mutin derrière un rideau de boucles brunes. Le commentaire spécifiait qu'elle avait déjà tourné dans une publicité pour du parfum, avait posé dans des dépliants commerciaux de la grande distribution, et qu'elle avait une sainte horreur des araignées. Le mot *porno ???* était écrit dessous avec trois points d'interrogation, souligné d'un trait rageur.

— C'est quoi, ça ?

— Oh, je ne sais pas, je crois qu'elle a tourné dans un film de cul au début de sa carrière, mais je n'arrivais pas à le retrouver, alors j'ai laissé tomber cette piste.

Le reste du dossier se révéla à l'avenant. Une jolie blonde au sourire alsacien se voyait affublée du mot *Asthme !* Pour une petite brune d'une vingtaine d'années, *mec en prison ?*

Cette fille était une vraie psychopathe. Ma libido allait me détester, mais il y avait des limites. Je me levai et lui rendis son dossier.

— Je suis navré de ne pas pouvoir t'aider, mais je ne sais rien sur Cerise. Il va falloir que j'y aille. J'ai été ravi de faire ta connaissance, Aurélie-qui-a-vingt-cinq-ans, mais il se fait tard et je bosse demain.

Elle me regarda sans la moindre déception et me tapota amicalement l'avant-bras. Je crois que c'est ce qui me blessa le plus.

— Déjà ? Dommage. Enfin, je comprends. Rentre bien, champion. J'espère qu'on se reverra ! Au moins à la finale, non ?

— J'y serai probablement, acquiesçai-je.

— Tu souhaiteras la victoire de qui ? Moi ou Cerise ?

Devant la porte je me penchai pour déposer un baiser chaste sur ses deux joues. Qu'est-ce qu'elle était belle ! Qu'est-ce qu'elle était dérangée ! Qu'est-ce que je n'avais pas envie d'être là !

— Lorsqu'on est poli, on se cite en dernier et on dit « Cerise ou moi ».

L'ascenseur arriva sur ce magnifique trait d'esprit.

Dans le métro, je me sentais l'âme en berne. J'avais traversé Paris pour tomber dans le piège d'une psychopathe qui tenait des fiches sur chacune de ses rivales et cherchait par tous les moyens à les discréditer. Je me sentais mal, tout à coup. J'avais pourtant cru que c'était *The One*, la fille faite pour moi (toute en douceur, juste pour mon cœur). Je m'enfermai chez moi, et me défoulai sur Diablo III.

La semaine passa rapidement. La chaleur se maintenait à Paris, et j'occupai mon temps comme tout oisif moyen : jeux vidéo, achat de drogue auprès de mes revendeurs préférés, copulation improvisée avec une fille de mon carnet d'adresses. Durant le week-end, je délocalisai mes activités aux Jardins de Bagatelle. La clientèle y était moins huppée, mais le vent frais qui parcourait le club en plein air valait bien la peine de baisser ses standards.

Et puis, le vendredi soir, dix jours après ma rencontre avec Aurélie, la voix inquiète de Moussah au téléphone.

— Fitz ? Je crois qu'il est arrivé quelque chose à Cerise.

4

Au début, Moussah ne s'était pas inquiété. Ce n'était pas la première fois qu'on ne répondait pas à ses messages dans l'heure, et il prenait la chose avec philosophie. Les filles avaient besoin d'espace, d'intimité.

Oui, il était patient, mon Moussah. Son *tu me manques BB* n'attendait d'ailleurs pas de réponse particulière.

Mais tout de même, après deux jours sans le moindre écho, il avait fini par se poser des questions. Il avait appelé de nouveau, laissé un message, frappé à sa porte.

— Je te jure, personne n'a répondu. C'est comme si elle avait disparu du jour au lendemain, évanouie dans la nature. Un truc de ouf.

Le Queenie abritait notre conversation entre ses murs feutrés. Déborah avait promis de nous rejoindre mais elle n'arriverait pas avant une heure. En attendant, ce serait à moi de faire le sale boulot et d'expliquer la vie à mon ami. Quand même, ça se voyait comme le nez au milieu de la figure, qu'il s'était fait plaquer. Il était bien le seul à imaginer un complot derrière tout ça.

Je trempai mes lèvres dans mon Blue Lagoon tandis qu'il continuait à pérorer.

— Il a dû lui arriver quelque chose. Je ne sais pas quoi, mais quelque chose. Un accident, peut-être. Tu crois qu'il faudrait que je contacte les hôpitaux du coin ? Elle a pu se faire renverser par une caisse, ou tomber dans un escalier. Si ça se trouve, elle est plâtrée dans un coin sans pouvoir m'avertir.

— Ouais. Si ça se trouve.

J'insérai une note de doute dans ma voix, mais Moussah avait décidé d'avoir la tête dure. Il posa ses énormes paluches sur la table. Il n'avait même pas touché à son verre.

— Je te dis, Fitz, je sais pas quoi faire. Tu réagirais comment à ma place ? On était censés se faire un cinéma hier soir, c'est pas comme si je la harcelais. J'en suis dingue, de cette fille.

— Ce que je ferais, moi ? Je lui laisserais un peu de temps.

— Mais...

— Tu ne t'es pas demandé si elle ne voulait pas faire un break, tout simplement ? Tu n'aurais rien fait ou dit pour la vexer ?

Malgré la lumière diffuse, je vis son visage se contracter.

— Moi ? Mais pas du tout ! Tu me prends pour qui, un connard de sans cœur maladroit ?

— Non, mais...

— C'est ton créneau, ça, Fitz, les grandes déclarations pourries au mauvais moment. Moi je menais ma barque tranquillement, tout roulait. En plus, je peux te dire que c'était vraiment une chaude du cul, et ça elle pouvait pas le simuler.

Je grimaçai intérieurement. Il y avait des images que je ne souhaitais surtout pas avoir à l'esprit.

– Ce n'est pas ce que je voulais dire, Mouss. C'est juste que, tu sais, après des années à les fréquenter, je ne comprends toujours pas les filles. Faudra que je te raconte comment ça s'est passé avec Aurélie, d'ailleurs, tu verras qu'elles sont limites des martiennes. C'est les hormones, je suis sûr.

En temps normal, mon ami aurait saisi la perche et cherché à tout savoir sur mon échec sentimental. Là, il se contenta de grogner sourdement. Je n'en continuai pas moins ma brillante démonstration. J'étais capable de miracles en termes de mauvaise foi misogyne.

– Une fille, c'est comme un singe. Ça va attendre de trouver une autre branche avant de lâcher la première. Et c'est peut-être ça qui s'est passé, tout simplement. Elle a rencontré quelqu'un, et du coup elle se sent gênée vis-à-vis de toi.

– Ouais, gênée, c'est le mot que je cherchais. Non mais arrête avec tes théories à deux balles, Fitz, je te dis que tout va bien entre nous. Regarde, c'est le dernier message que j'ai eu d'elle, tu crois vraiment que c'est une demande de rupture ?

Je haussai un sourcil devant l'écran de portable qu'il me fourrait sous le nez. C'était plutôt flatteur – et assez explicite pour me faire saigner les yeux.

– Ah ouais, elle n'y va pas par quatre chemins. Et ça veut dire quoi, « ouagadougou », à la fin ?

— C'est le T9, cherche pas. Elle voulait mettre « ouaaaaaah ».

Je lui rendis son téléphone et levai la main pour me faire resservir, un nouveau billet entre les doigts. La serveuse s'avança d'une démarche chaloupée. Elle était plutôt mignonne, avec de longs cheveux noirs qui lui descendaient jusqu'aux fesses. C'était rare passé le collège. Je lui souris chaudement, mais elle m'ignora et se contenta de nous déposer une bouteille. On ne pouvait pas gagner à chaque fois.

Mon verre en main, je me tournai de nouveau vers Moussah.

— Elle t'a envoyé ça mercredi soir ?

— Ouais, je venais de quitter son appart' !

C'est vrai qu'il y avait quelque chose d'étrange, dans son histoire. J'avais déjà rencontré des filles qui ne rappelaient pas, j'avais moi-même poussé la lâcheté jusqu'à utiliser le même stratagème, mais ça ne me serait pas venu à l'idée de louer les prouesses de la future abandonnée à longueur de sexto.

Moussah me regardait avec une confiance aveugle, comme si je pouvais résoudre son problème d'un claquement de doigt. Je n'avais jamais compris pourquoi mes amis se tournaient vers moi dès qu'ils avaient un souci. Peut-être parce que j'étais la bonne poire de service.

— Tu sais que tu vas passer pour un con si on appelle les hôpitaux ou la police et qu'elle a simplement décidé de te snober, hein ?

— Je te jure. Elle a pas pu me faire ça. Tu la connais pas, mais c'est pas son genre.

— Ok, ok.

Je réfléchissais à toute vitesse, contemplant d'un air morne les verres vides devant moi. De toute façon, la soirée était fichue. Autant partir d'ici et trouver un téléphone pour commencer à appeler. Ou alors...

– Ta fille, elle n'aurait pas un Facebook, un Twitter ?

– Ouais, bien sûr, c'est une mannequin, tu crois quoi ?

– Bon, ben voilà, c'est un bon point de départ. (Je sortis mon téléphone, vérifiai la disponibilité de la 3G.) C'est quoi, son nom complet ?

Il se renfrogna.

– Cerise Bonnétoile.

Je manquai éclater de rire.

– Elle a vraiment tout pour elle, hein. Bon, allez, on commence par Facebook. Je suppose que tu l'as en amie ?

Il me répondit par l'affirmative et je le laissai se connecter sous son compte.

– Sérieusement, c'est la première chose que j'aurais fait, regarder si elle avait posté. T'es nul comme enquêteur, mon Mouss.

– Tu te rappelles comment ça a tourné la dernière fois que tu as joué au détective ?

Touché. Je laissai la page se charger en silence. Cerise apparut sur son profil – elle avait choisi une image d'une de ses fameuses campagnes de pub. Regard de braise, sourire aguicheur, elle aurait pu passer pour un top model professionnel.

Son dernier message datait de mercredi soir à 22 heures, un *bon anniversaire choupette !!!!* posté sur la page d'une amie.

— Bon, ben tu vois, mercredi à vingt-deux heures, elle était toujours en vie.

— Putain, Fitz, ne parle pas de malheur. Je déconne pas.

Je parcourus le reste du profil. Elle fréquentait assidûment le site : plusieurs commentaires par jour, sans même parler des photos en *duckface* qu'elle mettait en ligne presque toutes les heures. Ça me rappelait les aventures de Martine que je lisais quand j'étais gamin – ici, c'était Cerise à la plage, Cerise dans un bar, Cerise en club, Cerise visite la Tour Eiffel…

Et rien depuis mercredi soir. Silence complet.

Les sourcils froncés, je passai à l'étape suivante.

Twitter représentait l'évolution logique des blogs et de Facebook : la possibilité de se faire entendre à coups de messages de cent quarante caractères maximum. Pour certains, c'était la tribune politique du vingt et unième siècle. Pour d'autres, l'occasion de mettre en scène leur vie trépidante. Mention spéciale aux ex que je suivais et qui finissaient par pondre. La plupart du temps, leur twitter devenait une ode à leur progéniture, qui commençait par « Bébé a souri, trop contente #bonheur #maternité » et continuait avec « Bébé est couché, ouf #suicide #fatiguée ».

Je me sentais vieux, parfois.

Là encore, le dernier message de Cerise datait du mercredi soir, à 21 h 20 : *Je viens de me faire Mouss'er, lol.* Et, comme je m'y attendais, une multitude de tweets précédaient.

Mon Dieu.

— Bon. La bonne nouvelle, c'est que je pense qu'elle n'avait pas l'intention de te plaquer, en tout cas pas mercredi. La mauvaise, c'est qu'elle a en effet disparu de la circulation.

Nous restâmes silencieux. Moussah semblait perdu devant son verre.

— Alors qu'est-ce qu'on fait ? Qu'est-ce qui pourrait expliquer qu'elle devienne invisible comme ça ? C'est pas logique. Me dis pas qu'il ne lui est rien arrivé.

Je n'avais plus d'arguments pour le contrer, alors je me contentai de lui poser une main sur l'épaule.

— Écoute, on va encore laisser passer cette soirée. Il est minuit, ça ne sert à rien de se bouger maintenant. Et demain… demain, on avisera.

Ce n'était pas encore ce soir qu'on allait faire la fête.

Pourquoi est-ce que les emmerdes tombent toujours le week-end ?

5

Elle habitait au 17, rue Friant, dans un immeuble en crépi et briques rouges. C'était une petite artère à deux pas de la Porte d'Orléans, dont le seul titre de gloire consistait à abriter l'antenne locale du Pôle Emploi. On y trouvait également un Carrefour Market mais la foule ne se pressait pas à ses portes. Normal, il était onze heures du matin. La plupart des gens devaient encore dormir comme des bienheureux.

Bon, peut-être pas *la plupart des gens.* Mais j'avais bien espéré faire partie de cette catégorie plutôt que de battre le pavé dans la chaleur étouffante du quatorzième arrondissement. Se trouver dehors un samedi matin était contre ma religion. La fraîcheur passagère de la nuit avait déjà disparu. J'aurais aimé me trouver n'importe où, sauf ici. Ça allait mal se finir, et ça me retomberait dessus, comme toujours.

À côté de moi, Moussah jouait les stoïques, mais je sentais sa peur en même temps que l'odeur âcre de sa transpiration. Il se rongeait les ongles, un tic que je ne l'avais jamais vu exhiber en société. Nous avions terminé la nuit dans mon appartement lorsque Déborah nous avait rejoint, et les deux avaient vidé un pochon de coke entier. Il ne restait que moi d'assez sain d'esprit pour leur dire qu'on risquait de faire une connerie monumentale.

Bien sûr, je n'ouvris pas la bouche, et nous pénétrâmes dans le hall d'immeuble.

À l'intérieur, la cage d'escalier ne payait pas de mine malgré ses boîtes aux lettres proprettes et son carrelage bien nettoyé. Moussah nous emmena au troisième étage à pied, et je me retins de lui faire remarquer que l'ascenseur m'aurait bien convenu. Dans leur état de speed, mes deux amis se sentaient l'âme sportive.

– C'est ici, fit Moussah devant une porte aussi ordinaire que toutes les autres.

Il pointa son large doigt vers la petite plaque de laiton, sur laquelle se détachait le nom de la locataire : BONNÉTOILE Cerise.

D'un index que je souhaitais assuré, je pressai la sonnette. Le son aigre retentit derrière la porte, et je retins mon souffle.

– Tu es sûr que…, commença Moussah

Je lui intimai le silence d'un geste de la main. L'oreille aux aguets, j'essayais de capter le moindre bruit dans l'appartement. Des échos de talons, par exemple. Ou une respiration haletante, pourquoi pas. Mais non, rien. Je sonnai de nouveau. Toujours pas de réponse. Je tambourinai à la porte une fois, deux fois.

Rien.

Déborah me posa la main sur l'épaule.

— Elle n'a pas l'air d'être là. Ou alors elle a le sommeil sacrément lourd.

— Ou elle est par terre en train de baigner dans son sang, gronda Moussah.

— Tu as une imagination débordante. Ce genre de trucs n'arrive pas, dans la vie réelle.

— Ah ouais ? J'ai besoin de te rappeler comment Fitz s'est chopé sa cicatrice sur la joue ?

Ma main jaillit vers la balafre, comme mue par une vie propre. Je grimaçai.

— Ne ramène pas tout à ça. J'ai pas eu de bol, fin de l'histoire, on clôt le sujet. Ça ne veut pas dire qu'il y a d'autres serial killers qui se baladent dans la capitale.

— En attendant, ma meuf a disparu de la circulation depuis trois jours. Tu trouves pas ça louche, toi ?

Si. Mais il pouvait y avoir de nombreuses explications – était-ce la peine d'utiliser la manière forte ? Moussah sortit une radiographie de poumons qu'il avait apportée de chez lui et entreprit de la faire glisser entre le pêne et la serrure.

— Comment tu veux qu'on ne croie pas qu'il y a un lien entre les blacks et la criminalité quand tu essaies d'emblée de crocheter les serrures ?

— Oh, ta gueule, white trash. J'ai fait plein de boulots dans ma vie, vu comme mon BTS compta m'a aidé, et j'ai été un temps serrurier dépanneur. C'est tout.

Je le regardai d'un air dubitatif s'échiner sur la porte.

En théorie, je savais que ça marchait : j'avais même vu un serrurier ouvrir ainsi ma porte lorsque je m'étais enfermé à l'extérieur en laissant les clés sur le lavabo. Je me rappelais avec douleur la facture : cent dix-sept euros. Compte tenu de la durée de l'opération, à peu près sept secondes montre en main, je trouvais ça plutôt cher – mais c'était ça, ou bien devoir rappeler une ex pour ne pas dormir dehors. J'avais des principes, parfois.

En pratique, la méthode ne fonctionnait que sur certains modèles de pênes, lorsque le verrou n'était pas fermé ou la clé tournée. Il ne restait donc plus qu'à espérer que la jeune Cerise soit une étourdie ou, plus probablement, agisse comme 75 % des Parisiens et se contente de claquer sa porte derrière elle.

Je corrigeai mentalement : il ne restait plus qu'à espérer le contraire, et que la porte ne s'ouvre pas. Car si Moussah parvenait à ses fins, nous rentrerions de plain-pied dans l'illégalité la plus complète.

Tout ne pouvait pas toujours aller de travers. Le visage de mon ami se congestionnait alors qu'il s'acharnait sans résultat. Ses énormes biceps distendaient son T-shirt, inutiles dans une tâche d'une telle précision.

— Tu vois bien que ça sert à rien. Allez, viens, on va prendre un verre, et on réfléchit à ce qu'on fait ensuite, ok ?

Mon ton raisonnable aurait pu le convaincre, si la porte n'avait pas décidé d'abandonner toute résistance dans un *clic* décisif.

— C'est ouvert ! Putain, c'est ouvert !

Putain, c'était ouvert.

Je regardai par-dessus mon épaule, le couloir restait désert. En semaine, je me serais peut-être senti plus rassuré, mais forcer une porte un samedi vers midi, ça relevait de la gageure. Nous étions vraiment des amateurs.

Nous nous ruâmes dans l'appartement, mes amis en plein trip de toute-puissance cocaïnée, et moi en pleine angoisse lucide. Ce ne fut qu'une fois la porte refermée que je m'accordai un soupir de soulagement. Je n'arrivais pas à calmer les battements de mon cœur alors que j'écoutais les bruits du couloir se mêler à ceux de la rue.

De la rue ?

— La fenêtre est ouverte, observa Déborah.

Je regardai autour de moi pour la première fois.

C'était un tout petit trois-pièces, de ceux qui se seraient mieux portés sans cloison supplémentaire. Un agent immobilier l'aurait qualifié de *coquet.* Je l'estimais à quarante mètres carrés maximum – et encore, si l'on incluait les nombreux placards. L'appartement sentait le savon et la javel, comme si on venait d'en nettoyer le sol. Tout paraissait impeccable. Cerise prenait soin de son intérieur comme une vraie fée du logis.

Je rentrai dans la chambre sur les talons de Déborah, réprimant l'atroce sentiment de voyeurisme que je sentais monter en moi. Là encore, tout était en ordre. C'était vraiment une chambre pour *Minipouss*, avec un clic-clac ouvert dans un coin, des draps sans un pli et des coussins habilement disposés. Cerise manquait peut-être de goût dans son maquillage mais elle savait décorer un intérieur.

Contre le mur opposé, une petite bibliothèque époussetée de frais abritait quelques livres classiques – *Belle du Seigneur*, *Carrie*, *Le Comte de*

Monte-Cristo – ainsi qu'une collection de magazines de mode remontant à plus de cinq ans.

— Dis donc, tu es tombé sur une amatrice éclairée. Je suis impressionné.

Moussah ne répondit pas. Il regardait le lit, les poings serrés, l'expression indéchiffrable. Je fis le tour de son corps massif pour m'insérer dans son champ de vision.

— Allô, Mouss ? Ça va ? T'as l'air bizarre.

Il ne parlait toujours pas et ce fut Déborah qui finit par exprimer sa pensée.

— C'est quand même étrange, non ? Je veux dire, on a tous maintenant plus de détails qu'on le souhaiterait sur la vie sexuelle de Cerise et Moussah, on sait qu'ils ont bien occupé leur mercredi soir. Et là, le lit est fait, nickel, tout propre.

— Ça ne me choque pas. Elle a l'air d'être maniaque, regarde comme tout brille dans l'appart.

— Ouais mais quand même, pas un pli sur le lit ! Elle couche avec Moussah, et ensuite elle change tout de suite les draps ? Et elle ne dort plus dedans ?

— Je trouve que tu déduis vachement de choses d'un lit bien fait. C'est vrai que c'est pas trop nos habitudes mais y'a des gens qui aiment la propreté, hein. Ça ne me choque pas plus que ça.

Ce fut le moment que Moussah choisit pour retrouver sa voix.

— Non mais en plus, elle l'est.

— Elle est quoi ?

— Bordélique. C'est pas son genre, tout ça. Le lit clean, les coussins, le sol lavé. Je suis passé assez souvent la semaine dernière pour dire qu'elle a pas changé les draps une seule fois. Ça pue cette histoire.

— Non mais attendez, vous croyez quoi ? Qu'elle a été assassinée et qu'on a fait le ménage pour effacer les traces ?

Je commençai à rire, mais le son s'étrangla dans ma gorge devant le regard sombre des deux autres. Quoi, ils avaient perdu leur sens de l'humour ? Ils ne pensaient tout de même pas sérieusement...

Je regardai de nouveau autour de moi, avec l'œil du paranoïaque cette fois. C'est vrai que c'était propre, très propre même. En changeant de pièce, je tombai sur une petite cuisine américaine, en face d'un bureau et d'un écran d'ordinateur. Du liquide vaisselle trônait en évidence à côté d'une bouteille de javel. J'ouvris un placard pour découvrir une batterie de casseroles rangée avec soin.

— Il n'y a pas d'éponge, observa Déborah. Pas de torchon non plus, maintenant que j'y pense. C'est bizarre, non ?

Ça commençait à faire beaucoup. Je ne sais pas si leur stress me contaminait, mais je me sentis soudain moins sûr de moi, ainsi planté au milieu d'une potentielle scène de crime. Je me tournai vers mes amis.

— Vous avez touché quelque chose ?

— Quoi ?

— Si quelqu'un a fait le ménage à fond, faut pas avoir regardé les séries télé pour comprendre que c'était pour effacer des traces. Si vous avez raison et qu'il y a eu du vilain ici, quelles empreintes vous pensez que les flics vont choper maintenant ?

— Oh merde...

Moussah baissa les yeux vers ses mains comme s'il se demandait où il les avait laissées traîner. Déborah se mordillait la lèvre. Putain, mais non, quoi. J'avais *dit* que je ne voulais plus m'embarquer dans des trucs louches. Machinalement, je fouillai dans mon paquet de clopes, comme dans tous les moments de stress. Il me fallut un effort de volonté pour ranger la cigarette – pas besoin de rajouter des cendres sur le parquet immaculé.

— On ne sait toujours pas si elle a vraiment disparu, tentai-je avec la mauvaise foi du désespoir.

Je suivis Déborah dans la troisième et dernière pièce, un petit bureau aménagé en dressing. De nombreuses tenues à la mode et robes de soirée côtoyaient des habits de tous les jours, des joggings et des tops à bretelles. Je sifflai doucement en repérant deux jupes Stella McCartney. Je ne prétendais pas m'y connaître en mode féminine, mais suffisamment pour imaginer le prix de telles pièces.

— Au moins, elle ne s'est pas fait cambrioler.

Moussah plissa le nez.

— Ouais, enfin, si je devais piller l'appart, je ne penserais pas forcément à voler les fringues.

— C'est qu'il y a encore de l'espoir pour toi, mon Mouss. Il y a plus de fric dans cette garde-robe que dans la télé et la chaîne hi-fi.

— En tout cas, on n'est pas plus avancés. Doit bien y avoir un indice quelque part. À la télé, ils trouvent toujours quelque chose. Un mégot, une tache de sang, une rognure d'ongle. Je sais pas, moi.

— Si tu veux mon avis, des mecs qui sont capables de nettoyer tout un appart et même de faire la vaisselle pour dissimuler leurs traces, ne vont pas laisser traîner de clopes.

Je connaissais la raideur dans les épaules de Moussah. Il avait décidé de faire sa forte tête, et aucun de mes arguments ne porteraient. Je le vis fouiller la penderie méthodiquement, les lèvres retroussées en un rictus effrayant. Puis il se redressa soudain.

— Putain. L'ordi !

— Quoi ?

Nous le suivîmes alors qu'il courait dans la cuisine, puis poussait un juron.

— Elle avait un ordinateur, un fixe. Je me foutais de sa gueule parce que la tour prenait de la place quand on bouffait. Sauf que là…

Maintenant qu'il nous avait mis au courant, ça sautait aux yeux. Il y avait bien un écran plat sur le bureau. Mais d'unité centrale, aucune.

Je me grattai le crâne.

— Ok, je crois qu'il est temps d'appeler la cavalerie.

6

Lorsque Jessica n'était pas contente, elle fronçait toujours les sourcils de la même manière. Je m'en rappelais très bien, même toutes ces années après, parce que son regard se teintait alors de colère, parfois de mépris, et que je m'étais toujours senti comme un élève puni par l'institutrice. Une relation qui pouvait avoir son charme dans une chambre, mais ne saurait s'étendre au-delà pour le bien du couple. Sans compter que c'était toujours pour des détails sans intérêt, comme de la vaisselle dans l'évier ou des chaussettes sur le sol.

Aujourd'hui, je devais admettre qu'elle avait des raisons de se montrer courroucée. Ses sourcils se rejoignaient en accent circonflexe, au point que je me demandais si elle honorait toujours ses rendez-vous dans son centre d'épilation. Elle était belle, mais ne s'était jamais montrée coquette.

Parfois, comme maintenant, lorsqu'elle se prenait la tête entre les mains, je me demandais ce que ma vie serait devenue si nous étions restés ensemble...

— Sérieusement, Fitz, j'aurais aimé ne jamais te rencontrer.

...Mais il fallait croire que mon interrogation n'était pas partagée.

Le bureau de Jessica n'avait pas changé depuis la dernière fois. Il y avait peut-être encore plus de dossiers qui traînaient, ces fameuses chemises cartonnées que l'informatique devait remplacer. Elle tentait de maintenir un semblant d'ordre dans la pièce mais ses efforts se trouvaient anéantis par les piles de formulaires qui dépassaient de l'imprimante. Son ordinateur trônait sur le bureau, à côté d'une bouteille de coca-cola ouverte et probablement éventée.

Les volets étaient clos, et la lumière du néon me blessait les yeux.

— Tu peux m'expliquer ce qui ne tourne pas rond, chez toi ? Je sais que tu n'as aucune morale, que tu agis souvent avant de réfléchir mais enfin je t'ai toujours accordé le bénéfice du doute, je me suis toujours dit que tu étais quelqu'un de brillant, qui gâchait ses capacités. Là, je commence à me demander si tu as un cerveau en état de marche.

— C'est pas très sympa, ça.

— Je suis pas là pour être sympa, Fitz. Je suis flic, tu es dealer, ça n'est déjà pas la base d'une relation très saine. Et voilà que tu arrives la bouche en cœur pour m'annoncer que tu es rentré par effraction dans un appartement ?

— C'est pas vraiment par effraction, Moussah était déjà venu plusieurs fois.

— Il avait la clé ? Il l'a tournée dans la serrure ?

Je ne répondis pas, et elle rabattit l'écran de son portable d'une main rageuse.

Je ne sais pas pourquoi j'avais décidé d'aller la voir. Peut-être parce que je ne me sentais pas à la hauteur de tout ce qui se passait en ce moment. Cerise pouvait se trouver en vacances dans sa famille, et il pouvait y avoir une explication logique à tout, mais quand même. Pas de nouvelles du jour au lendemain, un appartement entièrement nettoyé, un ordinateur disparu, ça ressemblait à un scénario de mauvais roman noir.

Nous n'avions aucune piste, aucun indice, rien du tout. Soit nous laissions tomber, soit j'allais voir Jessica. J'avais opté pour la première solution, Moussah pour la deuxième. Déborah m'avait poignardé dans le dos.

Et voilà comment je me retrouvais dans un bureau mal éclairé à subir la mauvaise humeur de mon ex, victime du suffrage universel.

— La vérité, Fitz, c'est que tu n'en as encore fait qu'à ta tête et que cette fois-ci, c'est grave. Tu sais que je ne peux pas te couvrir ; je n'en ai même pas envie. Tu risques gros.

— Je n'étais pas obligé de te le dire. Et puis, vous n'avez pas de preuves, protestai-je.

— Ben tiens. Et si on va sur place, quelles empreintes tu crois qu'on va trouver, gros malin ?

— On a tout essuyé avant de partir, nous aussi. Ne nous prends pas pour des abrutis.

Le ton paternaliste commençait à me faire monter la moutarde au nez. Ok, j'avais transgressé la loi, mais il y avait une fille en danger quelque part. Jess aurait peut-être pu s'en préoccuper avant de vouloir à tout prix me faire la leçon.

Je me rencognai dans ma chaise, maudissant le confort tout relatif du vieux dossier en bois. Le jour où les commissariats investiront dans des fauteuils en cuir, les criminels accepteront plus facilement de passer aux aveux.

— Essuyé vos traces... Mais écoute-toi, tu te rends compte de ce que tu dis ?

— Ce dont je me rends compte, c'est qu'il est arrivé quelque chose à la copine de Moussah.

Le claquement sec de sa paume sur le bureau me fit sursauter.

— Tu n'en as pas assez de sauter toujours aux conclusions comme ça ? Je ne connais ton Moussah que de réputation, mais c'est sûrement un junkie comme ton amie Déborah. Pas le genre de garçon fréquentable, si tu vois ce que je veux dire. Ça ne me choquerait pas que ta Cerise ait pris la poudre d'escampette sans rien lui dire, pour éviter les problèmes. Si ça se trouve, il la frappait. Un toxicomane qui n'a pas eu sa dose, c'est pas vraiment marrant. On a des victimes qui défilent ici tous les jours.

— Eh, oh, ça va les clichés ? Moussah ne ferait pas de mal à une mouche, et... et ce n'est pas le sujet ! Moi aussi, j'ai pensé qu'il s'était fait plaquer, au début. Mais maintenant je ne sais plus. Ça ne te choque pas que son appart soit déserté et aseptisé comme ça ? Que son ordinateur ait disparu ?

Elle resta un long moment silencieuse. Elle me jaugeait, mais je ne baissai pas les yeux. Elle avait encore de l'affection pour moi, je pense, comme pour un enfant turbulent, mais ses sentiments étaient morts depuis longtemps. Si je dépassais les bornes, elle n'hésiterait pas à me coffrer. Pour mon bien, rajouterait-elle avec sa logique implacable.

Elle s'empara d'un coupe-papier, joua avec, le reposa, se massa les tempes, rejeta les cheveux en arrière, rouvrit son ordinateur.

— Bon. Je vais me renseigner en interne, voir si on nous a signalé une disparition, interroger les fichiers. Mais c'est tout ce que je peux faire.

— Tu ne peux pas mettre son téléphone sur écoute, ou voir les appels qu'elle a reçus, ou la tracer, quelque chose comme ça ?

— Ce n'est pas aussi simple. La vie, ce n'est pas comme dans *NCIS*. Il y a des procédures à respecter. On ne mène pas une enquête en off comme ça. Et on ne rentre pas par effraction chez les gens. Tu te rends compte que s'il y a vraiment eu un crime, les gars de la Police Technique et Scientifique vont trouver tes traces ? Si un jour tu tombes pour deal – et crois-moi, ça finira par t'arriver – tu auras tes empreintes dans le FAED, et ce sera le début de la fin.

— Attends, rembobine, le quoi ?

— Le FAED, Fichier Automatisé des Empreintes Digitales. Pas besoin de te faire un dessin.

Je restai muet, incapable de répondre à ça. Ma lèvre inférieure tremblait.

Comme toujours lorsque je cédais du terrain, je la sentis s'adoucir. J'étais donc encore capable de l'amadouer. J'étais donc un parfait salaud.

Elle se leva, fit le tour de son bureau, m'ouvrit la porte.

— Je vais voir ce qui est possible. Mais, Fitz, c'est la dernière fois que je te donne un coup de main. Si jamais j'apprends, d'une manière ou d'une autre, que tu as de nouveau enfreint la loi, non seulement je ne te couvrirai pas, mais je ferai tout ce qui est en mon pouvoir pour que tu tombes. Tu me comprends ?

— C'est pour mon bien.

— C'est pour ton bien. J'espère que je me suis fait comprendre.

Je pivotai sur mes talons et quittai la pièce. Je me sentais vide. J'avais l'impression d'avoir gaspillé un joker sans obtenir grand-chose en retour. Je traversai les locaux avec l'impression que tous les regards se posaient sur moi.

Une fois dans la rue, j'allumai une clope avec un soulagement sans bornes. J'avais fait ma part du boulot. À partir de maintenant, c'était en dehors de mes compétences. J'allais rentrer chez moi, m'effondrer sur mon lit, dormir quelques heures et sortir ce soir. On m'avait parlé d'un nouveau club qui ne passait que de la musique du genre NRJ Hits en boucle – il fallait que je passe saluer de tels mélomanes. Pas question de me faire arrêter par la mauvaise humeur de Moussah.

Le soleil commençait à décliner dans le ciel et je remontai les dernières centaines de mètres d'un pas élastique avant d'enchaîner avec la longue série d'escaliers. Alors que j'arrivais en haut, en nage, je fronçai les sourcils. Une silhouette mince était affalée sur mon paillasson.

Pendant un instant, je crus que c'était Cerise. Un pas en avant me suffit pour faire émerger la forme de l'ombre ; il ne s'agissait que de Déborah – et elle dormait avec application, la tête posée contre le chambranle.

Je m'approchai, posai la main sur son épaule. Avec tout ce qui se passait dans ma vie en ce moment, j'aurais à peine été surpris de la trouver en pleine overdose ; mais non, elle sortit de sa sieste avec un sourire vaporeux, et ses yeux embrumés de sommeil vinrent se poser sur moi.

— Ah ! Fitz. T'as mis le temps pour venir.

— J'étais au commissariat. C'est pas le genre de trucs qu'on peut contrôler. Qu'est-ce que tu fais ici ? Tout va bien ?

Elle hocha la tête pour dissiper mes inquiétudes.

— Oui oui. C'est juste que j'avais la flemme de rentrer chez moi tout de suite. Je ne pensais pas que je m'endormirais comme ça, mais il faut croire que j'étais plus crevée que prévu. Désolée pour ton paillasson.

— Mais qu'est-ce tu fais devant chez moi ? répétai-je stupidement.

— Ben, je voulais répéter.

— Répéter ?

— Pour demain. C'est bien demain qu'on voit ta famille ?

Oh merde. Avec tout ça, j'avais complètement oublié. Il y avait des rendez-vous qu'il fallait honorer : ma famille et mes grossistes en coke en faisaient partie.

Je me passai la main sur le front en maudissant tous ces événements qui s'enchaînaient. J'avais l'impression d'être un fétu de paille. Et d'avoir eu cette conversation sur mes préférences sexuelles il y a des mois.

— Faut que j'y aille demain, mais tu n'es pas forcée de m'accompagner. On peut repousser…

Elle croisa les bras contre sa poitrine avec le même air que Jessica tout à l'heure.

— Ah non, Fitz. Une semaine que je me demande si je vais être à la hauteur du rôle. Tu te rends pas compte, c'est un effort de se mettre dans la peau du personnage, je suis pas actrice, moi. Je suis pas non plus à ta disposition où tu veux, quand tu veux.

— Loin de moi cette idée, grommelai-je.

Je rentrai chez moi, Déborah à ma suite. Malgré le vasistas ouvert, l'air était poisseux de chaleur. Mon premier geste fut d'allumer le ventilateur, mon second d'aller chercher des glaçons et du coca au frais.

— Bon ben puisque tu es là, autant boire un coup.

— Pas de vodka cette fois-ci ?

— Pas par cette chaleur.

Elle ne protesta plus, s'empara de son verre et but avec avidité. Puis elle se tourna vers moi.

— Faut qu'on révise pour demain, que tu m'expliques ce que je dois dire.

— Y'a rien de bien sorcier, hein. On fait comme si on était amoureux, on s'embrasse une ou deux fois devant eux, tu leur racontes ton boulot s'ils te posent des questions, tes passions…

— Je leur dis que je suis une coke-addict ?

— Je ne suis pas sûr que ce soit une bonne idée. Cela dit, ils ont l'esprit large, donc si vraiment ça t'amuse… Après tout, je cherche surtout à les rassurer sur ma sexualité, pas à leur présenter la femme de ma vie.

— Connard.

Elle me tapa le bras, par jeu. Elle frappait fort.

Je branchai mon portable à la prise murale et lorsque je me retournai, elle était assise en œuf, les genoux relevés contre sa poitrine.

— Fitz. Tu me trouves belle ? Tu me trouves intelligente ?

Merde.

— Pourquoi tu me demandes ça, comme ça ? Bien sûr que tu es très belle. Tu es magnifique, Déborah. Et je ne connais pas grand monde de plus vif d'esprit que toi.

— Alors pourquoi ça n'a jamais marché avec personne ?

Merde bis.

Je me laissai tomber à côté d'elle, la bouteille de coca à la main. Je me demandais si je n'aurais pas dû sortir la vodka. Pour une fois qu'un peu d'alcool nous aurait fait du bien, il avait fallu que je joue le mec sage.

Je la pris dans mes bras, laissai sa tête reposer sur mon épaule.

— Je ne sais pas, Deb. Parce que tous les mecs sont des cons.

— Et toi, pourquoi ça n'a jamais marché avec personne ?

— Parce que toutes les filles sont des connes ?

Elle étouffa un rire qui était un sanglot. Puis elle se leva. Ses yeux brillaient.

— Devant tes parents, on va former le couple parfait. Pas vrai, Fitz ?

— Ouais.

Sa main attrapa la bretelle de sa robe, qu'elle laissa glisser avec toute l'habileté d'une longue pratique.

— Ça fait longtemps qu'on n'a pas couché ensemble. Si on veut être crédibles, va falloir revérifier notre compatibilité sexuelle.

Merde ter.

7

Dans la plupart des magazines féminins, il y a toujours un article qui concerne le sexe. « Comment être une bombe sexuelle », « Comment assurer au lit », « Les orgasmes sont-ils nécessaires dans le couple ? », « Ce que j'ai toujours refusé de faire », « J'ai testé un plan à trois ». Entre une page de publicité pour des fringues et une autre de conseils beauté, on trouve toutes les recettes possibles et imaginables pour atteindre le septième ciel entre deux cours de Pilates.

Déborah devait lire beaucoup, car ce fut moi qui finis par crier grâce, vaincu par son énergie et la chaleur suffocante de mon appartement. Je ne me rappelais pas qu'elle avait une telle santé – ou alors c'était moi qui déclinais. À trente ans, c'était tout de même un peu tôt.

Nous restâmes allongés côte à côte un instant, le temps de reprendre notre souffle. Sa main vint glisser contre ma jambe avec un espoir touchant, mais je ne me sentais plus en état de réagir. Je levai les paumes vers le ciel dans un geste de reddition, puis laissai retomber mes bras : c'était bien trop fatigant.

J'étais en nage, et le lit ne ressemblait plus à rien. Il serait temps de prendre une douche, un jour, mais je n'avais aucune envie de bouger. Je me sentais en paix avec l'univers, en phase avec mes chakras, en harmonie avec le monde, prêt à aimer mon prochain comme moi-même. Le sommeil s'empara de moi avec la main de Déborah sur mon sexe épuisé.

Lorsque je rouvris les yeux, l'appartement était plongé dans l'obscurité. Le vasistas s'ouvrait sur la pénombre de la nuit parisienne. À cette époque de l'année, ça voulait dire qu'il était vingt-trois heures passées. Un rapide regard sur mon radio-réveil me confirma : minuit quarante.

Déborah avait roulé sur le côté et dormait en chien de fusil, son corps nu luisant dans l'obscurité. Je sentis une tension familière au niveau de mon bas-ventre, mais refusai de me laisser entraîner. Trop vieux, je devenais trop vieux.

Je sortis du lit en faisant attention de ne pas la réveiller puis me dirigeai vers la douche. Ça me remettrait les idées en place.

Ce fut à ce moment qu'on frappa à la porte.

Je m'immobilisai à mi-chemin de la salle de bains, tous les sens aux aguets.

On frappa de nouveau. Par terre, Déborah grogna et se roula en boule. Je n'attendais personne à cette heure-ci, et je ne voyais pas quelle visite pourrait me faire plaisir. Il n'y a guère que dans les films que des femmes viennent sonner en porte-jarretelles en expliquant que leur douche est en panne. Et encore, seulement certains films.

— J'arrive ! lançai-je à tout hasard avant d'enfiler mon jean sans sous-vêtements et de passer une chemise à la hâte.

Je tirai le verrou d'un geste viril, puis ouvris la porte.

Moussah me regardait avec des yeux injectés de sang. À voir son état, il n'avait pas dormi depuis ce matin ; un tic nerveux agitait sa paupière gauche. D'abord Déborah, maintenant lui. Ma parole, on rentrait chez moi comme dans un moulin.

— Mouss ? Qu'est-ce qui t'arrive ?

Il s'introduisit dans l'appartement sans répondre, jeta un regard dénué de curiosité à la forme endormie, et s'affala sur le sol. Je me dirigeai vers le frigo pour lui servir quelque chose à boire, mais il m'arrêta d'un geste.

— Pas la peine, Fitz, je ne reste pas longtemps. Je voulais pas te déranger, mais j'ai du nouveau, et ça pue grave. T'aurais un peu de soleil en stock ?

Je hochai la tête. J'avais *toujours* du soleil en stock.

— Il te faut quoi, un demi-gramme, un gramme ?

— Si tu avais cinq, ça me rendrait service.

J'avais déjà la main dans ma poche, mais je m'interrompis. Cinq, c'était beaucoup. Cinq, c'était hors jeu. Depuis le temps que je vendais de la coke à la petite semaine, je connaissais bien les quantités, et je prêtais attention à l'état de mes clients pour éviter les soucis. Une utilisation festive, ok, j'étais pour, ça me rapportait de l'argent et ça défrisait les narines. C'étaient des clients sans histoires, qui me laissaient très bien vivre avec ma conscience de petit empoisonneur.

Par contre, je tombais de temps en temps sur un mec accro, un vrai. Ils étaient faciles à reconnaître : c'est ceux qui commençaient leurs phrases par « Non mais tu sais, moi je peux décrocher quand je veux ». J'en avais vu tellement, de ces fanfarons, revenir avec un air hanté d'un mois de désintox avec au fond des yeux l'envie d'une dose de plus, une seule dose, pas pour raccrocher, mais juste une fois, merde.

Quand on voulait rester festif, on ne dépassait pas le demi-gramme par soirée. J'en connaissais qui montaient au gramme, et je ne disais rien. Mais à condition que ce soit ponctuel. J'étais un dealer, ok, mais un dealer écolo-responsable.

Et là, Moussah commençait à m'inquiéter.

— Cinq grammes ? Tu sais que tu m'en as déjà pris un hier soir ? Tu vas tenir combien de temps avec autant de coke ?

— Je sais pas, je vais rationner, au moins une semaine, je suis sûr.

— Tu sais que c'est pas une bonne idée d'en prendre tous les jours, Mouss, jusque-là tu t'en tenais aux week-ends.

Son regard se chargea d'orage. C'était un bon ami, qui comptait beaucoup pour moi, mais parfois je me rappelais qu'il pesait plus de cent kilos de muscles et qu'il avait fait du full contact dans sa jeunesse. Dans ces moments-là, je n'en menais pas large et masquais ma nervosité sous un sourire de façade.

— Depuis quand tu me maternes, Fitz ? Ça devrait arranger tes affaires, pourtant, si j'augmente ma conso. Et j'ai pas besoin que tu me fasses crédit, j'ai le fric sur moi.

Je le regardai sortir de sa veste une liasse de billets fraîchement crachée d'un distributeur. Pas besoin de vérifier, il devait y avoir le compte – mais je n'avais pas envie de les prendre. Je soupirai, allai vers le frigo pour nous servir deux verres de vodka-pomme. Sur le sol, Déborah baîlla et ouvrit les yeux. Elle se hissa sur un coude ; le drap dévoilait la courbe de son épaule.

– Merde, je pensais pas que j'avais le sommeil aussi profond. Ça fait longtemps que tu es là, Moussah ?

Il n'eut pas le temps de répondre : je revenais déjà avec l'alcool.

– Tu veux pas qu'on discute un peu ? C'est la disparition de Cerise qui te met dans cet état ? Parce que franchement, j'ai vu les ravages de cette merde quand on en abuse, et j'ai pas envie que tu deviennes junkie. Si tu veux, je te file un gramme tout de suite et au pire tu reviens dans quelques jours ?

Je m'attendais à une explosion de colère, à des menaces, du chantage, la panoplie habituelle du bon toxico. À la place, il se contenta de fixer le vide, ses énormes mains s'ouvrant et se fermant en rythme. Je lui tendis le verre de vodka, et il le but cul sec.

– Je vous disais que j'avais du nouveau : Cerise m'a envoyé un texto.

Je mis une seconde à réaliser, avant que le soulagement m'envahisse. Tout allait se régler, finalement.

– Quoi ? Mais c'est génial ! Il ne lui est rien arrivé, alors ?

– Si...

Il fouilla dans sa poche, sortit son portable et le déverrouilla. Déborah émergea de sous le drap pour s'approcher.

— Qu'est-ce qu'elle dit ?

Il ne répondit pas, tourna l'écran dans notre direction. Je plissai les yeux pour mieux voir dans la lumière tamisée.

Tout est fini entre nous. Ne cherche plus à me joindre.

— Merde, fis-je. Dur.

— Tu en trouveras une autre, embraya Déborah, en pilote automatique.

Mais Moussah agitait déjà la main, balayant nos excuses.

— Tu penses quand même pas que c'est ça qui m'a mis dans cet état. Je pouvais pas y croire. Et puis, on avait visité son appart, y'avait quelque chose de louche. Alors je lui ai répondu que je ne la croyais pas, que j'allais prévenir les flics. Et là… elle m'a rappelé.

— Quoi ?

— Enfin, quand je dis *elle*… Disons que son numéro s'est affiché, et que j'ai décroché. Sauf qu'au bout, c'était la voix d'un mec. Calme, tranquille, froid. Et il m'a dit… (Moussah changea de ton, comme s'il récitait de mémoire.) *Ne la cherche pas. Ne la regrette pas. Oublie-la. Ne préviens surtout pas la police si tu tiens à sa vie. Tout se passera bien.*

Cette fois-ci, ni Deb ni moi ne trouvâmes quoi que ce soit à répondre.

— Tu comprends pourquoi j'ai besoin de ta coke ?

— Je comprends, mais ça ne change rien : pas plus d'un gramme ce soir. Par contre, je fais open bar si tu veux. Merde, merde, merde.

Deb tournait et retournait le portable dans ses mains, les sourcils froncés.

— Tu es sûr que c'était son numéro ?

— Ouais. Je te dis, elle s'est fait enlever, y'a pas d'autre explication. J'ai essayé d'appeler plus de dix fois, mais personne ne décroche, le téléphone est éteint maintenant. Alors qu'est-ce que je fais, qu'est-ce qu'on fait ? Ma Cerise... Si je chope les mecs qui ont fait ça, putain, aux quatre coins de Paris qu'on va les retrouver éparpillés façon puzzle.

Je me levai pour tenir ma promesse et ramener une bouteille de vodka pleine, avec quelques softs pour faire bonne mesure.

— Ta culture cinématographique te fait honneur, mais ça risque de ne pas être aussi simple. Et tu es sûr, pour le coup de l'enlèvement ? Il y a encore une chance que ce soit un canular ?

Le regard des deux autres me fit vite abandonner l'idée. Ils avaient raison : ça n'aurait pas été très drôle. Je dissimulai mon embarras en servant un verre à tout le monde.

— En tout cas, va falloir aviser rapidement, grinça Moussah. Parce que là, niveau *ne préviens pas la police*, on a fait fort. Tu as mis Jessica au courant, Fitz, c'est ça ?

Je levai les mains en un geste de défense, renversant quelques gouttes sur le parquet.

— C'était une décision collégiale. Si je me souviens bien, c'était même *votre* décision. Perso, je n'ai pas vraiment apprécié de me faire traiter comme un demeuré par mon ex.

Moussah frotta la tache sur le sol d'un index rageur. Sa mâchoire avançait salement, et je me demandais s'il n'avait pas gobé un ecsta avant de venir.

— On stoppe tout. Faut que tu la rappelles, que tu lui dises que Cerise est rentrée et que tout va bien, un truc de ce genre.

— Tu es malade ? Un enlèvement, c'est un crime. Et si on ne fait rien, on est complices. Non-assistance à personne en danger, et tout. On n'a pas le choix, il faut qu'on implique la police. Ils pourront tracer le numéro, le téléphone, je ne sais pas, moi.

— Et si Cerise se fait buter, tu en prends la responsabilité ?

— On n'en est pas encore là. On ne sait même pas ce qui lui est arrivé. Et puis tu veux qu'on fasse quoi, qu'on l'oublie et qu'on tourne la page ?

— Non. On va la retrouver nous-mêmes.

Et merde. Je savais qu'il dirait ça. Je le regardai. Je regardai Déborah. Je regardai ma bouteille, impavide, un peu vide.

— Ok. Ok, on va voir ce qu'on peut faire. Mais pas maintenant, pas ce soir. Tu es shooté jusqu'aux oreilles, Deb est défoncée, et je ne tiens pas debout. D'ailleurs, Deb, je crois qu'il va falloir décaler ce repas avec mes parents. Y'a des priorités, dans la vie...

— Notre mariage attendra, chéri, murmura-t-elle.

— Fitz, c'est bien beau de me dire que je suis shooté, mais je vais pas pouvoir fermer l'œil, pas après ce que j'ai pris.

— Mais qui a parlé de dormir ? Fiesta at home, les djeunz ! Je peux couper avec de la pomme, de l'orange ou du burn. Qui préfère quoi ?

Une heure plus tard, la bouteille vide, l'ambiance s'était considérablement radoucie. Nous écoutâmes le nouveau CD de Rihanna, téléchargé de frais. C'est amusant comme certaines musiques passent mieux avec un certain degré d'alcoolémie.

— *Where have you been all my li-i-fe*, fredonnait Moussah dans son coin.

J'avais ouvert le vasistas et un petit vent bienvenu nous caressait les cheveux. Déborah s'était allongée contre moi, sa tête dans le creux de mon épaule. Elle regardait le plafond d'un œil torve. Il y a quelques heures, je l'aurais sans doute envoyée promener – la chaleur était trop suffocante pour s'encombrer d'un corps féminin dans les parages. Mais avec l'arrivée de cette brise nocturne, je me pris à apprécier son contact. Je m'endormis sur cette pensée, à moitié affalé sur le futon, un verre vide dans la main. Une traînée de curaçao bleu coulait sur le plancher. Il serait bien temps de prendre une décision demain : la nuit nous appartenait.

Ce fut le téléphone qui me réveilla. J'avais beau l'avoir mis sur vibreur, son bourdonnement insistant finit par pénétrer mon coma. Je tâtonnai pour le retrouver, touchai le sein de Déborah, la cuisse de Moussah, l'emballage d'un DVD, puis ma main se referma sur la coque de plastique.

Je regardai ma montre : dix heures du matin. Un dimanche. C'était obscène.

— Allô, articulai-je, la bouche pâteuse.

— C'est Jess.

Il me fallut un moment pour me rappeler que je lui avais demandé de l'aide la veille. Je me tournai, délogeant Déborah qui enfonça sa tête sous l'oreiller.

— Désolé, tu me prends au saut du lit. Qu'est-ce que je peux faire pour toi ?

— Je suis au bureau, Fitz. Je me suis levée ce matin exprès pour toi, histoire d'aller vérifier les fichiers et voir ce que je pouvais faire pour te renseigner. J'ai passé une heure à regarder tout ce qu'on pouvait avoir sur ta fameuse Cerise Bonnétoile.

— Euh, tu sais, c'était pas la peine de remonter à ses extraits de casier judiciaire. C'était juste histoire de voir s'il lui était arrivé quelque chose. D'ailleurs, je voulais te dire...

— Eh ben écoute, j'ai une bonne et une mauvaise nouvelle pour toi. Tu veux laquelle en premier ?

Qu'est-ce que les gens avaient tous avec cette question ? J'avais l'impression qu'elle était tombée dans le domaine public tellement on l'avait galvaudée. Je connaissais au moins une dizaine de blagues qui commençaient ainsi. *La secrétaire dit au PDG : j'ai une bonne et une mauvaise nouvelle pour vous. Le PDG demande : quelle est la bonne ? La secrétaire répond : Vous n'êtes pas stérile.*

Je resserrai ma prise sur le téléphone.

— Commence par la bonne ?

— D'après nos informations, il n'y a eu aucun accident, aucun incident, aucun rapport concernant une Cerise Bonnétoile dans les derniers jours. Elle n'a été admise dans aucun hôpital et, si ça peut te rassurer, elle n'est pas non plus dans les registres de la morgue. Oh, et nous n'avons pas trouvé de cadavre non-identifié en région parisienne jeudi ou vendredi.

Elle disait ça d'un ton si professionnel. J'avalai ma salive. Entendre parler de morgue un dimanche au réveil, c'était un peu beaucoup pour moi.

— Je sais que je vais regretter ma question, mais la mauvaise nouvelle ?

Elle laissa fuser un long soupir au bout du fil.

— La mauvaise, c'est que tu as peut-être raison quand tu penses qu'il y a quelque chose de pas clair derrière tout ça. J'ai trouvé la trace d'une main courante qu'elle a déposée il y a une semaine auprès du commissariat du 14e.

— Comment ça ?

— J'ai le dossier sous les yeux. Elle est venue se plaindre d'un mail anonyme dans lequel on lui aurait demandé d'abandonner une compétition qui s'appellerait Podium. Je ne sais pas ce que c'est, mais…

— Un concours de mannequins. Elle devait s'y présenter dans une semaine.

Je restai sur le coup de l'information, trop alcoolisé et fatigué pour la digérer convenablement. Est-ce qu'elle se serait fait enlever par une de ses concurrentes qui l'aurait considérée comme trop dangereuse ? Est-ce qu'une fille serait capable d'aller jusqu'au crime par envie de gagner un concours stupide ?

Aurélie, oui, par exemple. Je me préparai à en parler à Jess, mais me souvins juste à temps du texto reçu par Moussah et de la décision que nous avions prise. Décision de merde mais, comme d'habitude, ils étaient deux contre un. Je ne parvenais jamais à être en majorité dans ce groupe.

— En fait, Jess, je suis désolé, je t'ai fait travailler pour rien.

— Comment ça ?

— Je suis sorti cette nuit, j'ai croisé Moussah, et il a retrouvé sa copine. On s'est monté la tête comme des abrutis, tu avais raison, et on n'aurait jamais dû s'introduire chez elle. (Je tentai un petit rire.) J'espère qu'elle ne l'apprendra jamais, d'ailleurs.

— Fitz…

La voix, basse et lente, de la Jessica exaspérée. Là encore, je reconnaissais le timbre.

— Encore une fois, je suis désolé. Elle s'était fait voler son portable, et elle ne pensait pas que Moussah s'inquiéterait si vite. On a déconné. On a…

Je m'interrompis – elle m'avait raccroché au nez.

Je ne pensais pas me tromper en me disant que mes relations avec mon ex ne s'étaient pas arrangées aujourd'hui.

Réveillé pour réveillé, je roulai vers le frigo pour y attraper une bouteille de coca fraîche. Rien de tel pour faire passer la gueule de bois. Devant moi, Moussah ouvrit un œil. Je le laissai reprendre ses esprits et se dresser sur un coude, avant de lui passer la boisson.

— Tu sais quoi, Mouss, les filles, c'est comme la vodka.

Il me regarda stupidement, le regard encore embrumé de sommeil.

— Quoi, c'est des patates fermentées ?

— Non, mais ça donne vraiment mal au crâne le matin.

8

Par où commencer ?

Nous nous inquiétions pour Cerise en pensant qu'elle avait pu passer sous un camion ou abuser de substances psychotropes, et voilà que nous pataugions dans des eaux bien plus troubles. Le soulagement de la savoir en vie s'était vite dissipé chez Moussah, remplacé par une frustration sans bornes. Je pouvais le comprendre : à sa place, je ne sais pas dans quel état je me trouverais.

Il avait fallu mettre Déborah au courant bien sûr, lorsqu'elle avait émergé de son coma éthylique avec les yeux chassieux et l'haleine en vrac. Je pensais qu'elle se rangerait de mon côté et qu'elle convaincrait Moussah de faire appel à la police mais, à mon grand désespoir, elle avait pris son parti. J'étais donc le seul sain d'esprit ici ?

— Elle a été très claire dans son texto : si on prévient la police, ça la met en danger.

— Et si on ne fait rien, tout se passe bien, c'est le bonheur et les oiseaux gazouillent ?

Je ne pouvais pas m'empêcher de me sentir trahi. Je ne demandais rien à personne, moi, je voulais juste vivre ma vie tranquille et terminer ce fichu dernier niveau de Diablo III. Pourquoi est-ce que Moussah me regardait avec ces yeux implorants ? J'avais suffisamment prouvé que j'étais incompétent.

Je fermai les yeux pour me concentrer, récapitulant la situation. D'un côté, on avait cette fameuse main courante dont m'avait parlé Jessica : Cerise avait été menacée par mail, et on lui avait demandé de renoncer au concours de mannequin.

Deuxième acte, l'appel à Moussah, où on lui dit de ne pas la chercher ni de prévenir la police.

Pas besoin d'être sorti de Polytechnique pour imaginer un lien entre les deux événements. Ce fut Déborah qui formula la conclusion, avec cette voix tranquille qu'elle pouvait avoir même en énonçant les pires horreurs :

— Clairement, une des filles savait que Cerise était la favorite. Elle a voulu lui faire peur, l'a menacée par mail, mais ça n'a pas suffi. Alors elle est passée à une démarche plus radicale. Hop, elle l'enlève. Tu me diras, c'est mieux que de la tuer. Si elle est toujours en vie aujourd'hui, on peut imaginer qu'elle va s'en sortir en un seul morceau – mais après le concours.

— C'est ridicule. Si jamais elle refait surface après un tel coup, ça suffirait pour invalider le vote.

— Ça dépend. Trois jours après, oui, mais si elle se fait relâcher trois mois après et qu'elle ne sait pas qui a fait le coup…

Je me pris la tête entre les mains. Rien de tout ça n'avait de sens et surtout, je n'avais pas envie d'y réfléchir. Le coup de fil de Jessica m'avait réveillé bien plus tôt que prévu et je ne demandais qu'à me recoucher pour environ mille ans. Je sentais pointer un mal de crâne insidieux, il faisait chaud, j'avais envie d'être tranquille, et je manquais de vodka.

— Bon. Je repose la question par acquit de conscience, mais tu es sûr que tu ne veux pas que je rappelle Jessica ? Les flics peuvent être discrets quand ils le veulent – au pire, je peux au moins lui demander conseil. Parce que là, je t'avoue que je n'ai pas la moindre idée de ce qu'on pourrait bien faire pour la retrouver, ta copine.

Pas vraiment envie de me retrouver de nouveau dans le même bureau que Jess, mais si c'était pour la bonne cause… avec un témoignage comme ça, elle serait bien obligée de m'écouter.

— Non. Pas de flics. Tu l'as dit toi-même, c'est déjà bien que Cerise soit encore en vie. J'ai l'intention que ça reste comme ça.

— Mais tu veux qu'on fasse quoi, alors ?

La voix de Déborah s'immisça entre nous, paisible et tranquille comme celle d'une Bouddhette de compétition.

— On pourrait commencer par aller voir l'agence Podium, non ?

Deux paires d'yeux se tournèrent vers elle, et elle se troubla une seconde avant de continuer.

— Je veux dire, on suppose que c'est une des concurrentes qui a fait le coup. Autant aller directement voir là-bas ce qu'on peut trouver comme info.

— Et tu crois qu'on nous donnera tous les renseignements qu'on veut et qu'on nous déroulera le tapis rouge ?

Elle haussa les épaules et se rallongea sur mon lit.

— Ça, Fitz, les relations publiques, c'est ta partie. Moi je me contente d'énoncer l'évidence : si tu veux des infos, c'est là-bas qu'il faut aller les chercher. Je sais que tu aimes bien traîner sur les réseaux sociaux, mais tu vas pas te coltiner les dossiers de trente filles…

— Vingt-neuf…

— Haha. Vingt-neuf. Même. Je te dis, faut qu'on arrive à avoir des infos directement des gars de Podium. C'est pas compliqué, si on tombe sur une fille tu la dragues, si c'est un mec c'est moi qui m'y colle.

— Ça a l'air tellement simple. Tu ne t'es pas dit que mon charme irrésistible ne fonctionne pas à chaque fois ?

— Cherche *irrésistible* dans le dico, Fitz. Et de toute façon, ça vaut la peine de tenter. Ou alors tu peux aussi appeler l'autre, là, Aurélie. Elle avait déjà des dossiers sur tout le monde, elle pourrait nous renseigner, non ?

— Sauf que franchement, c'est celle que je considère comme la plus suspecte. Sans Cerise, j'imagine qu'elle a de meilleures chances de gagner, et elle avait vraiment l'air d'une psychopathe avec ses notes à la main. Je te jure, ça faisait flipper.

— Pour t'avoir fait fuir alors que tu étais dans sa chambre, je peux l'imaginer, oui. Enfin bref, on n'a pas de piste de toute façon, donc je ne vois pas ce qu'on peut faire d'autre que de se renseigner au mieux.

Il y avait une raison pour laquelle je n'avais jamais eu de chien (en plus de l'impossibilité d'en gérer un dans un studio au septième étage) : je ne pouvais jamais résister à leur regard implorant. Dreamworks avait popularisé les yeux du chat de Shrek, mais le même pouvoir brillait dans les pupilles humides d'un chien abandonné.

Et c'était ce regard que ces deux enfoirés me servaient en ce moment.

Je me laissai rouler sur le côté.

— Ok. Vous avez gagné. Je passe à l'agence Podium voir si je peux apprendre quelque chose. Pendant ce temps, vous vous renseignez sur les concurrentes sur Internet et vous me faites un dossier, un truc crédible, même si ça sera pas aussi concret que celui de l'autre tarée. Mais si jamais on ne trouve rien, si jamais on piétine, on reparle d'appeler la police, ok ? Parce que franchement, je pense qu'on fait une grosse connerie, là.

Moussah hésita un instant. C'était un homme d'action, et il se sentait impuissant. Ça l'énervait, c'était normal. Je n'osais pas imaginer son état lorsqu'il serait en pleine descente. Lorsqu'il hocha enfin la tête je soupirai de soulagement.

Je les abandonnai le temps de prendre ma douche, puis sortis de la salle de bains en me séchant les cheveux. Un rapide regard sur internet me fournit l'adresse de l'agence Podium. Ouverte sept jours sur sept, même le dimanche.

— Ah ben tiens, rue de Ponthieu, en plein 8e. C'est pas comme si j'allais avoir besoin de beaucoup marcher.

Les deux m'emboîtèrent le pas et nous nous retrouvâmes dans la rue. Il faisait beau et chaud, comme toujours. Je n'aurais jamais pensé prier un jour pour de la pluie.

Moussah m'attrapa le bras avec son expression des grands jours.

— Fitz. T'es un frère pour moi. Je suis sûr que tu vas trouver des infos, des indices. T'inquiète pas, dès que tu sais qui c'est, je prends la relève avec quelques potes.

Je connaissais les *potes* en question, des amis videurs avec lesquels il prenait des bières en fin de service. Dans ces moments-là, il feignait de ne pas nous connaître, nous et nos cocktails avec parasols et rondelle d'ananas. Oui, je connaissais les potes, et je n'avais jamais eu l'envie de me retrouver du mauvais côté de leurs chaussures lestées. Pour la première fois, je me dis que les kidnappeurs de Cerise avaient pris un gros risque.

Puis nous nous séparâmes, et je me retrouvai seul dans les rues de Paris.

Je ne pensais pas que la solitude me manquerait. Je m'étais toujours considéré comme un animal de meute, caméléon social, toujours à l'aise et en bonne compagnie – mais ce huis-clos dans mon appartement surchauffé m'avait laissé un arrière-goût désagréable. Pas plus tard que la semaine dernière, j'avais encore examiné ma cicatrice dans le miroir en me disant que plus jamais je ne remettrais les pieds dans un plan foireux. Bon, à part la coke, mais c'était *uniquement* pour des raisons budgétaires.

Et voilà que je remettais le couvert. En me dirigeant vers le siège de l'agence Podium, je me demandais vraiment quel bobard j'allais encore pouvoir inventer. Ils en avaient de bonnes, les deux autres. Ils semblaient croire que j'étais doté de super pouvoirs. Le seul que je possédais, c'était ma bonne étoile (comme Cerise, haha), et je n'avais pas l'intention de tirer trop fort sur la corde.

Je pris la rue Pierre-Charron et traversai les Champs-Élysées. Par ce temps, l'avenue était bondée. Des touristes de diverses nationalités se hélaient dans toutes les langues au milieu des banquiers et consultants qui hantaient les artères. Je pouvais voir d'ici la queue au Virgin qui organisait le *showcase* exceptionnel de je ne sais quel artiste. Je m'engouffrai dans la rue La Boétie, puis tournai rue de Ponthieu. Trois minutes porte à porte.

Autant j'avais été déçu par l'endroit dans lequel les pré-sélections avaient eu lieu, autant les locaux de l'agence Podium me firent bonne impression dès la grille et le hall impeccablement haussmannien. Une plaque argentée annonçait *Agence Podium, 2e étage. Photographie, Communication et Casting.* Je sonnai d'un index hésitant.

Pendant un moment, je crus que personne ne répondrait et que je pourrais tourner les talons aussi facilement que ça. Puis une voix féminine retentit dans l'interphone.

— Agence Podium, bonjour ?

Bien sûr, je n'avais absolument pas prévu ce que j'allais dire. Formidable, Fitz, tu es toujours au top.

— Euh, bonjour. Je viens de la part de Cerise Bonnétoile. Je voulais voir le directeur.

— Deuxième étage.

Je poussai la porte et pénétrai dans le hall.

En tant que parasite mondain, j'étais bien placé pour savoir que l'image était aussi importante que la réalité dès qu'on touchait au luxe. Combien de fois avais-je pu rentrer en soirée grâce à une garde-robe impeccable ? Pour une agence de mannequins, je supposai qu'il était obligatoire de montrer patte blanche. Adresse prestigieuse, immeuble de briques blanches, vastes espaces, tapis épais dans l'escalier, parquet ciré et belle hauteur sous plafond. Je n'osais imaginer le prix au mètre carré d'une telle respectabilité.

La porte était fermée, et je sonnai de nouveau. Une jeune femme vint m'ouvrir, sourire avenant, frange et talons aiguilles de rigueur. J'avais entendu quelque part que les talons hauts rapprochaient les filles du ciel mais là, il devait y avoir quinze bons centimètres – je me demandai comment elle ne se tordait pas les chevilles. Ça devait être le genre de secrets qui ne se transmet que de mère en fille, un peu comme les moues boudeuses et l'art de manipuler les mâles en rut.

Elle me regarda de bas en haut avec un air vaguement méprisant.

— C'est vous qui venez de la part de Cerise ?

— C'est ça. Je voulais voir le directeur, répétai-je.

— Il est en studio, mais je l'ai prévenu. Asseyez-vous, il ne devrait pas tarder.

Je pris place sur un large canapé de cuir noir. Sur un mur, un écran plat diffusait Fashion TV. De l'autre côté, je pouvais voir NRJ hits en muet. Je me demandai vaguement quel était l'intérêt d'une chaîne musicale sans le son.

Je jetai un coup d'œil rapide à la pile de magazines féminins devant moi. *Astro Chaud, avec qui serez-vous compatibles ?* proclamait l'une des couvertures. Bonne question. Je m'en emparai et le feuilletai d'une main distraite, apprenant avec plaisir que j'allais devoir me trouver un Bélier pour atteindre le taux de compatibilité maximal. De mémoire, Moussah était Bélier. Ça collait.

J'eus le temps de terminer l'article, de prendre un autre magazine pour savoir si je préférais les People avec ou sans frange (réponse : sans) et de consulter trois fois mes mails sur mon portable avant qu'une silhouette petite et musclée ne sorte de derrière un rideau de perles.

Je lui jetai un œil, et me rappelai ce qu'avait dit Déborah tout à l'heure : si on croisait une fille, je devais la draguer. Si c'était un mec, elle s'en chargerait. Mais s'il était homo ?

L'homme sourit, me tendit la main. Il ne devait pas avoir plus de vingt-cinq ans. Beau gosse, à condition d'aimer l'auto-bronzant.

— Bonjour, je suis Nathan, le directeur de l'agence Podium. On m'a dit que vous vouliez me voir ?

J'avais toujours classé mes potes gays en cinq catégories :

Les Folles qui ponctuent leurs discours de *ma chérieee* stridents.

Les Prosélytes qui vous expliquent que vous devriez les accompagner dans les *backrooms* du Dépôt, juste pour voir.

Les Bears qui assument leurs poils et leur goût pour le cuir, cuir, cuir, moustache.

Les Téléramas, qui vous parlent de l'exposition Magritte parce que ceci n'est pas une pipe.

Les Neutres, qu'on ne remarque jamais jusqu'à ce qu'ils vous demandent si vous accepteriez d'être témoin de leur Pacs avec Patrick (le même Patrick dont vous vous méfiiez en pensant qu'il draguait votre copine).

D'un coup d'œil, je classai Nathan en 70 % neutre, 30 % folle, avec sans doute un soupçon de Télérama. Je me demandai quand *Têtu* s'inspirerait de mes classifications pour offrir un grand test de l'été à ses lecteurs.

— Bonjour. Est-ce que c'est possible de vous parler un instant en tête à tête ?

Le directeur eut un sourire commercial, jeta un coup d'œil à son employée, revint vers moi.

— J'ai une journée un peu chargée mais je suppose que je peux prendre cinq minutes, oui. Venez.

Je le suivis à travers le rideau de perles puis une autre porte. Son bureau était plus grand que ce que j'imaginais. Meubles en acajou, sièges en cuir, photos au mur : pas mal pour un gars de vingt-cinq ans. Il s'installa, me fit signe de l'imiter.

— Alors, qu'est-ce que je peux faire pour vous ? Comment va Cerise ? Vous êtes son…

Il laissa traîner la fin pour que je complète. Il devait sans doute penser que j'étais son compagnon, venu lui faire une scène de jalousie ou lui demander des précisions sur le casting. À voir son air méfiant, je pouvais imaginer que ce n'était pas la première fois qu'il subissait ce genre d'incartades.

— Son ami. Enfin, l'ami de son copain, pour être plus précis.

Il haussa un sourcil. Ça, on n'avait pas dû le lui dire souvent.

— Quand vous dites *ami de son copain*, vous voulez dire...

— Oh non, non, juste ami, pote, enfin voilà quoi. Je veux dire, pas sexuel. Enfin, non... (Je m'embrouillai, secouai la tête pour rassembler mes pensées.) Enfin ça n'a pas d'importance. En fait, si je suis là aujourd'hui, c'est...

Pourquoi est-ce que j'étais là, en fait ? Qu'est-ce que j'allais pouvoir lui raconter comme bêtise qu'il puisse croire ? Je réfléchis à toute vitesse, mais rien ne me vint. Pourquoi est-ce que j'avais passé mon temps dans la salle d'attente à lire des tests stupides au lieu de réfléchir à un mensonge crédible ? Pourquoi est-ce que c'était toujours au dernier moment que je me réveillais ?

Il me regardait droit dans les yeux, une expression vaguement polie sur le visage, attendant la suite. Je maudis intérieurement Moussah d'avoir jeté son dévolu sur un vrai mannequin. Il n'aurait pas pu flasher sur une jolie fille avec un métier de bureau ? Ce n'était pas les avocates ou les chargées de ressources humaines qui manquaient dans les soirées parisiennes.

Et puis merde. Après tout, je m'étais juste engagé à chercher des informations. Si ça ne marchait pas et qu'on me demandait de sortir, j'aurais rempli ma part du travail. Je me penchai en avant.

— En fait, ça fait une semaine que Cerise a disparu. Personne n'a de nouvelles, et nous croyons qu'il lui est arrivé quelque chose. Alors, je suis simplement venu au cas où vous auriez une idée, ou des informations qui pourraient nous aider à la retrouver. Mais je comprends que c'est une mauvaise idée, et je suis désolé de vous avoir dérangé.

Il me laissa parler sans rien dire. Il me regarda longuement. Puis il décrocha son téléphone.

Et voilà, il me prenait pour un dingue, et il appelait la sécurité – si tant est qu'il y avait une sécurité dans une agence de mannequins.

— Monica ? Annule mon prochain rendez-vous. Oui, celui avec Jackie. Oui, je sais. Eh ben elle va être furieuse, qu'est-ce que tu veux que je te dise. Dis à Axel de la prendre. Oui. Ok. Je te laisse.

Il reposa le combiné et me regarda avec un sourire gourmand.

— Elle a disparu ? Tu veux dire, comme dans un roman policier ? Mais c'est fa-bu-leux ! Il faut que tu me racontes ça, j'ai toujours rêvé de participer à une enquête !

Ah, je m'étais trompé. 30 % neutre, 70 % folle.

9

Lorsqu'on est directeur d'une agence de casting, on vit en permanence au milieu de la beauté. Dictature des formes, des modes, des tendances, harmonie des modèles – j'imaginais qu'au bout d'un moment, on devait perdre le sens des réalités. À force de croiser des individus parfaitement proportionnés, comme l'Homme de Vitruve et la Femme de Vogue, on devait commencer à hausser un sourcil en rencontrant des individus normaux, à la symétrie hésitante.

Du moins était-ce comme ça que j'interprétais le manque d'intérêt de Nathan à mon égard.

Ce n'est pas comme si je voulais qu'il me drague. Après tout, j'allais bientôt déjeuner chez mes parents pour leur expliquer que non, je n'étais pas homosexuel. Mais quand même, c'était une question d'orgueil et de fierté, j'aurais bien aimé qu'il tente quelque chose pour que je puisse lui répondre avec morgue que je n'étais pas intéressé.

Là, rien. C'était un peu vexant. Depuis que je lui avais parlé de Cerise et de mes soupçons, il n'y avait plus que ça qui comptait pour lui. Il avait allumé son Macbook Air, cliqué sur quelques dossiers, et sorti les fiches de toutes les filles présentes au casting. Comme ça. Sans même me demander si j'avais des preuves de ce que j'avançais. Soit il accordait une confiance aveugle à ma bonne gueule, soit il devait *vraiment* s'ennuyer.

Il fit pivoter l'écran plat vers moi, croisa les jambes et se renfonça dans son siège en cuir.

— Voilà. Ce sont les trente candidates qui ont été sélectionnées dans toute la France pour concourir dans dix jours. Je ne vois pas vraiment comment ça pourrait nous aider à trouver la coupable, mais c'est tellement excitant !

Nous. Il disait *nous.* À quel moment lui avais-je proposé de participer ? Tout ce que je voulais en venant ici, c'était quelques informations, rien de plus.

Je regardai avec attention les photos qui défilaient sur l'ordinateur. Je les avais déjà vues chez Aurélie, mais elles étaient ici en plein écran, et je pus me faire une meilleure idée des différentes participantes. Elles correspondaient aux critères de beauté en vigueur, issues de toutes les nationalités. Il y avait des blondes, des brunes, des rousses, des métisses, des noires, des asiatiques, des mélanges génétiques improbables que je n'étais pas sûr de reconnaître à l'œil nu. Et Aurélie. Et Cerise. Et Tania, la troisième retenue des éliminatoires auxquelles j'avais assisté.

Elles étaient toutes très belles, même si je dus reconnaître avec un pincement au cœur que Cerise et Aurélie se détachaient du lot. Le photographe avait du talent – il avait su capturer le regard mutin de la première et l'expression amusée de la seconde. Je ne pouvais qu'admirer le résultat, moi dont les compétences en la matière se limitaient à savoir si je devais mettre le flash ou non.

— Alors ? Ça t'aide ?

La voix de Nathan me secoua de ma rêverie. Il me regardait avec une expression pleine d'espoir, comme s'il imaginait que j'allais tout à coup me lever et lui donner le fin mot de l'énigme, façon Hercule Poirot. Je me contentai de reculer mon siège. Comme il me tutoyait, je lui rendis la pareille.

— Je ne sais pas. Honnêtement, je n'ai aucune idée de ce que je cherche. Qu'est-ce que tu peux me dire sur ces filles, tu les connais bien ? Est-ce que l'une d'entre elles te paraît assez déséquilibrée pour s'attaquer à ses concurrentes comme ça, commettre un crime pour un simple concours ?

— Je t'arrête tout de suite, la finale de l'agence Podium n'est pas un *simple* concours.

— Ce n'est pas ce que j'ai voulu dire…

Il leva un doigt péremptoire.

— Si, c'est *exactement* ce que tu as voulu dire. Comme ça touche à la mode et à l'apparence et au mannequinat, tu penses que c'est forcément superficiel. C'est pour ça que ça te paraît ridicule qu'une fille aille jusqu'à en kidnapper une autre pour ça. Mais tu te trompes. Regarde, John-Fitzgerald…

— Fitz.

— Je préfère John-Fitzgerald, ça te donne une originalité que ton physique ne te permet pas. Regarde, John-Fitzgerald, la gagnante de mon concours va signer de nombreux contrats avec des marques de cosmétiques célèbres. Même pour une débutante, ça devrait lui rapporter dans les trente mille euros à l'année. À côté de ça, elle sera sans doute sollicitée pour des shootings photos, en extra. Compte environ mille euros la journée. Si tu veux un ordre de grandeur, je dirais que la gagnante s'en sortira avec cinquante ou soixante mille euros de contrats pendant qu'elle sera mon égérie – plus, si elle fait de la lingerie. Et je ne parle même pas de la suite de sa carrière, maintenant qu'elle aura le pied à l'étrier. Est-ce que tu comprends mieux les enjeux ? Est-ce que tu ne peux pas imaginer que quelqu'un puisse vouloir commettre un crime pour de telles sommes ?

Je hochai la tête, sonné devant les chiffres qu'il venait de me donner. J'avais rencontré en soirée tellement de mannequins amateurs qui tentaient avec difficulté de joindre les deux bouts et couraient de casting en cachet que je ne m'étais pas fait une idée claire de la situation.

Oui, je connaissais pas mal de monde capable de kidnapper une fille pour soixante mille euros. Certains toxicos que j'avais croisés par le passé l'auraient fait pour dix fois moins.

Pour la première fois, je me pris à penser que nous ne chassions pas des moulins à vent. Cerise s'était bien fait enlever, et c'était bien ce foutu concours qui était en cause, et c'était bien l'une de ces filles qui avait fait le coup.

Restait à savoir laquelle.

— Ok. Tu as raison, je ne me rendais pas compte. Cela dit, ça n'explique pas tout. Pourquoi éliminer Cerise ? Pourquoi elle, plutôt qu'une autre ?

— Parce qu'elle aurait probablement gagné.

Je le regardai, incapable de cacher ma surprise.
— Comment ça ? Là, tout de suite, tu sais déjà qui aurait été choisie ?
— Le concours n'est pas truqué, si c'est ta question. Mais je bosse depuis assez longtemps dans le métier pour savoir qui plaira au jury. J'ai rencontré toutes ces filles, j'ai parlé avec elles, j'ai évalué leur potentiel, et j'ai déjà une assez bonne idée du résultat. Le top 5, quoi.
— Et Cerise était dedans ?
— Oui. Elle est magnifique, cette fille. En plus, elle est métisse, c'est à la mode en ce moment.
Je haussai un sourcil.
— C'est pas très politiquement correct, si ?
— C'est le business. La roue tourne, l'année prochaine ce sera sans doute différent. Mais là, je pense que Cerise avait toutes ses chances, et que les autres filles le savaient. Ça leur donnait une bonne raison de se débarrasser d'elle.
— À condition…
L'excitation m'envahit en sentant enfin un début de piste se concrétiser. Je me penchai de nouveau en avant, laissai défiler les photos.
— À condition qu'elle y gagne quelque chose. Donc que, Cerise écartée, elle devienne la favorite. Ça veut dire que c'est forcément une de celles de ton top 5.
Nathan hocha lentement la tête.
— Je ne suis pas sûr. Tu sous-estimes la vanité de ces filles. Depuis leur naissance, on leur a répété qu'elles étaient superbes. Moi-même, je me tue à le leur dire. Du coup, je crois qu'elles imaginent toutes avoir une chance. Et elles ont raison : ce n'est

pas parce que j'ai une intuition concernant mon jury que j'ai raison.

— Tu as déjà eu tort ?

— Jamais, mais il faut bien une première fois.

Il farfouilla dans son bureau avant de me regarder, son expression soudain sérieuse.

— Je ne t'ai pas proposé à boire. Tu veux quelque chose ? Ça donne soif, une enquête comme ça !

— Vodka, tu aurais ?

— Vodka, c'est comme si c'était fait.

Il ouvrit le tiroir de son bureau et je pus apercevoir le haut d'un casier à bouteilles. Pratique. Il me tendit un verre avant de revenir à son ordinateur.

— Tu sais, plus j'y pense, plus je suis convaincu que c'est une de mes filles qui a fait le coup. Je trouve ça génial. J'ai l'impression d'être dans un épisode de NCIS, le côté beau gosse en plus. Tu crois que nous ferons la une des journaux si on trouve la criminelle ?

De nouveau ce *nous.* J'hésitai à recadrer l'entretien, à lui expliquer gentiment que je ne voulais pas l'impliquer et souhaitais juste quelques informations, mais j'avais trop peur de le froisser. Jusqu'à maintenant, ma visite se révélait bien plus fructueuse que je n'aurais pu l'imaginer. Hors de question de briser ce fragile équilibre. Je trempai mes lèvres dans l'alcool.

— Sûrement. Bon, tu m'as dit que tu avais rencontré toutes ces filles, que tu avais parlé avec elles… qui verrais-tu dans les suspectes ? Je sais bien qu'elles peuvent toutes avoir fait le coup, mais autant commencer par les plus…

— Psychopathes ?

— Oui, voilà.

Il sourit, refit pivoter son écran vers lui et s'accorda un passage rapide sur les trente photos. Les doigts de sa main gauche tambourinaient sur le bureau tandis que la droite maniait le *touchpad*. Rapidement, il créa un dossier et copia certaines photos à l'intérieur.

— Bon. Je t'en ai sélectionné quatre. À mon avis, ce sont les plus susceptibles d'avoir fait le coup. Elles ont de bonnes chances de gagner et la disparition de Cerise les arrange plutôt pas mal. En plus, ce sont des compétitrices de première. Dans ce milieu, il faut avoir la rage si on veut survivre, mais certaines l'ont plus que d'autres. (Il haussa les épaules.) Je t'ai éliminé d'office toutes celles qui ont entre treize et quinze ans. Pas parce qu'elles sont moins ambitieuses, juste parce que je ne les vois pas monter une opération de kidnapping à cet âge. Mais bon, peut-être que je me trompe.

Treize ans. Mon Dieu ! C'est vrai qu'on élevait les mannequins de plus en plus tôt. Je me rappelais les remarques de Cerise et d'Aurélie, les deux doyennes avec leurs vingt-cinq ans : elles n'étaient pas loin d'être déjà périmées. Dire qu'on faisait rêver les gamines avec ça.

Puis je me rappelai les soixante mille euros dont Nathan avait parlé, et je me ravisai. J'orientai l'ordinateur vers moi et je me penchai vers les profils sélectionnés.

La première s'appelait Stéphanie Debussy, une rouquine flamboyante, à peine majeure, les taches de rousseur artistiquement mises en valeur par les jeux de lumière.

— Elle a eu dix-huit ans il y a un mois. Elle est superbe dans le style femme-enfant, très brillante, très compétitive. Tu me crois si je te dis qu'elle est en deuxième année de médecine à son âge, et qu'elle trouve quand même le temps de courir les castings ? Niveau froideur et méthode, je pense qu'on ne fait pas mieux.

Je la contemplai les yeux dans les yeux. Elle me fit un peu peur.

La seconde se nommait Émilie Stovalosky, une blonde qui ressemblait à Cersei dans la série *Game of Thrones*. Une Cersei jeune mais au regard tout aussi calculateur.

Je n'y avais jamais pensé avant, mais Cersei était l'anagramme de Cerise. Il y a de ces coïncidences, dans la vie…

— Franchement, elle est magnifique, cette fille. Je sais déjà qu'elle plaira beaucoup à l'une des membres du jury. En plus, elle n'a pas vraiment bonne réputation auprès de ses concurrentes. C'est vrai qu'on est dans un milieu où les rumeurs circulent vite, mais j'ai entendu dire qu'elle s'était déjà battue avec d'autres candidates dans un casting l'année dernière. Alors d'ici à enclencher la vitesse supérieure… En tout cas, ce serait dommage parce que je la trouve chou comme tout.

Chou comme tout alors qu'elle cognait les concurrentes qui lui déplaisaient ? Je passai à la photo suivante en réprimant un frisson.

Une black radieuse me regardait, figée dans une pose sexy. Les traits fins, la mâchoire volontaire, les yeux fixés vers la victoire : Wahida Diallo.

— Elle a le même nom que la femme de chambre de Strauss-Kahn, me sentis-je obligé de commenter.

— Ouais, mais en bien plus canon, quand même. Et tu vas me dire qu'on tombe dans les clichés mais elle fait de l'athlétisme de haut niveau. De mémoire, elle était arrivée deuxième ou troisième aux championnats de France junior. Elle aussi a toutes ses chances et je pense qu'elle serait prête à écraser tout ce qui se met en travers de sa route.

Je hochai la tête, pensif. Tout ça n'aboutirait peut-être à rien, mais j'allais pouvoir prouver à Deb et Moussah que je menais mon enquête de manière consciencieuse. Et tant mieux si cela consistait à admirer des jolies filles par écran interposé tout en sirotant une vodka-pomme dans un bureau climatisé.

Un clic pour passer à l'image suivante, et je me raidis. Bien entendu, je le savais depuis le début, mais ça ne m'empêcha pas de sentir une boule se contracter dans mon ventre.

— Elle, c'est Aurélie Dupin. Si tu veux mon avis, c'est la suspecte *number one*. Déjà, elle a tout pour gagner. Si tu me demandais de parier sur les résultats du concours, en l'absence de Cerise, ce serait vers elle que je me tournerais. Et ce n'est pas tout. Regarde son âge, elle a vingt-quatre ans. Si elle n'arrive pas à gagner avec mon agence, ça va commencer à se compliquer pour elle. Ça lui donne un meilleur mobile que les autres, qui peuvent toujours retenter leur chance. En plus, j'ai eu l'occasion de discuter avec elle et elle prend tout ça très au sérieux.

— Tu ne te rends pas compte à quel point, articulai-je d'un ton morne.

Vingt-quatre ans. Elle m'avait arnaqué, la garce.

Franchement, est-ce que je pourrais, une fois dans ma vie, ne pas flasher sur une fille étrange ? Je veux dire, ce n'est pas trop demander, non ? D'accord, dans cet antre du paraître, je n'étais pas forcément à mon avantage, je n'aurais pas pu faire la couverture d'un magazine. Mais mettez-moi dans la rue, dans une foule, dans un club, et je ressortais comme quelqu'un d'à peu près beau gosse, avec un peu de répartie, d'autodérision et de coke au fond des poches. Le gendre idéal, en somme.

Alors pourquoi ? En regardant Aurélie dans les yeux, je savais déjà que ce serait elle la coupable. Je le sentais. C'était écrit.

— J'ai l'impression que tu la connais, sourit Nathan par-dessus son bureau. Alors comme ça on drague mes filles dans mon dos ?

— C'est pas vraiment ça. Je t'expliquerai.

— Vas-y, j'ai tout le temps !

— Tu n'as vraiment rien à foutre de tes journées.

— Je t'aide, tu me fournis des ragots, c'est donnant-donnant, John-Fitzgerald.

Je hochai la tête et finis par lui raconter ma rencontre avec Aurélie, le coup de téléphone et ma visite avortée dans son appartement. Lorsqu'il réalisa que j'avais fui la queue entre les jambes, il éclata de rire.

— Sérieusement, on ne se connait pas depuis longtemps, mais je sens qu'on va avoir l'occasion de se recroiser. Tu as l'air d'avoir un talent naturel pour attirer les emmerdes, je trouve ça fabuleux !

Une heure qu'on discutait, et il avait déjà réussi à me cerner.

Il se leva, fit disparaître les verres dans son casier à bouteilles, puis s'étira en regardant sa montre.

— Je ne vais pas te mettre à la porte, mais en fait si. De toute façon, je ne peux pas te dire grand-chose de plus, à part de te concentrer sur ces filles-là. Dis-moi, tu sais danser ? Tenir une chorégraphie ?

Je le regardai comme s'il était devenu fou.

— Euh… je me débrouille pour me déhancher sur du Lady Gaga ou du Katy Perry, si c'est la question.

— C'est un bon début ; avec tes goûts musicaux, on pourra encore faire un homo de toi ! Bon, lundi, mon stage de préparation démarre avec toutes les participantes. Ça dure une semaine, ça se passe dans un grand hôtel parisien. Le but, c'est qu'elles apprennent à défiler ensemble, qu'elles préparent leur intervention et qu'elles apprennent les chorés qu'on va jouer au moment de la grande finale. Je vais te faire passer pour un gars du staff et tu pourras venir y assister. Ça devrait te permettre de discuter avec les filles et de te faire ta propre opinion. Je ne peux pas faire plus pour toi.

— Mais Aurélie ? Elle me connaît, ma couverture ne tiendra pas une seconde.

— Tu n'as qu'à lui dire que tu me rends service, qu'on se connaît depuis longtemps. Je ne sais pas, moi. Tout ça, c'est ta partie. Moi, je me contente de te faire rentrer *backstage*. C'est déjà pas mal, non ?

Je restai muet, le cerveau en ébullition. Si vraiment la coupable était l'une des participantes, alors je ne pouvais refuser la proposition de Nathan.

C'était une occasion unique de découvrir les coulisses du spectacle. Et si jamais les malheurs de Cerise n'avaient rien à voir avec le concours – eh bien, au moins, je passerais un excellent moment.

Qu'est-ce qu'il avait dit, exactement, sur le fait de danser ?

10

Je pouvais me montrer fier de moi. En moins d'une heure, j'avais considérablement progressé. Rien ne remplaçait le fait de sortir de chez soi.

J'avais encore du mal à me faire une opinion sur Nathan. Il souriait beaucoup, un peu trop à mon goût. Je me demandais si je n'étais pas un peu naïf, quand même, à accorder ma confiance à tous ceux que je rencontrais. Heureusement que j'avais quelque chose à raconter, sans quoi mes amis auraient pu m'en vouloir.

De leur côté, ils avaient passé l'après-midi à chercher des informations complémentaires, mais leurs résultats pâlissaient devant le contenu de la clé USB que Nathan avait eu la gentillesse de me fournir. Prénoms, nom, photos, adresse, date de naissance, l'essentiel pour chacune des candidates. Je me demandais s'il avait déjà entendu parler de la CNIL.

Je leur racontai ma rencontre avec Nathan, exposai ses intuitions, présentai les principales suspectes, grimaçai quand le visage d'Aurélie apparut à l'écran.

Pour une fois, mes amis eurent la présence d'esprit de se taire. Je n'étais pas d'humeur à subir un nouveau sermon sur ma manière bien personnelle de me jeter sur les filles à problèmes, sous prétexte qu'elles avaient de beaux yeux et une silhouette cambrée.

Il ne restait pas grand-chose à faire avant le lendemain et je les laissai rentrer chez eux, refermant la porte avec un drôle de vague à l'âme. Ça faisait un moment que je ne m'étais pas retrouvé seul dans mon studio. Et, maintenant que j'avais terminé Diablo III, je n'avais plus trop envie de recommencer avec une autre classe.

Alors, quoi ? Me reconnecter au jeu en ligne *World of Warcraft*, rejoindre ma guilde que j'avais délaissée ces dernières semaines ?

Ce fut en pensant aux autres joueurs que l'idée me vint, simple et lumineuse. Je me morigénai de ne pas y avoir pensé plus tôt. Moi, le geek, le connecté, pourquoi n'avais-je pas exploité la piste la plus évidente ?

En un clin d'œil, j'allumai mon ordinateur. Figure de style, bien entendu, tant ma machine mettait de temps à se lancer avec tous les programmes qui tournaient en arrière-plan. Je tambourinai impatiemment des doigts contre ma jambe, attendant que tout se charge, que le wifi se connecte, puis je lançai une session de jeu.

Je retrouvai en quelques secondes mes réflexes, les combinaisons de touches et les messages qui m'attendaient depuis deux semaines. J'appartenais à l'une des guildes les plus peuplées du serveur, rassemblant des joueurs aussi assidus que moi, connectés en quasi-permanence. La plupart étaient chômeurs, ou free-lance, ou dealers – de quoi sacrifier leurs journées à ce loisir envahissant. Grâce à notre temps libre, nous étions de loin les plus performants.

À peine m'étais-je connecté que les messages fusaient de tous côtés.

T'étais où ? T'es dispo ? Alors, lassé de Diablo III ? Sale loque ! Ramène ton cul ! Viens en PVP[1] ! On va les fumer !

La routine habituelle, quoi.

Mais aujourd'hui, je n'avais pas prévu de jouer. Je m'étais connecté pour une autre raison. Sans la moindre honte, convaincu de pouvoir tourner ça en plaisanterie si quelqu'un le prenait mal, j'envoyai un message à l'intégralité des membres en ligne, soit près d'une cinquantaine de personnes.

Salut le peuple, comment il va le peuple ? Dites, j'ai un gros souci informatique. Quelqu'un ici touche un peu sa bille et serait capable de me craquer une boîte mail ? En toute légalité, bien sûr ;)

Je rajoutai le smiley de circonstance et attendis le résultat. Où mieux qu'ici pouvais-je espérer trouver un « crack » en informatique ? Certains travaillaient comme administrateurs réseau, d'autres dans la protection des données. Dans tous les cas, ça ne coûtait rien d'essayer.

Je les fréquentais depuis quatre ans par clavier interposé, même si nous ne nous étions jamais rencontrés. Bizarrement, je ressentais une certaine proximité à leur égard. Ils respectaient ma vie privée, je respectais la leur, et personne ne jugeait les horaires des autres. Je réprimai un sourire en réali-

1. *Player versus Player*, ou combat entre joueurs.

sant que le monde des jeux en ligne possédait des codes tout aussi stricts que ceux de la nuit – et qu'ils étaient en majeure partie opposés.

Les réponses ne tardèrent pas, d'abord sur le canal général, celui que tout le monde pouvait consulter : des *lol*, des *ben alors, tu t'es fait hacker ?*, des *on s'en fout, go instance*[1] et quelques suggestions anatomiques sur l'endroit où je pouvais insérer ma question.

Mais ce n'était pas cela que j'attendais. Je patientai jusqu'à voir apparaître un message privé, que j'étais le seul à pouvoir lire. Il émanait de Mehdi, connu dans ces contrées virtuelles sous le nom de Wilmarak le guerrier.

– T'as des soucis ? Je m'y connais un peu, tu m'expliques ?

Je m'apprêtai à répondre, mais un autre message s'intercala. Maxime, un joueur du Québec avec qui je groupais souvent.

– Je peux te trouver un mec qui fait ça. Tu en as besoin pour quand ?

De nouveau, je n'eus pas le temps de réagir qu'une troisième phrase s'affichait, de la part de notre maître de guilde, rien de moins.

– C'est urgent ? J'ai quelques contacts mais faut pas les brusquer, ils se bougent quand ils en ont envie.

Je restai muet à regarder mon écran. C'était si facile que ça ? À croire qu'on trouvait des hackers sous le sabot d'un cheval. D'accord, j'avais frappé à

---

1. Zones scénarisées à explorer avec d'autres joueurs.

la bonne porte, mais quand même... trois pistes d'un seul coup. Mon horizon s'éclaircissait.

Mon idée était toute simple : le seul élément concret dans toute cette histoire, c'était que Cerise avait reçu un mail de menace. Il y avait la trace de la main courante que Jessica avait pu retrouver.

Alors d'accord, j'allais assister au stage de Nathan et d'accord, j'allais observer avec attention les quatre jolies filles qu'on m'avait demandé de surveiller – mission ô combien désagréable. J'étais prêt à payer de ma personne.

Mais en parallèle, je comptais bien remonter aux sources. Je m'étais fait pirater ma boîte mail deux fois en dix ans. Rien de grave, on l'avait simplement utilisée pour polluer mon carnet d'adresses de publicités en anglais et de pièces jointes vérolées. Je m'étais contenté de changer le mot de passe, de m'excuser auprès de mes contacts, et de continuer ma petite vie tranquille.

Seulement, si ça avait pu m'arriver, alors ça voulait dire que quelqu'un, quelque part, pouvait pénétrer une boîte mail. Et ce quelqu'un, j'en avais désespérément besoin en ce moment.

Si on parvenait à cracker la boîte de Cerise, *si* on y retrouvait le message de menaces, *si* on remontait la trace de l'expéditeur, nous progresserions bien plus qu'en admirant les chorégraphies d'une meute de post-adolescentes aux yeux de biche. Beaucoup de *si*, mais je n'avais pas mieux sous la main.

Je branchai mon casque et m'entretins avec les trois qui m'avaient répondu. Mehdi déclara rapidement forfait – il s'y connaissait un peu, mais je parvins à lui faire admettre qu'il n'avait jamais tenté une telle intrusion.

Les deux autres me semblaient plus sérieux, mais ce fut Maxime qui me fit une vraie proposition.

— Écoute, ce n'est pas moi qui m'en occuperai, je n'y connais rien. Par contre, j'ai un de mes meilleurs potes qui est capable de rentrer n'importe où, n'importe quand. Je te jure, c'est un malade. Il a participé à des actions avec les Anonymous, si tu vois de quoi il s'agit.

Je voyais, mais ça ne m'impressionnait pas. Ces derniers temps, tout le monde semblait se revendiquer de ce groupuscule qui avait réussi à faire chavirer certains sites internet au nom de la liberté d'expression. Je ne savais pas si l'ami de Maxime en faisait partie mais je supposais que, si tel était le cas, il ne le claironnerait pas sur tous les toits.

Ça restait cependant une piste sérieuse.

— Le souci, c'est que c'est vraiment urgent. S'il pouvait s'y mettre tout de suite, je t'avoue que ça m'arrangerait.

Une pause au bout du fil, puis Maxime qui prenait un ton raisonnable. Ça n'était pas si simple, et je ne comprenais pas. On ne pouvait pas déranger quelqu'un comme ça, et lui demander de tout lâcher pour aider un ami d'un ami. C'était un peu comme quelqu'un qui est plombier dans la vie, tu comprends ? Au bout d'un moment, il finit par en avoir assez qu'on l'appelle pour lui demander de colmater les fuites chez tous les voisins. Tu vois l'analogie ?

Je voyais l'analogie, mais je manquais de temps.

— Tu peux lui poser la question, oui ou non ? Qu'il me contacte, on verra les détails après. Je te jure, quand je dis que c'est une question de vie ou de mort, je ne plaisante pas.

— Je peux toujours essayer mais je ne te promets rien, s'il m'envoie chier, il m'envoie chier.

— Je ne peux rien te demander de plus.

— Ouais. En échange, je compte sur toi pour m'aider à *farmer*[1] mon bâton légendaire.

Je soupirai. Rien n'était gratuit en ce bas monde ; sur World of Warcraft, le temps était *vraiment* de l'argent.

Lorsque je débranchai mon casque, j'eus l'impression d'avoir bien avancé. Entre ce premier contact et l'histoire avec Nathan, mon enquête progressait enfin. Puis un sourire blasé flotta sur mes lèvres. Mon enquête ? De qui est-ce que je me moquais ?

Je veillai tard cette nuit-là pour rembourser ma dette auprès de Maxime et lui trouver dans le jeu les composants qui lui manquaient. J'attendais l'appel de son ami, mais rien ne vint. En allant me coucher, je me pris à me demander si je ne m'étais pas fait arnaquer.

Et puis le lendemain, en me réveillant à dix-sept heures comme une fleur, je trouvai un message directement inscrit dans une page bloc-notes de mon ordinateur.

Paraît que tu as besoin d'aide.

Des souvenirs du premier Matrix, le seul qui en valait la peine, me revinrent à l'esprit aussitôt. Est-ce qu'on allait me demander de suivre le lapin blanc ? Comment avait-il pu prendre le contrôle de

1. Rechercher des composants nécessaires à la construction d'un objet particulier.

mon ordinateur ? Certains techniciens de maintenance y parvenaient, mais il fallait qu'on valide, qu'on leur donne la main. Et puis je ne savais même pas quand il avait tapé ce message. Peut-être qu'il datait d'il y a huit heures. Peut-être qu'il n'était plus là.

Le curseur se mit en marche.

Enfin réveillé. Pas trop tôt. Je m'ennuie.

Cette fois-ci, je ne pus dissimuler ma nervosité. Puis mon cerveau embrumé se réveilla enfin. Bien sûr. La webcam. Cet enfoiré avait pris le contrôle de la webcam. Heureusement que je n'avais pas choisi de dormir nu. Heureusement que je n'avais accueilli personne aujourd'hui. D'un geste rageur, je collai un post-it jaune fluo sur l'œilleton de mon ordinateur et enfilai une chemise froissée. Pour la bonne mesure, je me collai également une clope au bec.

Pudique ? lol.

Je n'aime pas les gens qui utilisent *lol* comme ponctuation. Ça me donne des boutons. Pourtant, je devais admettre que j'étais impressionné. Quelqu'un capable de s'introduire ainsi dans mon ordinateur devrait pouvoir facilement trouver le mot de passe de Cerise. Mais bon, ça restait inquiétant. Je me promis de laisser le post-it collé en permanence, au cas où.

Je me dégourdis les doigts puis tapai une réponse.

Merci d'avoir répondu aussi vite, même si je ne m'attendais pas à un tel réveil.

La réponse apparut presque instantanément.

On m'a dit que c'était urgent. J'arrive et je te trouve en train de dormir. Tu parles d'une urgence.

Je pouvais lui pardonner son *lol*, au moins il ne massacrait pas la langue française comme beaucoup d'autres avec leur langage SMS et leur franglais. J'étais en train de formuler ma réponse lorsque je vis une nouvelle phrase s'inscrire.

Tu as bloqué la vidéo, mais l'audio fonctionne toujours. Si tu veux parler à voix haute, ça marche aussi.

Ah. Je formai un rond de fumée parfait, le laissai se dissiper au-dessus de ma tête avant de prendre la parole. C'était étrange de s'exprimer ainsi sans interlocuteur.

— Bonjour, qui que tu sois. Je suppose que Maxime t'a mis au courant de ma demande ?

Je sais juste que tu as besoin de moi pour trouver un mot de passe.

— C'est à peu près ça. En fait, je voudrais...

Qu'est-ce que je pouvais lui dire, au juste ? Sa maîtrise des ordinateurs me rendait paranoïaque. Qu'est-ce qui me prouvait qu'il n'allait pas enregistrer toute notre conversation et me faire chanter ? Ou que ce n'était pas un flic qui me tendait un piège ? Ou que ça n'allait pas me retomber sur le coin du nez d'une manière ou d'une autre ? Je gémis intérieurement en pensant à mon compte World of Warcraft. S'il décidait de le pirater, je risquais de perdre des années de jeu. J'écrasai ma cigarette dans le cendrier d'un geste rageur.

J'attends...

Oui, c'est bon, tu attends, et moi je suis en train de me demander si tout ça est vraiment une bonne idée.

— J'aimerais accéder à la boîte mail d'une amie, avoir son mot de passe. Tu peux trouver ça pour moi ?

Quelle messagerie ?

Je lui donnai, et il y eut une pause de quelques secondes avant que les caractères ne s'animent de nouveau.

Pas facile, très sécurisé, mais faisable. Pourquoi tu veux ça ?

— Est-ce que mes raisons importent vraiment ? Je croyais que moins on en disait, mieux c'était.

Très bien. Tu veux ça pour quand et tu es prêt à payer combien ?

Je restai muet. J'avais espéré que ce serait gratuit, bien sûr, un service que Maxime me rendrait en échange de mon aide dans le jeu. Mais bien entendu, dans le vrai monde des vraies personnes, tout travail méritait salaire. Je grimaçai en songeant à l'état de mes finances. Si jamais j'allais jusqu'au bout, je comptais bien me faire rembourser jusqu'au dernier centime par Moussah. Mon ami avait assez d'orgueil pour payer ses dettes, je savais qu'il serait réglo là-dessus.

À condition que ça nous rapproche de Cerise.

— Je t'avoue que je n'y connais vraiment rien dans ce domaine. Tu voudrais combien pour faire ça ?

Lol.

Encore ce *lol.* Je me pris à détester mon correspondant anonyme, qui possédait tellement de pouvoir sur moi. Mais je restai muet. On m'avait appris un jour le pouvoir du silence en négociation, et j'avais toujours retenu cette leçon. Un silence, c'est pesant – la personne en face finira toujours par vouloir le rompre. Et vous aurez gagné.

Je ne veux pas ton argent, John-Fitzgerald Dumont. Si j'avais besoin de fric, je saurais où le trouver. Mais je me suis renseigné sur toi…

Hey !

J'ai lu tes mails, tu es un garçon intéressant. Digne de confiance.

Hey !

Alors voilà ce qu'on va faire : je te trouve ce mot de passe, et en échange tu me dois une faveur. Un pacte avec le diable, si tu veux.

Hey !

– Hey ! protestai-je. Ça ne faisait pas partie du deal, de lire mes mails.

J'aime savoir à qui j'ai affaire. Mais le passé est le passé, je te parle du futur.

Je regardai le post-it jaune comme si je pouvais y voir le visage de mon interlocuteur. Une faveur ? En quoi est-ce que ça m'engageait ? Je pouvais dire oui, et n'en faire qu'à ma tête ensuite. Mais pouvais-je me mettre à dos quelqu'un capable de rentrer dans mon ordinateur ?

Il avait bien résumé les choses en parlant de pacte avec le diable. Je sentis ma gorge sèche, soudain, et ce n'était pas que la nicotine au réveil.

Je fus tenté de répondre non, de tout laisser tomber. Elle était bien gentille et bien mignonne, Cerise, mais il y avait des limites à ce que j'étais prêt à faire pour elle. Les mots se formaient déjà entre mes lèvres, prêts à sortir pour refuser.

Ce qui me retint, c'est la certitude que ça ne changerait rien. Le hacker me connaissait, il était déjà dans mon ordinateur ; s'il voulait vraiment me mener la vie dure, il le ferait – avec ou sans mon accord. Autant que mon calvaire serve à quelque chose.

— Tu ne me vois pas répondre parce que je me dirige vers le frigo pour me servir une vodka-pomme, annonçai-je à voix haute.

D'habitude tu parles de Blue Lagoon dans tes mails. Vodka, curaçao, jus de citron ?

— Et la rondelle d'ananas avec le palmier. C'est le plus important. Mais bravo, je suis impressionné par ta culture en matière de cocktails.

J'eus le temps de sortir deux glaçons et de revenir devant l'écran. Je buvais trop en ce moment, mais c'était la chaleur, rien de plus.

Alors, ta réponse ?

— Tu sais bien que c'est oui.

Tu connais un comique qui s'appelle Eddy Izzard ?

— Je ne peux pas dire que j'en ai entendu parler, non.

Dommage. C'est un Anglais, un travesti qui fait des stand-up. Pour moi, c'est le meilleur de tous les humoristes, et de loin. Tu devrais regarder sur YouTube.

— Ouais ouais, je n'y manquerai pas. Et donc ?

Dans un de ses sketches, il explique que personne ne lit plus les conditions générales de ventes sur internet. Quand on nous demande d'accepter quelque chose, on clique sur « j'accepte » sans réfléchir. Il dit qu'il pourrait y avoir marqué « je vais voler vos fesses et les vendre aux Chinois » et on signerait tout de même.

— Je suppose que dans le contexte, ça doit être très drôle.

Tu n'as pas d'humour. Souris un peu, tu viens de vendre tes fesses aux Chinois. Mais la bonne nouvelle, c'est que je vais trouver le mot de passe que tu cherches. Je reviendrai demain soir à la même heure avec ta réponse.

Lundi soir ? J'avais espéré quelque chose de plus instantané, de la part d'un hacker capable de lire ma boîte mail et de s'emparer de mon ordinateur en une poignée d'heures.

— Ce n'est pas possible plus vite ?

Monsieur est impatient. Mais j'ai d'autres impératifs et accessoirement une autre vie. Demain soir, vingt heures, tu auras ta réponse.

Il n'y avait pas grand-chose à rajouter. Je fixai mon ordinateur en me demandant si j'aurais un jour de nouveau confiance dans la technologie.

Je me déconnecte après cette phrase. Tu vas pouvoir enlever ce ridicule post-it. Bonne fin de journée, John-Fitzgerald. Rappelle-toi, à partir de maintenant, tu me dois une faveur.

Bien sûr, comment allais-je pouvoir l'oublier ?

J'enlevai le post-it, en effet. Mais ce fut pour sceller définitivement l'œilleton de mon ordinateur au Tipp-Ex.

11

Je me levai à huit heures du matin, pour la première fois depuis longtemps, et mon corps ne m'en fut pas reconnaissant. Malgré dix minutes sous le jet brûlant de la douche, je gardais les paupières à moitié collées. J'avais besoin de sommeil, de tranquillité, et de sobriété. Je jetai un regard mauvais aux bouteilles vides qui encombraient l'appartement et que j'allais bien devoir jeter un de ces jours.

En l'espace de deux semaines, je n'étais presque pas sorti en club ; j'avais conclu un pacte avec un hacker dont je ne connaissais même pas le prénom ; j'avais déposé mes empreintes digitales dans un appartement qui pouvait très bien se révéler une scène de crime ; je m'étais mis Jessica à dos ; j'avais séché le repas du dimanche chez mes parents ; j'étais presque à court de coke. Je m'en souviendrai, de ce mois de juin !

Ce soir, je devais obtenir le mot de passe de la boîte mail de Cerise. Avec un peu de chance, nos investigations progresseraient. Mais en attendant, j'avais un autre rendez-vous à honorer, plus agréable que ces tractations via un bloc-notes d'ordinateur.

Dans la rue, la température était presque agréable. Je me dirigeai à pied vers l'adresse que m'avait donnée Nathan, quittant petit à petit le Triangle d'Or pour rejoindre les rues plus animées du 9e arrondissement. Je m'arrêtai dans une boulangerie pour acheter un pain au chocolat, et contemplai d'un œil stupide la queue devant moi. D'ordinaire, je ne fréquentais ces boutiques qu'à six heures du matin, en sortie de soirée ; je n'avais pas l'habitude de partager ainsi mon espace vital. Une petite fille affublée d'une robe rose bonbon me tira la langue. Je rabattis mes lunettes de soleil sur mon nez et l'ignorai royalement.

Le stage se déroulait dans un hôtel dont deux salles avaient été réservées pour l'occasion. Nathan m'avait expliqué que les participantes non-parisiennes dormaient sur place, les autres partageant un vestiaire pour y installer leur garde-robe. Je me faufilai à l'intérieur, demandai mon chemin à un réceptionniste au faciès de dogue allemand, puis foulai la moquette épaisse des salons privés.

Comme il ne s'agissait pas de relations publiques, qu'il n'y avait ni radio ni télévision, j'avais pensé que l'agence ne s'encombrerait pas de frais supplémentaires. Je changeai d'avis en regardant le prix des chambres. Ce n'était pas un palace, mais ça s'en rapprochait. Les filles devaient se sentir comme des princesses.

Lorsque j'arrivai enfin dans le salon, je constatai que j'étais le dernier. Les mannequins étaient assises en face d'une estrade sur laquelle Nathan avait déjà pris un micro. Deux autres membres du staff l'épaulaient. L'un d'eux me foudroya du regard alors que je rejoignais un siège en tentant de me faire le plus petit possible. Un coup d'œil à ma montre me confirma qu'il était neuf heures sept. Le stage devait commencer à neuf heures. Qu'est-ce que c'était que ce monde dans lequel les réunions débutaient à l'heure ? Où était le dilettantisme, l'esprit hype, le soleil dans les narines ? Je ne voyais que des filles concentrées, des bouts de langue tirés alors qu'elles notaient religieusement les paroles de leur gourou sur un cahier à spirales. On se serait cru à la rentrée des classes en seconde.

Bien sûr, certaines d'entre elles *étaient* lycéennes. Je frissonnai, me détournai pour écouter le discours de Nathan.

— ...pendant toute la semaine. Ça ne sera pas une partie de plaisir. Le concours durera plus d'une heure et demie, et je compte sur vous pour donner un spectacle exceptionnel. Ça veut dire que vous allez travailler dur, parce que vous savez toutes ce qui dépend de votre prestation. En six jours, il vous faudra apprendre sept chorégraphies de deux à trois minutes chacune, sans compter les séances photo et la vidéo de présentation qui sera projetée durant la finale. Alors si vous pensiez que ça allait être une semaine de vacances, que vous êtes venue avec votre peluche de poney préférée sous le bras, il est encore temps de changer d'avis. La porte est grande ouverte.

Il tendit la main d'un geste théâtral vers le fond de la pièce, mais personne ne bougea. Ces filles étaient toutes des vétérans de nombreux castings. Elles devaient connaître la musique par cœur. Moi, par contre, je commençais à m'inquiéter.

– Vous constaterez par ailleurs que vous n'êtes que vingt-neuf, et non trente. Nous n'avons pas de nouvelles d'une des candidates de la sélection parisienne, Cerise Bonnétoile. Je ne vous cache pas que son absence nous dérange fortement. Vous êtes toutes libres d'abandonner, bien sûr, mais la moindre des choses sera de me prévenir. Vous allez voir, je ne mords pas – en tout cas, pas les filles.

Il y eut quelques rires dans l'assistance alors qu'il dévoilait une dentition de loup.

– Nous ne savons pas encore à l'heure actuelle si nous allons la remplacer ou non. Notre décision sera communiquée en fin de stage. Cela dit, moins il y a de personnes en lice, plus vous avez de chances, donc je ne vais pas compter sur votre pitié et votre compassion.

De nouveau quelques rires. Il attendit que le calme revienne avant d'annoncer le programme de la journée. Je m'étais attendu aux chorégraphies ou aux séances photo dont il avait parlé, aussi son discours me prit-il complètement par surprise. À voir l'expression des filles autour de moi, je n'étais pas le seul.

– Aujourd'hui, ce sera différent : nous allons jouer à un jeu. En tant que mannequins, vous serez sollicitées pour défendre les couleurs de différentes marques – du moins si votre carrière se passe bien. Et je suis sûr que vous rêvez toutes de représenter, par votre sourire, votre corps, votre allure, le positionnement des enseignes les plus prestigieuses.

Cartier, Gucci, Victoria Secret... mais les contrats de mannequinat, ça ne concerne pas que cela. Alors ouvrez grand vos yeux, je vais vous expliquer comment cette journée va se dérouler.

Il avança vers une table recouverte d'un grand tissu, sous lequel divers objets dessinaient des formes troubles. Avec des airs de prestidigitateur, il laissa l'étoffe glisser de côté.

Les premiers produits ne surprirent personne. Des parfums, des écharpes, des lunettes de soleil, des sacs, des chapeaux... tout ce qui représentait le luxe aux yeux du plus grand nombre, tout ce que ces filles se battaient pour incarner.

Pourtant, au fur et à mesure que le tissu glissait, je vis l'expression avide des participantes se changer en doute, en hésitation, puis en franche inquiétude. Celles qui avaient déjà compris oscillaient entre amusement et horreur, alors que leurs consœurs plus lentes cherchaient encore le fin mot de l'histoire. Pour ma part, je ne pus réprimer un sourire. Nathan allait les pousser jusque dans leurs derniers retranchements.

La première chose que je reconnus, ce fut un rouleau de papier toilette. Puis une boîte de tampons, fraîcheur garantie vingt-quatre heures. Un T-shirt informe, taille XXL, qui n'allait pas sans me rappeler *Le père Noël est une ordure* (bien sûr, c'est un gilet, il y a des trous plus grands pour les bras). De la purée en sachet, garantie maison. Un chapeau de paille qui avait dû connaître son heure de gloire dans les années soixante, alors que nos parents développaient leur conscience cosmique à coups de LSD.

— Comme je le disais, le mannequinat est une activité professionnelle sérieuse. Si vous comptez travailler dans ce domaine, si vous espérez en vivre, si vous pensez percer, ne croyez pas que vous ne ferez que des shootings pour les dernières fragrances en vogue. Ne pensez pas que vous courrez tout le temps vers le coucher de soleil, les cheveux dans les yeux, en riant à une plaisanterie qu'un homme vêtu d'un jean griffé vous murmurera à l'oreille. Une grande partie de vos contrats concernera des marques de grande distribution. Il n'y a rien de dégradant à cela, bien au contraire. Et nous allons vous le prouver aujourd'hui.

À l'appel de son nom, chaque fille devrait se présenter, puis tirer un papier au sort dans une corbeille. Elle découvrirait ainsi de quel produit elle allait devoir vanter les mérites, et s'efforcerait de se montrer convaincante devant l'appareil photo, quel que fût le résultat.

— Des questions ? demanda Nathan.

Il y en avait dix, vingt, cent. Est-ce qu'on pouvait tenter sa chance plusieurs fois ? Est-ce que c'était vraiment équitable de laisser la chance décider ? Est-ce que les résultats de la séance photo du jour seraient visibles sur internet ? Est-ce que ça allait compter pour la finale ?

Nathan attendit que le brouhaha se calme, puis leva tranquillement les mains.

— Ce stage d'une semaine nous servira à établir une première sélection de douze filles, qui sera annoncée durant notre grande finale et présentée à notre jury. Ce choix dépendra de l'avis de votre coach sportif, de votre chorégraphe, de mes directrices commerciale et artistique et, bien entendu, de moi-même. Je compte donc sur vous pour donner le meilleur de vous-mêmes, quel que soit l'article à défendre. Si ça peut vous consoler, il vous sera sans doute plus facile d'être originales avec du papier toilette qu'avec du parfum.

Mais moins glamour, rajoutai-je in petto. En observant les vingt-neuf candidates, je pouvais déjà voir certaines se décomposer, voire refouler des larmes derrière des cils trop maquillés. Machinalement, je les rayai de ma liste de suspectes : quelqu'un qui flanchait parce qu'on lui proposait de représenter des tampons hygiéniques n'avait pas le mental pour éliminer une concurrente.

Du moins je l'espérais.

— C'est parti, par ordre alphabétique des noms de famille. Je sais que vous avez toutes le goût de la compétition, alors c'est plus simple comme ça.

La première fille s'avança. Noémie Aba – avec un nom comme ça, on ne risquait pas de lui voler la première place. Elle prononça quelques mots pour dire à quel point elle était heureuse d'être sélectionnée, égrena sa biographie en quelques mots (une naissance à Saint-Arnoult-en-Yvelines, un bac ES, une licence de langues et civilisations étrangères, une apparition dans un clip de R'n'B) et tira un papier. Son visage s'éclaira :

— Parfum !

Quelques grognements s'élevèrent dans l'assistance. On lui apporta un flacon et Noémie le porta à sa joue, souriante, tandis que le photographe remplissait son rôle.

— Dior, j'adore, minauda-t-elle.

Mais où allait-elle chercher ça ?

Je regardai chaque candidate au fil des passages, essayant de l'imaginer dans le rôle d'une criminelle. Manquait-elle à ce point de moralité ? Pensait-elle vraiment gagner maintenant que Cerise n'était plus là ? Avait-elle les tripes pour commettre un tel acte ? Comment s'y serait-elle prise ? Je pestai intérieurement en repensant à mon mystérieux hacker – si seulement j'avais déjà pu avoir une piste, ça m'aurait permis de réduire mon champ d'investigation.

Parmi les suspectes que Nathan avait sélectionnées, il y avait trois noms de famille commençant par D : Debussy, Diallo et Dupin.

La première à monter fut donc Stéphanie, l'étudiante en médecine aux cheveux flamboyants. Elle était jolie, en effet, mais ce qui me frappa surtout fut son maintien et la morgue avec laquelle elle annonça les études qu'elle poursuivait. Autant certaines candidates tentaient de jouer la complicité avec les autres, autant celle-ci les prenait toutes de haut. Il y eut des murmures dans l'assistance, et je me renfonçai dans ma chaise. À croire que Nathan avait chorégraphié la scène pour appuyer ses propos. Je tentai d'accrocher le regard de la jeune fille, d'y lire quelque chose, mais ses yeux flottaient au-dessus du public sans chercher à communiquer. Elle tira son papier et le lut sans témoigner la moindre émotion. Tampons hygiéniques.

Avec une auto-dérision que je ne lui imaginais pas, elle plaça les applicateurs dans ses cheveux, garda la boîte en main, esquissa un sourire gourmand.

— Domptez le cadeau de dame nature, susurra-t-elle.

C'était pas mal, en fait. Je ne pus m'empêcher de hocher la tête d'un air approbateur. Les autres filles avaient l'air déçues qu'elle ne se soit pas pris les pieds dans le tapis.

Wahida Diallo enchaîna tout de suite. Je ressentis un élan de sympathie pour cette fille aux jambes encore plus longues que les autres. La vie n'était pas tendre avec les femmes de trop haute taille – beaucoup d'hommes en avaient peur. Pas mal de mes amis refusaient de sortir avec des filles plus grandes qu'eux – et inversement, beaucoup de filles refusaient de sortir avec des hommes plus petits. Nabots et géantes, les deux parias du XXIe siècle.

Aujourd'hui, en tout cas, Wahida respirait le bonheur et la joie de vivre, la spontanéité. Ce ne fut que deux minutes plus tard que je réalisais que mes mâchoires me faisaient souffrir : à force de sourire comme elle, je finissais par attraper des crampes.

Elle tomba sur le papier toilette, hocha la tête d'un air résigné, puis dévida le rouleau sur son bras. Sa voix se fit rauque alors qu'elle arrachait les feuilles une à une.

— Il m'aime un peu, beaucoup, passionnément…

Pas bête. Celle-ci avait un cerveau en état de marche.

Lorsque le nom suivant fut appelé, je ressentis un bref pincement au cœur. Aurélie Dupin. Dire que je l'avais trouvée magnifique la première fois que je l'avais vue. Et maintenant, tout le monde était convaincu que c'était elle la coupable.

Je la vis monter sur scène, très professionnelle, très calme, un sourire tranquille aux lèvres. Elle était plus âgée que les autres, bien sûr, elle devait avoir plus l'habitude. Il n'empêche, je la trouvais impressionnante. Elle débita son CV de la même manière que les autres, plongeant ses yeux tour à tour dans ceux de ses rivales comme pour rajouter du poids à son discours.

Puis son regard se posa sur moi, et j'y décelai une étincelle de surprise avant que son sourire s'épanouisse et devienne moins mécanique. Elle plongea sa main dans la corbeille, tomba sur des lunettes de soleil. Lorsqu'elle les chaussa, je la trouvai encore plus éblouissante. Elle les posa en avant sur l'arête de son nez, et me dédia un regard pénétrant. Le flash du photographe immortalisa le moment.

Merde. Ça avait vraiment l'air de lui faire plaisir que je sois là, ou alors c'était une sacrée comédienne. Ça voulait dire que ce n'était pas elle, la coupable ? Elle savait que je connaissais Cerise, elle aurait pu être un peu inquiète de me voir, non ? Ou alors, ou alors…

Je réalisai que je n'avais pas envie qu'elle soit la méchante de l'histoire. Peut-être que je l'avais mal jugée la dernière fois, que je n'aurais pas dû quitter son appartement. Après tout, dans ce métier, toutes les filles semblaient paranos. Et je ne disais pas ça seulement parce que j'étais de nouveau tombé sous le charme de ses yeux. C'était assez déloyal, cette course à l'armement que se livraient les différentes marques de cosmétiques. À peine un homme avait-il le temps de s'habituer à l'effet cils allongés que de nouveaux produits permettaient encore de sublimer les contours du visage (ce n'est pas moi qui le dit, c'est la pub, et la pub ne ment jamais).

J'attendis patiemment que toutes les filles passent. Vingt-neuf candidates, ça faisait quand même du monde. Je pus établir mes propres pronostics, mais Nathan avait l'œil de l'expert : celles qu'il avait sélectionnées mariaient charisme naturel et caractère bien trempé.

La dernière suspecte, Émilie Stovalosky, se présenta avec un sourire crispé. Je haussai un sourcil devant le manque de composition qu'elle affichait. D'après ce qu'avait dit le directeur, c'était une habituée des compétitions. Pourquoi cette nervosité, alors ? Elle buta deux fois sur son discours, hésita sur son parcours, et piocha son papier la tête basse. J'avais du mal à faire correspondre cette image avec celle de la bagarreuse impénitente décrite par Nathan. Mais c'était étrange, tout de même. Faute de mieux, je me promis de garder un œil sur elle et de chercher à comprendre pourquoi elle se montrait si perturbée. Elle tomba sur le T-shirt trop grand et l'enfila dans un silence offusqué.

Lorsque tout le monde fut passé, Nathan remonta sur scène, demanda une salve d'applaudissements qui lui fut généreusement accordée, puis incita tout le monde à rejoindre la chorégraphe. Les filles décampèrent sans se faire prier. Je vis Aurélie se tourner vers moi, esquisser un mouvement pour me rejoindre, puis abandonner lorsque la coach appela son nom. Je la suivis des yeux alors qu'elle rejoignait l'un des coins de la pièce. Des baffles installés spécialement pour l'occasion allaient diffuser la musique sur laquelle elle passerait.

Une main se posa sur mon épaule, et je sursautai, manquant tomber de ma chaise. Je pouvais me moquer du trac des filles, mais j'étais moi-même une vraie pile électrique. Je me retournai pour découvrir Nathan à côté de moi. Comment s'était-il déplacé aussi vite et aussi silencieusement ? Ce gars était un ninja, ou quoi ?

— Alors, ça t'a plu ? Elles sont pas magnifiques ? Bon, sauf la brunette, là, une laideté sur le visage, la pauvre, je ne sais pas ce qu'elle fait là, limite je me demandais si elle ne s'était pas trompée d'hôtel. Mais bon on corrigera ses photos et ça passera – dommage qu'il n'y ait pas de retouches dans la vraie vie. Bon, tu as pensé à la chorégraphie que tu allais devoir apprendre ?

Je devais manifester une telle expression d'horreur qu'il éclata de rire, et me fourra un appareil photo entre les mains.

— Je plaisante. Ne t'inquiète pas, je ne vais pas t'imposer ça. Ou m'imposer ça. On va te faire passer pour un photographe, j'en ai déjà trois qui tournent pour alimenter le site web. Tu te mêles à eux, tu prends des clichés dès que tu peux et ça suffira pour faire illusion. Fais-toi plaisir, de toute façon elles ne sauront pas qui a pris quoi au final. Juste n'oublie pas d'enlever le cache.

— Tu me prends pour un demeuré ? marmonnai-je.

— Je te prends pour un hétéro. Bon, je te laisse, il faut que j'aille surveiller mon troupeau. Je compte sur toi pour me tenir au courant de tout ce que tu trouves comme info, hein ? Tu me dois bien ça ! Allez, je file.

Il eut un dernier regard pour mon T-shirt Kenzo, plissa le nez avec dégoût, tourna les talons et s'en fut.

Quoi, il était très bien mon T-shirt !

Afin de maintenir au mieux l'illusion, je passais quelques instants à me familiariser avec le maniement de l'appareil photo. Jusque-là, je ne m'étais servi que de mon IPhone, et les réglages me déroutèrent un instant avant que je ne trouve à quoi correspondait chaque molette. Je zoomai puis dézoomai un coin de table avec bonheur, tentai quelques photos, puis pris l'appareil à bout de bras en le retournant pour me prendre moi-même.

Ce fut dans cette position, les lèvres plissées en *duckface*, qu'Aurélie me surprit.

— Ben dis donc, je vois que tu ne t'ennuies pas pendant qu'on bosse.

Je sursautai comme un enfant pris en faute. Sans la lanière que j'avais pris la précaution de passer autour de mon poignet, l'appareil se serait retrouvé à terre. Je doutais que Nathan se montre toujours aussi coopératif si je lui détruisais son matériel.

J'attendis que les battements de mon cœur se calment – qu'est-ce que les gens avaient tous à me prendre par surprise, aujourd'hui – puis pointai un index accusateur vers elle.

— Ne me refais jamais une telle frayeur, j'ai failli tout lâcher.

— Oh, pauvre Fitz. On sent que tu maîtrises à fond ton jouet. En tout cas, je suis contente de te voir, je commençais à me dire que je ne te croiserais plus jamais. Qu'est-ce qui se passe, tu m'évitais ? Pas un coup de fil depuis deux semaines ?

Je restai bouche ouverte, incapable de répondre. Alors quoi, ça marchait donc, cette théorie du *fuis-moi je te suis, suis-moi je te fuis* ? Il suffisait de ne pas rappeler pour que les gens s'attachent ? Si seulement j'avais su ça lorsque j'étais au lycée, j'aurais pu passer une adolescence plus heureuse.

— Je suis désolé, j'ai eu des journées chargées ces derniers temps. Mais on pourra corriger le tir un de ces jours, si tu veux ?

— Oui, ça pourrait être une idée. Comme ça, tu pourras me raconter ce qui est arrivé à Cerise.

Wait, what ?

— Attends, quoi ?

Elle me tapota l'épaule d'une main affectueuse.

— Ne fais pas cette tête-là, Fitz. Et n'essaie pas de le nier : je te rappelle que je surveille les filles de ce concours de près. Cerise n'aurait raté cette semaine pour rien au monde. En plus, ça fait quelques jours qu'elle ne donne plus aucune nouvelle, ni sur Facebook, ni sur Twitter, ni sur son Tumblr, ni sur Instagram, ni sur son blog. Pas besoin d'être magicienne pour deviner qu'il s'est passé quelque chose. Alors c'est quoi ? Ton ami l'a larguée et elle s'est tondu la tête pour rejoindre un couvent ?

Je restai muet devant son avalanche verbale. J'avais pensé à tout, sauf au fait que d'autres fassent les mêmes rapprochements que nous et se posent les mêmes questions. Heureusement que j'avais toujours ma couverture de photographe pour me protéger. Mais je ne pus lui répondre qu'elle enchaînait déjà.

– Et ce n'est pas tout. Quand j'étais sur scène, tout à l'heure, j'étais vraiment contente de te voir dans le public. Mais ensuite, je me suis demandé ce qu'un gars comme toi peut bien faire là ? Pendant le concours lui-même, d'accord, c'est ouvert aux familles, aux invités, tu aurais pu avoir des relations. Mais là, la semaine de préparation ? Il n'y a que des gens de l'agence Podium. Alors j'ai réfléchi, et je t'ai vu triturer ton appareil photo en essayant de comprendre par quel bout on le prenait, et je t'ai observé discuter avec Nathan, et je crois que j'ai compris. Tu n'es pas plus photographe que moi, tu es juste là pour essayer de découvrir ce qui est arrivé à Cerise. (Elle s'inclina en une révérence moqueuse, tirant les pans d'une robe imaginaire.) J'ai bon ?

Entre Stéphanie qui avait deux ans d'avance dans ses études de médecine et Aurélie qui déduisait en quelques secondes les raisons de ma présence, où allait le monde si les top models avaient aussi un cerveau ?

12

Après m'avoir décoché sa flèche du Parthe, Aurélie avait dû retourner à sa chorégraphie, me laissant seul – et dans la merde. Que la principale suspecte ait aussi facilement vu à travers mon jeu ne me rendait pas confiant pour la suite. Si jamais elle était impliquée dans l'enlèvement de Cerise, elle serait désormais sur ses gardes. Sans même parler des répercussions sur la disparue. Techniquement nous n'avions pas prévenu la police, mais elle ne l'entendrait peut-être pas de cette oreille.

Cela dit, j'avais toujours été doté d'un solide pragmatisme. Ce qui était fait était fait, et nous aviserions au fur et à mesure. Je n'allais pas pour autant abandonner ma seule chance d'observer de près les autres suspectes. Je soufflai lentement quelques secondes pour calmer ma respiration, puis commençai à louvoyer entre les différents groupes.

Quand on a vu une chorégraphie, on les a toutes vues. Après tout, il ne s'agit que de suivre des mouvements en rythme, en tentant de se montrer le plus sensuel possible. N'importe qui en était capable. Pas moi, mais c'était dû à une déficience naturelle à la naissance qui m'avait laissé avec le sens du tempo d'un épagneul atrophié.

Je prenais mon rôle à cœur, et je passai la journée à prendre des photos des différentes candidates sous toutes les coutures. C'était amusant de voir à quel point porter un appareil en bandoulière me donnait une légitimité. Ces filles qui ne m'auraient jamais accordé un regard se montraient soudain joueuses sous l'œil impitoyable de l'objectif. Je n'avais qu'un seul mot à dire pour qu'elles sourient, agitent la main ou se cambrent. Jusque-là, je n'avais observé ce genre de pouvoir absolu que chez les guitaristes capables de jouer *Nothing Else Matters* lors des boums de collège.

Nathan m'avait prévenu qu'aucune de mes photos ne serait retenue, mais je n'en pris pas moins soin de faire les meilleurs clichés possibles ; simple question d'orgueil. Le temps que je passais à régler la focale – et pour commencer, qu'est-ce que c'est qu'une foutue focale ? – me permettait de ne pas penser à la discussion que j'allais avoir avec Aurélie.

En quelques heures, je me découvris des chouchous et des filles insupportables. Il y avait une gamine de quinze ans qui semblait perdue au milieu de toute cette activité, et qui se concentrait sur ses pas avec l'air sérieux d'une première de la classe. Tania, la blonde de la première sélection, me snoba malgré mes tentatives pour la dérider avec des plaisanteries choisies sur les pays de l'Est. *Qu'est-ce qui est long et dur et qu'une Polonaise reçoit le jour de son mariage ? Un nouveau nom de famille.* Cette fille n'avait décidément pas d'humour.

Parmi les suspectes, je me tins le plus éloigné possible d'Aurélie, espérant contre toute attente qu'elle oublie ma présence. Par contre, je passai beaucoup de temps avec Émilie Stovalosky.

Sa nervosité lors de son passage sur scène m'avait intrigué. Pourtant, lorsque je m'approchai pour ma séance photo, elle me sourit avec spontanéité, sans la moindre trace de l'inquiétude qui avait figé ses traits un peu plus tôt. Elle me demanda mon nom et je me présentai sans hésiter, lui arrachant le sourire amusé que mon prénom provoque toujours.

J'avais longtemps reproché à mes parents de m'avoir appelé Fitz. Dans un sens, je leur en voulais encore. Lorsqu'on se penchait sur le registre des naissances à la maternité, on pouvait penser à beaucoup de choses, mais se soucier du futur de l'enfant passait en premier lieu. Je repensai à une fille qui s'était retrouvée mêlée à cette histoire de serial killer, voici quelques mois, et qui se nommait Esmerielda. Autant de poids à porter au quotidien, autant de difficulté à s'intégrer dans la société. Pouvait-on imaginer un conseiller bancaire qui s'appellerait Esmerielda ? Un conseiller en assurance nommé Cerise ?

Aujourd'hui, avec du recul, je commençais à apprécier leur choix. Au moins, je ne passais pas inaperçu. Mon prénom fournissait une opportunité formidable pour engager la conversation, vitupérer sur les parents inconscients, ironiser sur le destin de la famille Kennedy.

— Ça va, les gosses ne t'ont pas trop jeté de pierres ?

— Je bouge très vite.

Je n'étais pas ici pour draguer, mais il fallait avouer que la situation était agréable. Je discutai un moment avec Émilie, lui demandai comment elle sentait ses chances pour le concours, qui, selon elle, était la plus dangereuse parmi ses concurrentes. Elle se prêta au jeu de bonne grâce entre les clics de mon appareil photo. Au loin, Aurélie me lançait des regards mauvais.

— Bien sûr, que j'espère gagner. Je pense qu'on croit toutes en nos chances. Et puis, l'une des favorites a l'air d'avoir déclaré forfait, c'est plutôt une bonne nouvelle. Même si, entre nous, je n'y croirai que le jour de la finale. Cette Cerise est une fine mouche, elle serait bien capable d'organiser un coup de théâtre au bon moment pour revenir sur le devant de la scène.

— Nathan avait l'air de dire que, si elle ne suivait pas ce stage, elle ne pourrait pas concourir.

— Oui, eh bien comme je te dis, on verra le jour de la finale. Elle a du potentiel, Cerise, ça m'énerve de le dire, mais c'est vrai. Je ne serais pas surprise qu'il fasse une exception pour elle.

Je hochai la tête, pris une nouvelle photo. Je ne me considérais pas expert en subterfuge (ha !) mais je n'avais rien décelé de suspect dans la conversation d'Émilie – pas plus que la violence dont elle était censée faire preuve envers ses consœurs. Un peu déçu, je me dirigeai vers Wahida et sa peau couleur ébène.

Ce fut le moment que choisit Aurélie pour m'intercepter. Son sourire ne se reflétait pas dans ses yeux.

— J'ai dix minutes de pause. Tu as le temps de prendre la tienne ?

— C'est que, j'ai quelques clichés que je dois...

— Oui, j'en suis sûr.

Elle me donna une bourrade dans le dos, rien de bien méchant, assez pour me montrer qu'elle voulait que je la suive. J'oscillai un instant entre mon orgueil de mâle alpha – quoi, je n'allais quand même pas me laisser bousculer par une fille ! – et ma libido de mâle alpha – quoi, j'allais me laisser bousculer par une fille ! – avant de lui emboîter le pas.

La porte de service au fond de la salle donnait directement sur la rue. La plupart des filles s'en servaient pour fumer une clope pendant leur temps libre, et j'avais moi-même profité de ce privilège deux fois aujourd'hui. Lorsque nous nous retrouvâmes à l'air libre, j'extirpai mon paquet de ma poche et le tendis vers Aurélie.

— Calumet de la paix ?

Elle dédaigna mon offrande et s'empara de son propre paquet de Virginia Slims. La marque de toutes les filles à frange parisiennes. Alors comme ça, mes cigarettes n'étaient pas assez bien pour elle ? Je m'en calai une entre les lèvres, et la remerciai d'un signe de tête quand elle approcha la flamme de son briquet.

Nous nous retrouvions les deux seuls dehors. Je commençais à comprendre que les pauses étaient organisées pour que les filles passent le moins de temps possible ensemble. Pour des raisons d'ambiance ? De professionnalisme ? En tout cas, pour l'esprit d'équipe, ce n'était pas l'idéal. Nous fumâmes de concert pendant plus d'une minute avant que je me décide à rompre le silence. Une minute, c'est sacrément long lorsque personne ne parle.

— Qu'est-ce que tu voulais dire, tout à l'heure, en mentionnant Cerise ?

Elle me souffla la fumée au visage. Je détestais les filles qui faisaient ça. Elle s'imaginait en Sophie Marceau dans James Bond ou quoi ?

— Ne me prends pas pour une conne, Fitz, j'ai horreur de ça. Tu penses que je suis coupable ?

— Mais coupable de quoi ?

— Si tu mènes une enquête, c'est qu'il est arrivé quelque chose à Cerise. Si tu es ici, c'est que tu penses que ça a à voir avec le casting. Dans ce cas, c'est que tu soupçonnes l'une des filles présentes. Du coup, tu te concentres sur celles qui ont un mobile pour supprimer Cerise. Et je suis la coupable idéale.

C'était à elle que Moussah aurait dû demander d'enquêter, elle aurait trouvé le fin mot de l'histoire en trois minutes. Je tentai de sourire, mais mes lèvres se figèrent en une grimace peu convaincante.

— Belle imagination. Mais si on suit ton hypothèse et que je te considère comme suspecte, explique-moi pourquoi je devrais te parler ?

— Parce que tu as besoin de moi ? Parce que je t'ai regardé passer ta journée à papillonner autour des candidates, et que tu t'y prends comme un manche ? Parce que je suis sûre que tu n'as rien appris de plus, pas le moindre ragot, je me trompe ?

— Il paraît que Noémie Aba couche avec l'une des maquilleuses, avançai-je, hésitant.

— Ça c'est du scoop. Si tu étais allé sur son Facebook, tu aurais vu des photos d'elles en train de se rouler une pelle. Bravo le veau.

Je gardai l'information dans un coin de l'esprit : voilà le genre de cliché que je comptais bien admirer. Je m'adossai au mur et écrasai mon mégot contre la brique.

— Qu'est-ce que tu veux que je te dise, Aurélie ? Comme tu l'as si bien expliqué, je ne sais même pas ce que je cherche, alors je ne vois pas en quoi tu pourrais m'aider. On ne devrait même pas avoir cette conversation.

Elle baissa la voix, prit un ton raisonnable, celui que j'utilisais pour expliquer à Deb qu'elle consommait trop de coke ou à une fille qu'une fellation était la solution idéale au réchauffement climatique.

— Écoute, Fitz. Je ne te demande pas grand-chose, juste de comprendre ce que tu fais là. Si tu ne me parles pas, je vais dire aux autres filles ce que je sais, et je leur expliquerai que tu n'es pas plus photographe que moi. Je suis sûre que ça va leur plaire, vu comme tu leur as examiné la poitrine sous toutes les coutures. Et Nathan risque de ne pas être très content.

Nathan ne serait pas content, ça, c'est sûr. Comment est-ce que j'avais réussi à brûler ma couverture en moins d'une journée ? Ça devait être un nouveau record.

Il n'y avait pas grand-chose d'autre à faire, alors je lui racontai ce que je savais. De toute façon, elle en avait deviné les trois quarts. Si jamais elle était coupable, le ridicule de nos investigations la rassurerait. Si elle ne l'était pas, ça suffirait à étancher sa curiosité.

Aurélie hocha lentement la tête. Elle avait mis plus de temps à finir sa cigarette que moi, et le mégot lui restait encore entre les doigts. Elle finit par l'écraser sous son talon. Elle paraissait songeuse.

— Je suppose que ça ne sert à rien de te dire que ce n'est pas moi, mais... ce n'est pas moi. Cerise est une candidate dangereuse, mais j'ai toutes mes chances face à elle. Et j'ai trop d'orgueil pour faire une compétition au rabais.

— Je ne veux pas me faire l'avocat du diable, mais si tu perds, tu m'as dit que ça risquait d'être la fin de tes ambitions de mannequin.

Elle haussa les épaules.

— Ça arrive. De toute façon, même si je gagne, c'est un peu tard pour m'assurer une carrière internationale. Ce serait une belle revanche sur la vie, ça ferait plaisir à ma famille, mais en dehors de ça...

— Tu gagnerais soixante mille euros, c'est quand même une belle somme.

Elle réussit à esquisser un pauvre sourire.

— Tu es vraiment nul, comme enquêteur, Fitz. Ma famille est riche, je vis nourrie et logée chez mes parents, mes comptes épargnes sont pleins et j'ai l'usufruit de deux appartements dans Paris. Tu crois vraiment que j'irais me mouiller pour soixante mille euros ? La première chose que tu aurais dû regarder en cherchant les mobiles, c'est si tes suspectes ont besoin d'argent ou non. Des dettes, ce genre de choses...

Je n'y avais pas pensé une seule seconde. Je la regardai, bouche ouverte, incapable de trouver quoi répondre à cela. Elle me fixa droit dans les yeux.

— Tu sais quoi, je t'aime bien. Je ne sais pas pourquoi, mais je t'aime bien. Tu es quoi, comme signe astrologique ?

Argh. Pas l'astrologie. J'étais Capricorne. On me disait toujours que ça ne me ressemblait pas, et je répondais toujours que je le savais.

— Capricorne.

— Ça ne te ressemble pas.

— Ouais, je sais...

— En tout cas, tu es vraiment un mec bizarre. J'ai toujours pensé que je pouvais cerner les hommes facilement, les mettre dans des cases, mais ce n'est pas aussi facile dans ton cas.

— Beau gosse, non ?

— Un peu. Mais aussi boulet. Vif d'esprit, mais pas très réfléchi. Manipulateur, mais maladroit. De l'autodérision, mais aussi de l'orgueil...

— Hey !

Elle sourit. Elle était vraiment belle. Je ne me rappelais plus pourquoi j'avais décidé de partir, ce fameux soir où elle m'avait invité chez elle. Ah oui, elle était psychopathe. Mais en même temps, qui ne l'était pas ?

Je me rapprochai d'elle, les yeux dans les yeux, et ce fut le moment que choisit Nathan pour passer la tête par l'embrasure de la porte.

— Eh ben alors, les amants de Vérone, on rentre et on se dépêche ! Vous croyez que je paie la clim pour que vous laissiez la porte ouverte ? Aurélie, ma chérie, tu bouges tes fesses et tu rejoins ton chorégraphe, je veux que ce soit millimétré au poil de pubis près, c'est clair ?

Elle hocha brièvement la tête, dissimula un sourire.

— Très clair, très imagé.

À peine était-elle partie que Nathan se tournait vers moi, chagriné.

— Mais qu'est-ce que tu fais dehors avec elle, je t'ai *dit* que c'était la plus dangereuse ! Elle est belle, elle est intelligente, elle ne va faire qu'une bouchée de toi. Moi, je suis immunisé, mais toi tu vas penser avec ta bite et j'imagine qu'elle n'est pas bien grande.

Ça faisait quoi, trois jours qu'on se connaissait ? Je trouvais ce Nathan bien familier, mais je ne pus m'empêcher de sourire devant sa bonne humeur contagieuse. Il me tapa sur l'épaule, récupéra son appareil photo.

— On va voir si tu as pris de bons clichés mais je te le dis, ma pauvre, tu es mauvais, mauvais. J'espère au moins que tu as appris quelque chose d'intéressant aujourd'hui. Raconte-moi tout !

Je ne pus que lui avouer mon impuissance et il finit par battre en retraite dans la pièce.

— Reviens demain, qu'est-ce que tu veux que je te dise ? Là, on va faire la chorégraphie en entier, pas la peine que tu restes, tu ne pourras plus parler à qui que ce soit. Je veux bien te laisser du temps, mais il faut que je pense à mon spectacle aussi. En plus, il y en a une qui mesure un ficus de haut, ça déstabilise tout le tableau, il va falloir que je trouve une solution. Tu comprends ?

Je comprenais. Je laissai la lourde porte se refermer sur moi, et je restai seul dans la rue. Je sortis une nouvelle cigarette, puis entamai mon long chemin vers la maison.

Mes pensées me ramenaient sans arrêt à Aurélie. Quel était son rôle dans cette histoire ? Innocente ou coupable ? Et Émilie, et Wahida, et Stéphanie, et les autres ?

Il me restait une carte dans mon jeu, une carte que personne ne soupçonnait : mon fameux hacker, qui devait me contacter ce soir pour me donner le code de Cerise – et qui, je l'espérais, pourrait aussi tracer l'expéditeur du fameux email.

Il était dix-huit heures, mais le soleil tapait encore avec force. Je rabattis mes lunettes de soleil sur mon nez, et gardai les yeux au sol pour ne pas risquer l'éblouissement. J'atteignais le coin de la rue de Berri, toujours hésitant sur la possible culpabilité d'Aurélie, quand une main se posa sur mon avant-bras. Je me retournai sans hâte. J'avais l'habitude qu'on m'aborde – les Champs-Élysées grouillaient de réfugiés qui faisaient la manche, et n'hésitaient pas à se montrer insistants. Je me trouvais à chaque fois écartelé entre la pitié et l'agacement.

Je n'eus pas le temps de me demander si j'allais me montrer généreux ; la main serra plus fort, imprimant la marque de ses doigts sur ma peau. Je grimaçai de douleur, et me retrouvai plaqué contre le mur. J'eus à peine le temps de réaliser l'ironie de la situation : nous étions devant le *Queenie*, l'un de mes bars préférés. Je sentis les briques me rentrer dans le dos, et j'étouffai un cri alors qu'on me tordait le bras.

Mon agresseur devait mesurer ma taille, mais en bien plus costaud. Ce n'était pas un exploit vu mon régime alimentaire, mais l'autre poussait le vice jusqu'à exhiber des biceps de body-builder, complets avec les veines saillantes, qui dépassaient d'un marcel au bleu tristement délavé. Je tentai de me dégager et la prise ne bougea pas d'un millimètre.

— C'est toi, le mec qui pose des questions sur Cerise Bonnétoile ?

Dix-huit heures, les Champs-Élysées, et pas une seule personne pour venir à mon secours. À quoi ça sert de se jeter dans toutes les causes perdues si on ne vous retourne jamais la faveur ?

— Je ne vois pas... de quoi... vous voulez parler.

La souffrance explosa alors qu'il appuyait plus fort. Cette fois-ci, je criai, et mes jambes me lâchèrent. Je crus que j'allais tomber, mais il me maintint debout, sans effort, comme on manipule une poupée.

— Ne joue pas avec moi. Au point où j'en suis, je peux te casser le bras, et ça reviendra au même. Tu y tiens, à ton bras, c'est le droit, c'est celui qui te sert à te branler. Alors je te le redemande une fois, pas deux. C'est toi, le mec qui pose des questions sur Cerise Bonnétoile ?

Les larmes me montaient aux yeux alors que j'essayais de changer de position. Rien à faire, je me battais contre un mur. Je pensais à une autre bagarre que j'avais vécue il y a quelques mois, et, l'espace d'un instant, je contemplai l'idée de lui donner un coup de tête en pleine face. Puis mes yeux croisèrent les siens, et je vis son regard qui ne cillait pas, et mes moyens m'abandonnèrent. Je sentis avec une froide certitude qu'au moindre geste brusque, il me déboîterait la clavicule.

— C'est moi, finis-je par admettre.

Ma voix n'était plus qu'un coassement. Il accentua encore la pression et les mots se changèrent en hurlement. Je ne savais pas qu'on pouvait avoir aussi mal. Il n'essayait plus de me maintenir debout et je me retrouvai avec un genou à terre, toujours maintenu par l'épaule. Je sentais les os racler les uns contre les autres dans un angle impossible. Les larmes jaillirent, violentes et humiliantes, et je me forçai à les ravaler.

L'homme s'accroupit à côté de moi sans relâcher sa prise. Son haleine sentait l'ail, derrière quelques effluves de vin bon marché. Il me sourit, dévoilant la dent en or qui ne pouvait que compléter le cliché.

— Eh ben tu vois, c'était pas si difficile à dire. C'est normal, que tu t'inquiètes pour ton amie, faut pas le cacher comme ça. Moi, je trouve ça même plutôt bien.

Il lâcha une main pour me tapoter la joue avec douceur. Il ne me tenait plus, et j'aurais pu me libérer, mais je n'avais plus aucune force, seulement le soulagement d'échapper à cette douleur atroce qui m'avait envahi le corps.

Son pouce vint s'écraser près de ma paupière et je crus un instant qu'il voulait me crever un œil ; la panique n'eut pas le temps de monter que je réalisais qu'il essuyait juste une de mes larmes.

— Je n'aime pas blesser les gens. C'est comme les animaux, ça me regarde avec des yeux tristes, c'est un sale boulot. Un peu comme quand la maman de

Bambi meurt. Elle est triste, cette scène, avec le chasseur, tu trouves pas ?

Dans le doute, j'acquiesçai.

— Alors tu vois, poser des questions sur Cerise, c'était très noble. Mais maintenant qu'on s'est rencontrés, tu vas arrêter ça. Sinon, je vais devoir revenir, et ça me ferait de la peine. Je suis sûr que tu ne veux pas me faire de la peine.

Je hochai la tête frénétiquement. Il se redressa.

— Eh bien voilà. Bambi, c'est un film éducatif.

13

L'homme m'avait laissé partir. Il s'était relevé puis avait tourné les talons, disparaissant dans une rue adjacente, les mains dans les poches comme si de rien n'était. J'avais croisé le regard de touristes atterrés et d'habitués blasés, sans qu'une seule main ne se tende pour m'aider à me relever. Je commençais à comprendre ces histoires de filles agressées dans le RER au milieu d'une foule passive.

Je m'étais souvent demandé si j'interviendrais dans ce genre de situation, en sachant que je pourrais finir avec un couteau dans le ventre, et une petite voix au fond de moi me soufflait que oui. Mais j'avais assez écouté *Né en 17* de Goldman pour savoir que je ne découvrirais la vérité que le jour où je devrais faire un choix. Il y avait plus de Lacombe Lucien que de Jean Moulin.

Je me relevai pour tituber jusqu'à mon appartement. Je n'étais pas loin, une chance. Je jetai de fréquents coups d'œil derrière moi, mais personne ne semblait me suivre. Je fermai la porte et tirai le verrou avec soulagement avant de me laisser tomber sur mon lit. La transpiration qui perlait de mon front et dérangeait mon brushing n'avait cette fois-ci rien à voir avec la température de la pièce.

J'ôtai ma chemise pour contempler les traces du traitement qu'on venait de m'infliger mais non, rien, pas même un bleu. Si je plissais les yeux, je pouvais imaginer l'empreinte de ses doigts gantés sur mon épaule, mais même cela commençait à disparaître. J'avais lu dans un journal que certains mafieux bombardaient les gens de pommes – en dehors du côté bucolique, il paraît que cela provoque une souffrance intolérable sans laisser la moindre marque.

Merde.

Qu'est-ce que c'était que cette histoire ? Qui était ce gars ? Qu'est-ce qu'il me voulait ?

Enfin non, ce qu'il voulait semblait clair : que je laisse tomber mes investigations sur la disparition de Cerise.

Je m'étais senti jusqu'ici comme un spectateur : j'avais mené cette enquête comme un jeu. Bien sûr, j'étais prêt à aider Moussah et bien sûr, j'étais inquiet pour Cerise, mais tout cela semblait trop irréel pour avoir de l'importance. Les messages du hacker, la rencontre avec Nathan, la discussion avec les filles du casting, tout ça restait vaporeux, facile, « bisounours ».

En quelques secondes, on m'avait replongé dans la réalité. Ceux qui détenaient Cerise ne plaisantaient pas. Je frottai mon épaule endolorie. Ils auraient pu au moins s'en prendre à Moussah. C'était lui l'instigateur de cette enquête, après tout.

Là, il y aurait eu du challenge. Muscles contre muscles, je ne sais pas sur qui je placerais mon argent. Mais moi, quelle chance avais-je eu face à cette brute professionnelle ? Je pouvais m'estimer heureux de m'en sortir entier.

Mon inspection terminée, j'allumai une cigarette d'une main tremblante. La fumée s'éleva à travers le vasistas tandis que j'essayais de me calmer. Je me connaissais, ça viendrait progressivement, par paliers. D'abord la peur, puis le soulagement, puis la colère, puis la frustration et enfin l'acceptation.

Lorsque je m'estimai suffisamment détendu, je me versai un verre de vodka. Depuis le temps que je souhaitais limiter ma consommation, ce n'était pas ce soir que je commencerais. Un regard sur mon radio-réveil me confirma qu'il était vingt heures. Je ne savais pas quand le hacker se manifesterait, mais cela ne devrait plus trop tarder.

Mon premier coup de téléphone fut pour Déborah. Si on m'avait abordé aussi brutalement, peut-être était-elle en danger elle aussi. Elle décrocha dans la rue, au sortir de la ZEP où elle donnait ses cours, et je sentis l'inquiétude dans sa voix alors qu'elle prenait de mes nouvelles.

— On s'en fout, Deb, je vais bien, c'est de toi dont je parle. Fais juste gaffe à pas marcher seule dans une rue sombre.

— Fitz, chéri, on voit bien que tu n'es pas une fille. On est génétiquement programmées pour éviter les rues sombres à partir d'une certaine heure. Ne t'affole pas pour moi, va. Qui que soient ces gens-là, ils ont fait passer leur message clairement, ils ne prendront pas le risque de recommencer.

— Quel soulagement d'avoir essuyé les plâtres pour vous…

— Tu veux que je passe ? Tu te sens comment ?

Je déclinai l'offre. J'étais touché par sa proposition – ce n'était pas comme si elle travaillait à côté, après tout – mais j'avais envie de rester seul. En plus, je préférais ne pas la mêler à cette histoire de hacker. Elle insista une fois, deux fois, puis finit par abandonner la partie.

— Pour l'enquête, tu stoppes tout, Fitzou. On verra ce week-end ce qu'on fait mais c'est trop gros pour nous, cette connerie. Tu fermes bien ton verrou et tu fais pas le con, ok ?

— Oui maman !

Je raccrochai pour appeler Moussah, qui répondit avec autant de violence que je l'imaginais. C'était un sanguin, fidèle en amour comme en amitié, et je sentis au ton de sa voix qu'il se reprochait déjà de nous avoir impliqués dans son histoire.

— Putain, j'aurais jamais cru que tu risquerais quelque chose, Fitz, je suis désolé. On va arrêter les conneries, on va arrêter tout ça. Je sais pas ce qu'on va faire, si on implique les flics ou pas, mais en tout cas on arrête les conneries.

Il renifla, changea de ton.

— J'apprécie vraiment ce que t'as fait pour moi, vraiment. T'es un vrai pote, Fitz. Ce soir, je dois faire la sécurité au POPB[1] mais si tu veux, j'annule et je monte la garde devant la porte. Je te jure, si un mec essaie de rentrer, je lui défonce sa gueule

---

1. Palais omnisport de Paris Bercy.

que sa mère aura du mal à le récupérer aux objets trouvés.

— C'est gentil, Mouss, j'apprécie, mais vraiment, c'est pas la peine.

— Comme tu veux, white trash. Mais tiens-moi au courant de toute façon. Faut qu'on voie ce qu'on fait. Ton hacker, il est toujours sur le coup ?

— Ouais, normalement je devrais avoir les infos d'une minute à l'autre.

— On avisera en fonction de ce qu'il nous dit. En attendant, oublie pas de tirer ton verrou, mec.

Qu'est-ce qu'ils avaient tous avec mon verrou ? Je me levai et vérifiai ma porte par acquit de conscience. Ils allaient finir par me rendre parano, tous les deux.

Je consultai de nouveau le radio-réveil : vingt heures trente. À croire que les chiffres restaient englués, que le temps refusait de passer. Pas de nouvelles de mon hacker – je réalisai que je n'avais aucun moyen de le contacter, pas de mail, de téléphone, pas même un nom. Si jamais j'avais payé quoi que ce soit pour ses services, ce serait à ce moment précis que je me demanderais si je n'étais pas en train de me faire avoir.

Histoire de m'occuper, je pris une douche fraîche. Je passai mon épaule sous l'eau, massant les endroits douloureux en poussant des grognements de satisfaction. Si mes voisins écoutaient au mur, je ne voulais pas savoir ce qu'ils imaginaient. Je finis par sortir de la cabine, me séchai, enfilai des vêtements propres puis patientai de nouveau près de l'ordinateur.

D'habitude, pour tuer le temps, je lançais un jeu, mais je n'avais aucune envie de taper mes codes d'identification alors qu'un intrus pouvait se trouver dans ma machine. Je ne doutais pas qu'il fût capable de hacker tous mes mots de passe, mais autant ne pas lui en donner la tentation. Je finis par m'emparer d'un roman policier et en tournai les pages en désespoir de cause.

Vingt et une heures. Personne. Vingt et une heures trente. Toujours rien. J'avais du mal à rentrer dans l'intrigue tant mon regard se dirigeait vers l'écran à chaque page. Je me demandais si le Tipp-Ex que j'avais répandu sur l'œilleton de la webcam suffisait à préserver mon intimité. Je tendais l'oreille comme si j'avais pu entendre le bruit du hacker, déjà présent dans ma machine, en train d'observer les environs.

Vingt-deux heures. Malgré la douche, mon épaule se remit à me tirailler. Je grognai en me levant pour réchauffer de la nourriture au micro-ondes. C'était fantastique, un nouveau concept, des dés de purée qui se transformaient en plat une fois réchauffés. Je trouvais ça immangeable, mais ça ne prenait que deux minutes à préparer – un argument essentiel dans ma vie de célibataire forcené.

La sonnerie du téléphone m'interrompit à mi-chemin et je tournai les yeux vers mon portable. C'était Aurélie. Qu'est-ce qu'elle me voulait encore ?

Je n'eus pas le temps d'approfondir la question. Alors que je tendais la main pour accepter l'appel, le bloc-notes se matérialisa sur l'écran, et des caractères commencèrent à s'y afficher.

Tu es là ?

Bien sûr. Le hacker choisissait le moment où je me tenais avec une assiette en main et un portable en train de sonner dans l'autre. J'hésitai une seconde, puis refusai l'appel d'Aurélie, posai l'assiette et me dirigeai vers mon écran. Si c'était important, elle rappellerait.

— Oui, je suis là. Tu as l'info que je recherchais ?

Quoi ? Ni bonjour ni bonsoir ? Quelle déception, moi qui pensais que nous devenions proches.

Il se moquait de moi ? Je résistai à l'envie d'éteindre brutalement mon PC, et émis un rire de gorge qu'il pouvait interpréter comme il le souhaitait.

— Ouais. Désolé. Bonsoir, monsieur le Hacker et merci de revenir ce lundi soir comme promis. Donc, euh, tu as l'info que je recherchais ?

Lol.

Encore ce lol. Je m'obligeai à ne rien répondre, attendant qu'il développe. Je n'eus pas longtemps à patienter.

Allez, je ne te fais pas mariner plus longtemps. Son mot de passe, c'est Schoelcher88.

Je notai avec soin, butant sur l'accumulation de lettres. Schoelcher ? Quel nom étrange.

C'est une ville de Martinique. Et pour le 88, si je devais deviner, je dirais que c'est son année de naissance.

En plus d'être hacker, il lisait dans les pensées. Je toussai pour m'éclaircir la voix.

— Merci beaucoup. Je suis vraiment impressionné. Euh, tu as besoin de quelque chose d'autre ou je peux reprendre le contrôle de mon ordinateur ?

Déjà lassé de moi ? Je comprends, c'est perturbant. Ok, je file dans ce cas. Mais n'oublie pas que tu me dois une faveur. Un jour, je viendrai la réclamer.

Un frisson me traversa l'échine.

— Attends !

Le curseur attendit.

— Comment est-ce que je peux te joindre si j'ai encore besoin de toi ? Je pense que dans un très proche futur, il faudrait que j'arrive à tracer l'origine d'un mail.

Ça y est, quand on goûte à l'illégalité, on ne peut plus s'en passer ? C'est pas si facile, de retrouver ça, honey. Dans certains cas, c'est même impossible.

— Je croyais que rien n'était impossible pour les pros ?

Lol.

Rhaaaaa. Je serrai les dents pour contenir mon exaspération, et parvins à garder le silence.

Tu me provoques, mais ça ne te mènera à rien. Si la personne a pris ses précautions et s'y connaît suffisamment en informatique, c'est réellement impossible. Et même si je parviens à tracer le mail, s'il a été envoyé d'un cybercafé, ça ne te servira pas à grand-chose.

C'est vrai. Mais ça valait le coup d'essayer. À condition que le mot de passe qu'il m'ait fourni ne soit pas bidon, et que je sois capable de retrouver le mail de menace. Chaque chose en son temps.

Si tu as besoin de moi, va sur ce profil et mets un commentaire sur l'article de ton choix.

Une adresse s'afficha à l'écran. La page d'un romancier dont je n'avais jamais entendu parler, *http://www.facebook.com/olivier.gayecrivain.*

— C'est quoi, ce truc ?

On s'en fout, le contenu n'est pas important. Mais mets un commentaire et j'essaierai de venir. Si j'ai le temps. Si j'ai envie. En attendant, je pars et je te laisse libre. Bonne soirée, John-Fitzgerald Dumont.

Le bloc-notes se referma et je restai seul – en tout cas, plus seul qu'avant. Par superstition, j'attendis deux minutes d'être sûr qu'il soit parti avant de m'asseoir devant l'ordinateur et me rendre sur le site de messagerie. Je rentrai l'adresse mail de Cerise puis son mot de passe, m'attendant à tout moment à ce que le site refuse mes informations.

Mais non, la page s'ouvrit sans coup férir. Je tombai sur une profusion de mails tous plus inintéressants les uns que les autres. Encore une nouvelle preuve que la jeune femme avait disparu de la circulation : depuis plusieurs jours les spams envahissaient sa boîte sans qu'elle ait pris la peine de les supprimer. Je vis une publicité pour un séjour détente et spa au cœur des Alpes, des *crazy summer sales with –50 % off*, la possibilité de gagner des lots exceptionnels, un rappel à une invitation de soirée sur une péniche, et la possibilité de s'envoler vers Madrid pour 32 euros.

Je laissai ces messages de côté pour me concentrer sur le reste. En tant que mannequin et clubbeuse, Cerise était inscrite à de nombreuses listes de diffusion, et plusieurs mails proposaient des castings, des séances, des jobs. Quelques-uns provenaient d'amies inquiètes de sa soudaine disparition. J'ouvris ainsi le mail d'une certaine Emma, qui précisait : « ben t ou ? t pas venue lundi, g t vener ! On se voi tjr samedi ? »

Ce fut dans un dossier intitulé *spécial* que je découvris finalement le fameux mail. Il était difficile de le manquer. Son titre : « Premier avertissement ».

Je me resservis une vodka-pomme et cliquai dessus.

« Si tu te présentes au concours Podium, il va t'arriver des ennuis. Renonce tant qu'il en est encore temps. Ceci n'est pas une plaisanterie, Cerise Bonnétoile, habitant au 17, rue Friant. »

Il provenait d'une adresse mail que je devinais – avec mon flair sans limite – créée pour l'occasion, neconcourspas@gmail.com.

Je restai quelques instants à lire et relire ces trois phrases, lançai l'impression du document.

Et ce fut à ce moment que le bloc-notes réapparut.

Ah, d'accord, c'est ça que tu cherchais ? C'est chaud.

14

Lorsqu'on a une saleté sur son ordinateur, on lance un anti-virus. Lorsque rien ne marche, on le reformate. Au pire, on en rachète un et on reprend tout à zéro.

Mais comment se débarrasser d'un hôte indésirable ? Je contemplai mon bloc-notes avec un mélange de colère et de fatalisme. Je m'étais douté que ça arriverait. Ces derniers temps, j'étais ballotté de droite à gauche sans le moindre contrôle sur les événements. Alors, un peu plus ou un peu moins...

Je m'emparai du mail imprimé, le lissai sur mon bureau pour me donner une contenance.

— Tu ne m'avais pas dit que tu étais parti ?

J'ai menti.

Formidable.

C'est quoi les menaces dans le mail ? De quel concours ça parle ?

— Écoute, je ne veux pas te vexer mais ça ne te regarde pas. Je t'avais demandé de trouver le mot de passe et tu l'as fait, mais l'histoire s'arrête là.

Le curseur ne bougea pas pendant un instant, puis :

Tu me fais beaucoup de peine, John-Fitzgerald Dumont. Moi qui commençais à croire que tu étais un mec bien. De toute façon tu n'as pas le choix, tu as besoin de mon aide. Hein ?

— Hein ? fis-je.

Mais je réalisai ce qu'il voulait dire avant même que les caractères n'apparaissent sur l'écran.

Quand tu parlais tout à l'heure de pister l'origine d'un mail, je suppose que c'était celui-là ? Tu veux savoir qui l'a envoyé ?

— Quelque chose comme ça, oui…

Donc tu as besoin de moi. Mais je ne bosse pas comme ça. Et pas gratuitement : ça peut demander du temps.

Je soupirai.

— Ok, j'ai compris, j'ai compris. Je me disais que je n'allais pas m'en sortir en promettant une faveur cette fois-ci. Combien tu veux ?

Ne crois pas que les faveurs soient bon marché, John-Fitzgerald, tu serais surpris. Mais pour te trouver l'IP concernée, ce sera mille euros.

Mille… quoi ? Je regardai les mots sur l'écran comme s'ils allaient former une phrase différente. Mais non, ils restaient là, à me narguer.

Mille euros, c'était beaucoup, même dans un monde où les bouteilles de vodka se payaient deux cents. Mille euros, c'était le profit que j'arrivais à dégager de mes ventes de coke en un mois, une fois le loyer payé.

Je me rappelai les techniques utilisées par certains dealers pour appâter des nouveaux clients. Ils leur proposaient de la coke gratuite, ou bien le gramme à un prix improbable, deux euros, cinq euros. Attirés par la possibilité de tester à peu de frais, les malheureux acceptaient. Ils y goûtaient de plus en plus, jusqu'à devenir accros. Et c'était le moment où le dealer remontait ses tarifs.

J'avais l'impression d'être tombé dans le même piège avec mon hacker. La première recherche efficace, rapide, en me demandant un simple serment sans valeur. Et maintenant que j'avais goûté à sa maîtrise d'internet, je n'allais plus pouvoir me passer de lui.

Je me raclai la gorge.

— Mille euros. Je ne sais pas si je peux trouver une telle somme. Je ne sais même pas si j'ai envie de dépenser autant.

Je comprends. Pas de problème, j'ai tout mon temps. Maintenant, tu sais comment me contacter. À+ dans le bus.

Je ne sais pas si c'est cette dernière formule qui me décida, ou bien le danger qui pesait sur ma vie, ou le fait que l'argent avait toujours filé entre mes doigts, ou bien simplement l'envie d'aller jusqu'au bout de l'histoire, mais je me jetai sur le haut-parleur et criai :

— Attends !

Mille euros, John-Fitzgerald.

— À une condition, que l'information soit exploitable. Si tu ne trouves pas, ou si c'est l'adresse d'un cybercafé comme tu disais, je ne te dois rien. C'est correct ?

Pas vraiment. Dans tous les cas, j'aurai travaillé pour toi. Mais c'est d'accord. De toute façon, pour envoyer un mail à découvert comme ça, il faut être stupide. Et les gens stupides sont faciles à retrouver.

— Super. Super.

Cette fois-ci, je pars vraiment. On se recontacte dans une semaine, même jour, même heure.

— Une semaine ? Tu ne peux pas faire plus vite ?

Mais le curseur ne bougeait plus. J'attendis quelques instants puis je coupai ma connexion internet. Au moins, comme ça, je ne prenais plus de risques. Bien sûr, ça voulait aussi dire que je ne pouvais plus discuter sur Facebook.

Je regardai mon IPhone d'un air dubitatif. Je pouvais surfer avec la 3G, mais est-ce qu'un gars capable de s'emparer d'un ordinateur ne serait pas aussi capable d'espionner mon téléphone ? Ça y est, je devenais paranoïaque.

Dans un coin, mon ventilateur brassait l'air sans grand effet. J'ouvris le vasistas sans trop y croire, puis appelai Moussah et Déborah.

Leur réaction ne me surprit pas : on attendait l'information sans rien faire de notre côté. On laissait croire aux méchants, qui qu'ils fussent, que nous nous tenions à carreau. Il serait bien temps de réagir quand on en saurait plus.

— Mais quand même, mille euros, putain, t'aurais pas pu négocier ?

— Désolé, Mouss, mon regard de velours ne fonctionne pas face à un écran d'ordi.

— Ouais, j'imagine. Bon, dans tous les cas, c'est pour moi. C'est ma meuf, c'est mes problèmes, c'est moi qui paie.

— Tu as pas d'argent de côté, mon poulet, comment tu comptes faire ?

Je pouvais l'imaginer hausser les épaules à l'autre bout du fil.

— Je me débrouillerai, mec. Je me débrouille toujours. Mais vous prenez déjà les risques pour moi, hors de question que vous dépensiez de la thune en plus.

Je dus reconnaître que c'était un bon principe. Ça ne m'empêcha pas de me promettre de contribuer moi aussi, d'une manière ou d'une autre. Moussah était parfois exaspérant, mais c'était un ami. Hors de question de le laisser dans la merde.

Voilà pourquoi tout le monde m'aimait bien. J'étais un parfait pigeon.

Ce soir-là, j'éteignis la lumière à plus de quatre heures du matin. De toute façon, je ne me levais pas le lendemain. J'appellerais Nathan pour lui expliquer que je ne pouvais plus assister à son stage. Il comprendrait, du moins je l'espérais.

C'est en pensant au directeur de casting que je me demandais enfin qui m'avait repéré. Pour m'envoyer un gros bras dans les pattes, il fallait que les kidnappeurs se soient rendu compte que j'étais sur leurs traces.

Je n'étais pas passé inaperçu, c'est vrai, mais il fallait déjà me connaître pour pouvoir percer mon déguisement et savoir que je n'étais pas un simple photographe. Ça voulait dire quoi ? Aurélie ? De nouveau, la jeune femme se révélait la suspecte principale. C'était elle qui avait compris le fin mot de l'histoire, sans doute la seule présente à avoir tous les éléments en main. D'un seul coup de fil, elle pouvait avertir ses complices et les lancer sur mes traces.

Sauf que non, je n'avais pas envie que ce soit elle. Je tournai et retournai dans mon lit, et finis par me mettre un oreiller sur la tête pour ne plus penser à rien. Ce fut dans cette position que le sommeil me prit.

La journée de mardi passa lentement. Je n'osai plus rétablir internet, ce qui limitait fortement mes interactions. Je restai allongé dans l'atmosphère suffocante, à tourner et retourner toutes les données du problème dans ma tête. Je sursautais à chaque bruit suspect, chaque craquement de parquet, comme si l'amoureux de Bambi avait décidé de venir terminer son travail.

Je me demandai comment j'allais passer la soirée sans connexion réseau lorsque mon téléphone sonna : c'était Aurélie. Avec toute cette histoire, je ne l'avais pas rappelée hier. Elle ne devait pas être très contente.

Je n'avais pas envie de me faire insulter, mais je n'en décrochai pas moins le téléphone :

— Allô ?

— Allô, Fitz ? Je pensais que tu serais au stage aujourd'hui mais je ne t'ai vu nulle part. Soit tu deviens meilleur dans tes déguisements, soit tu as abandonné. Qu'est-ce qui se passe ?

L'innocence personnifiée. Je ne pouvais m'empêcher de me demander si elle venait vérifier que j'abandonnais l'enquête. Si tel était le cas, rien de plus facile que de la rassurer.

— Oui, j'ai laissé tomber. Ça ne servait à rien, de toute façon. Comme tu l'as dit, je ne suis vraiment pas doué pour jouer la comédie.

— Et pour Cerise ?

— Quoi, Cerise, comment ça Cerise ? C'est la copine de Moussah, pas la mienne, qu'il se débrouille. J'ai fait ce que j'ai pu, la balle est dans son camp. Marre de prendre tous les risques pour lui.

Un silence au bout du fil, puis :

— Tu veux que je passe ?

— Euh, pourquoi je voudrais ça ?

La réponse avait fusé naturellement, et je grimaçai en réalisant qu'elle allait sans doute mal le prendre. Elle se contenta d'éclater de rire.

— On peut dire que tu n'as pas beaucoup d'imagination. En tout cas, je me disais que je pouvais venir avec une bouteille et qu'on en profiterait pour discuter un peu. À force d'attendre que tu me proposes un verre, je pense que ça ira plus vite si je prends les devants.

— Euh, attends...

— Et puis tu connais mon appart, ça sera un juste retour des choses. On vient de finir le stage pour aujourd'hui, j'ai besoin de me changer les idées. Si tu me donnes ton adresse, je peux être là dans une heure.

L'inconvénient de tous ces magazines féminins qui conseillent aux femmes de prendre en main leur destin, c'est que ledit destin avait parfois l'impression de se retrouver sur le chemin d'un char d'assaut. Je cherchai une manière polie de refuser, puis abandonnai la partie. Je n'étais plus à une stupidité près, pourquoi ne pas ramener la principale suspecte chez moi ?

Je m'exécutai donc avec fatalisme (« ah ouais, les Champs, tu ne te refuses rien ! »), puis passai sous la douche et changeai de vêtements. Cette fois-ci, je ne me faisais plus de faux espoirs, plus aucun projet copulatoire. De toute façon, ça allait encore tourner autour de Cerise. Je commençais à détester la métisse aux longues jambes.

Une heure après, on sonna à ma porte – précis comme une horloge. Méfiant, je m'approchai du verrou. Il ne manquait plus qu'Aurélie ait donné l'adresse à mon tortionnaire pour qu'il vienne me déboîter le bras une fois pour toutes.

— Qui c'est ?

— Une mannequin parisienne de vingt-cinq ans !

J'ouvris, souris.

— Bonne réponse.

Puis elle m'embrassa, et je me demandai un instant si c'était une bonne idée de fraterniser ainsi avec une suspecte, mais je n'étais qu'un homme, et elle avait une manière de se coller à moi qui me rendait fou, et ça faisait longtemps que j'attendais ça, et de toute façon rien ne prouvait que c'était elle la coupable, et il faisait vraiment chaud dans cet appartement, et la porte se referma sur nous, et heureusement que le Tipp-Ex couvrait toujours la webcam.

15

C'est quand même frustrant, les hormones. J'avais toujours pensé que je pouvais contrôler mes pulsions, que j'étais capable d'un raisonnement cartésien même au milieu d'une levrette ; je devais admettre que ce n'était pas désormais le cas.

Moi qui avais toujours admiré les filles qui couchaient le premier soir, je commençais à réaliser que l'attente pouvait aussi avoir son charme. La frustration de ces deux dernières semaines se mêlait avec la pointe de danger – était-elle coupable ou innocente ? – pour rendre l'expérience inoubliable. Une vieille chanson des Bloodhound Gang me trottait dans le crâne : *you and me baby ain't nothing but mammals so let's do it like they do on the Discovery Channel*[1].

Dehors, un coup de tonnerre annonça l'orage que nous attendions depuis des jours. Ce fut d'abord un

1. Toi et moi, bébé, ne sommes que des mammifères, donc imitons ce qu'ils font dans les documentaires animaliers.

grondement sourd, puis un second, puis le claquement sec des gouttes contre mon vasistas. Je l'avais laissé ouvert, et je me dégageai de l'étreinte d'Aurélie pour le refermer aux trois quarts. Elle me saisit la cheville – je retombai de bonne grâce sur le lit.

Vivre sous les toits, ça avait des inconvénients. La chaleur, par exemple. Les déménagements avec un frigo ou une machine à laver. La longueur du trajet en ascenseur, ou le nombre de marches – il valait mieux ne pas oublier d'avoir acheté quelque chose avant de rentrer chez moi.

Mais dans ces moments-là, quand je serrais une fille contre moi, alors que l'orage se déchaînait dehors et que les éclairs striaient le ciel au-dessus de nos têtes, je ne pouvais qu'admirer mon petit coin de paradis. La touffeur moite de ces derniers jours devenait progressivement supportable, la laideur grisâtre des toits parisiens purifiée dans un déluge biblique.

Je connaissais des filles magnifiques habillées, qui dissipaient l'illusion dans leur plus simple appareil. D'autres semblaient nées pour rester nues, les vêtements entravant leur beauté naturelle.

Aurélie était belle dans les deux cas, parfaite, comme si un infographiste pervers la retouchait en permanence. J'admirai sa peau, ses seins, la courbe de ses fesses, la manière dont elle bougeait. Je soulignai du doigt la courbe de sa mâchoire, ses fossettes, la perfection de son nez, ses légères taches de rousseur, ses cheveux longs et fins.

Oui, si ça n'avait pas été une question d'hormones, je serais bien resté des heures à la regarder ainsi sans oser la toucher plus que du bout de l'index. En l'occurrence, nous fûmes un peu moins poètes.

Lorsque je me relevai une nouvelle fois pour aller chercher de quoi boire dans le frigo, j'avais perdu la notion du temps. Il pleuvait toujours, le crépitement sans interruption contre la vitre. Un courant d'air humide venait rafraîchir ma peau constellée de sueur.

J'avais plusieurs fois maudit Moussah d'avoir rençontré Cerise – sans cela, notre vie à tous aurait été bien plus simple. Mais je n'aurais jamais croisé Aurélie, et je n'aurais jamais pu me vanter auprès de mes amis d'avoir couché avec un mannequin.

Non que ce fût la seule chose que je retire de cette expérience, bien sûr. Ou même que j'en parle un jour. Je n'étais pas un goujat. Mais quand même, je ne pouvais attendre pour voir l'expression sur leur visage.

Je revins vers le lit avec deux verres d'eau en main.

— Tiens, je m'attendais à quelque chose de plus alcoolisé de ta part.

— Désolé ma grande, c'est la pénurie ces derniers temps. On n'a pas pris la peine de mettre ta vodka au frais, et je me refuse à la consommer tiède.

Elle ne fit pas de commentaires, but l'eau avec gratitude. Je la regardai déglutir avec intérêt.

Et maintenant, je faisais quoi, si elle était coupable ? Traitez-moi de sentimental, mais je n'aime pas dénoncer les filles avec qui je couche à la police. Fitz, romantique jusqu'au bout du prépuce.

Comme il semblait que le feu d'artifice fût fini, pour un moment en tout cas, j'allumai une cigarette et lui tendis le paquet. Cette fois-ci, elle accepta. Elle se leva pour mêler sa fumée à la mienne dans l'entrebâillement du vasistas. La pluie qui frappait les tuiles venait parfois nous asperger, mais les gouttes chaudes ne nous dérangeaient pas.

Elle se tourna vers moi avec un regard de prédatrice.

— Plus de deux semaines pour t'avoir. Ça doit être mon record.

— Et alors, l'attente en valait la peine ?

— Pour boire de l'eau du robinet et se prendre la pluie ? Je ne sais pas.

Nous nous regardions sans rien dire, le sourire stupide de matous repus aux lèvres, tandis que nos clopes se consumaient. L'orage ne donnait pas l'impression de vouloir se calmer.

— Je t'héberge ce soir ? Tu ne vas pas sortir par ce temps.

— Non, tu es gentil, mais on a une nouvelle journée de stage demain et toutes mes affaires sont chez moi. Mais c'est bien, tu m'as changé les idées.

— Ravi d'avoir pu servir à quelque chose.

Elle me sourit, s'assit sur le lit, redevint soudain sérieuse.

— Bon, et sinon, on ne t'a pas vu aujourd'hui. Tu en es où de ton enquête ?

— Comme je t'ai dit au téléphone, j'ai laissé tomber. Trop compliqué, trop dangereux pour moi. Et puis ce n'est pas moi le mec de Cerise, je ne lui dois rien. Je ne sais pas ce qui lui est arrivé, mais ça ne me concerne pas.

— Alors ! Tu abandonnes, comme ça ?

— Eh oui, comme ça. Mais de toute façon, quelle importance pour toi ? Ce n'est pas comme si Cerise était ton amie. Tout ça ne te regarde pas.

— C'est vrai. Cerise, je m'en fous. Mais toi, par contre, tu me déçois.

— Comment ça ?

Elle se détourna et commença à rassembler ses vêtements.

— Tu sais ce qui m'a séduit chez toi ?

— Mes yeux bleus, mon sourire charmeur, mon humour sans limite ?

— Ça a joué, je suppose. Si tu avais été bossu, moche et stupide, je ne t'aurais sans doute pas regardé. Mais ce qui m'a surtout plu, c'est la manière dont tu m'as foncé dessus au moment de la sélection. Comme si tu savais exactement ce que tu voulais dans la vie, et que tu n'avais rien à faire du regard des gens. J'ai trouvé ça magnifique.

Magnifique ? J'aurais choisi de nombreux épithètes pour définir mon attitude, et *magnifique* n'en faisait pas partie. Je grommelai de manière inintelligible, mais ça ne stoppa pas son analyse.

— Et là tu veux arrêter ? Tu as raison, ça ne me regarde pas, je ne sais pas ce qui est arrivé à Cerise. Mais je trouvais ça touchant de te voir te démener pour elle. C'est rare, de nos jours, un homme avec un peu de constance.

Je la regardais. Elle regardait son sac. Son sac ne regardait personne. Est-ce que j'allais lui parler de mon agression ? De toute façon, si elle était coupable, elle devait déjà être au courant.

Mais non, je n'avais pas l'intention de l'impliquer. Il ne manquait plus que je rencontre une nouvelle Mei, qui mène l'enquête de son côté sans me tenir au courant.

Le silence s'étendit jusqu'à devenir inconfortable. Aurélie se rhabilla, prit son sac, puis m'embrassa sans grande chaleur.

– Je vois que tu es toujours aussi secret. C'est mignon, un mec mystérieux, mais il ne faut pas en abuser. Allez, je dois filer si je veux dormir un peu cette nuit. Les cernes, c'est pas le top en mannequinat.

– Je connais une très bonne technique à base de préparation H…

Elle me sourit, me tapota la joue, puis s'esquiva par la porte. Je restai seul, nu, le sexe en berne. J'avais un peu l'impression de m'être fait utiliser, mais je ne m'en plaignais pas plus que ça. Dehors, l'orage continuait à gronder – j'espérai qu'elle arriverait au métro sans attraper la mort. Je me demandai une seconde si je n'aurais pas dû la raccompagner jusqu'à la station comme un gentleman, mais je n'avais pas de parapluie. Ma galanterie s'empressa de céder devant ma paresse.

Fidèle à mon habitude de battre le fer tant qu'il est chaud, j'attrapai mon téléphone et lui envoyai un texto : *Soirée surprenante mais agréable. Tu veux repasser un soir cette semaine ? Jeudi ?*

Sa réponse mit longtemps à m'arriver, suffisamment pour que je repense à toutes ces théories sur le « suis-moi je te fuis ». Mais non : lorsque je finis par sentir mon portable vibrer, je pus lire : *Suis prise jeudi mais ok pour vendredi si tu es dispo. Surprenante mais agréable, c'est mon surnom.*

Je me couchai le sourire aux lèvres.

La semaine passa tranquillement. J'accueillis Moussah et Déborah le mercredi, mais nous n'avions pas grand-chose à dire en attendant les résultats du hacker. Mon ami était dans un état déplorable – si j'avais pensé que le temps effacerait une relation aussi courte que celle qu'il avait eue avec Cerise, je devais réviser mon jugement. Comment est-ce qu'on pouvait s'attacher aussi vite ? Il la connaissait depuis combien de temps quand elle avait disparu ? Quatre semaines ? Cinq ? Ça me donnait l'impression d'être un cyborg sans cœur, incapable de sentiments.

Si Aurélie disparaissait brutalement, est-ce que j'enquêterais ? Le pire, c'est que je pensais bien que oui. J'étais un peu con, parfois, quand même.

Le jeudi, j'eus droit à un coup de fil de mes parents. C'est vrai que je les avais négligés, ces derniers temps. J'avais annulé le repas hebdomadaire – une hérésie encore jamais commise. Qu'il pleuve, qu'il vente, que j'aie attrapé la mononucléose, j'honorais toujours ce rendez-vous. À entendre le ton de ma mère, elle s'inquiétait désormais pour autre chose que mon orientation sexuelle. Je promis de passer ce dimanche.

— Tu es sûr, cette fois ?

— Oui, m'man, je te promets. Vraiment. Et j'aurai une surprise pour toi, tu verras.

Comme toujours, je raccrochai avec une impression étrange de dédoublement de personnalité. Pour eux, j'étais le gentil garçon représentant en jeux vidéo. Pas d'histoire d'enlèvement, de coke ou de mannequins à gérer. Je ne pouvais m'empêcher de me demander si ma vie ne serait pas plus simple avec un emploi de bureau.

Rien de pire que l'auto-apitoiement. Avant de changer d'avis, je composai le numéro de Déborah pour lui demander si elle était toujours disponible dimanche pour venir chez mes parents – elle l'était. Elle me proposa de venir passer la nuit ici samedi soir après la finale, et j'acceptai.

Aurélie dans trois jours, le concours et Deb samedi, mes parents dimanche, le hacker lundi, mon agenda commençait à se remplir. Si seulement cette histoire avec Cerise voulait bien se calmer, je serais le plus heureux des hommes.

Le vendredi, l'arrivée d'Aurélie me fit plus plaisir que je le pensais. Je croisai son regard malicieux et ne pus m'empêcher de sourire à mon tour avant de la faire tomber sur le lit. C'est amusant, comme les premiers jours d'une relation sont faciles. Tout ce que dit l'autre est forcément drôle et, de toute façon, ça n'a aucune importance puisque ça n'est là que pour meubler le temps des périodes réfractaires.

Elle voulut encore parler de Cerise, mais je posai mon doigt sur ses lèvres et déviai la conversation. Il n'y avait rien à dire, de toute façon. Je sentais son hésitation, son envie d'insister, mais elle finit par se ranger à mes arguments et se laissa retomber contre moi.

Ce fut bien plus tard, blottie contre mon torse, alors que nous reprenions notre souffle, qu'elle me posa la question que je ne m'attendais pas à entendre si tôt :

— On est quoi, au fait, Fitz ?

Merde.

— Qu'est-ce que tu veux dire par là ? éludai-je.

— Je ne sais pas, est-ce qu'on est un couple ? Un plan cul ? Est-ce qu'on va même se revoir après le concours ? (Elle leva ses mains en geste de pacification.) C'est pas pour te mettre la pression, hein, tout me va, c'est juste histoire de savoir où on en est.

— On s'est vu deux fois, c'est peut-être un peu court pour prendre ce genre de décision, non ?

Elle se mordit la lèvre inférieure. C'est fou ce qu'elle pouvait avoir de charme.

— Oui, je sais. C'est juste que... ah, c'est difficile à dire, mais en fait ce week-end je devais voir un mec, et je... enfin, je ne sais pas comment je suis censée me comporter, si on est... ensemble ou pas, et du coup si je... enfin, tu vois, quoi.

Je voyais. Jusqu'à maintenant, je ne m'étais pas vraiment posé la question, mais la manière dont elle la formulait faisait remonter en moi l'ego de petit coq que tout homme a chevillé au corps. Quoi, elle allait voir un autre mâle ? Un rival ? Je sentis mes plumes s'ébouriffer dans le vent. La savoir suspecte n'avait plus d'importance, seule comptait la défense de mon territoire.

— Je ne sais pas... tu en penses quoi, toi ?

Elle me frappa l'épaule.

— Pourquoi ce serait à moi de répondre en premier ? On devrait prendre une décision commune, non ? Mais si ça t'emmerde, on reste plan cul, et puis voilà.

Le concept de plan cul, c'est quand même quelque chose de formidable. Jusqu'au moment où on imagine une fille qu'on apprécie en train de gémir sous le corps de quelqu'un d'autre. Tout d'un coup, on hésite.

J'avais racheté de la vodka, et je pus nous servir deux verres pour me laisser le temps de réfléchir. À voir son expression, elle ne s'attendait pas à un temps mort aussi long, et elle en prenait ombrage, mais je ne voulais pas me précipiter. Je l'aimais bien, elle était belle, brillante, agréable, mais était-ce suffisant ?

Je regardai ses jambes fuselées, ses seins parfaits, l'expression de défi sur son visage.

— Ok, on est un couple.

— Ben dis donc, c'est romantique !

— Ose dire que ça te déplaît.

La soirée se passait de manière agréable mais elle s'esquiva de nouveau. Couple ou pas couple, elle habitait chez ses parents, et je compris à demi-mot que découcher l'obligerait à des explications compliquées.

Je connaissais la musique – ce n'était pas la première fois que je croisais une fille qui n'avait pas encore déménagé. Mais quand même, pour quelqu'un qui possédait des studios dans Paris, je trouvais ce choix de vie un peu curieux. Pour ma part, je m'étais esquivé de la résidence familiale à dix-sept ans, et je n'avais jamais regretté mon indépendance.

Elle disparut dans un nuage de parfum et la cage d'escalier. Je restai seul, à tirer le verrou contre d'éventuels agresseurs. Je me sentais ridicule de prendre de telles précautions, mais Fitz martyrisé craint la main froide.

Ce fut en vérifiant la fermeture de la porte que j'entendis mon ordinateur ronronner. Sans que j'aie touché à quoi que ce soit, l'un de mes morceaux préférés se mit à résonner dans l'appartement.

Je m'approchai, méfiant. L'écran affichait le bloc-notes Windows ouvert, quelques phrases déjà écrites à l'intérieur.

Avec tout ça, j'avais complètement oublié mon hacker. Comment me blâmer ? Il avait dit lundi, et nous étions vendredi. Je regardai mon réveil, qui annonçait une heure du matin : plutôt samedi, en fait.

En prenant connaissance des phrases en retard, je sentis le rouge me monter aux joues. Colère ou honte, je n'aurais su le dire.

Ça y est, elle est partie ? J'ai entendu la porte.

Dis donc, elle fait sacrément de bruit. Soit tu te débrouilles bien, soit elle simule bien, mais ça m'impressionne.

Allô, il y a quelqu'un derrière l'écran ?

John-Fitzgerald, ce n'est pas poli de ne pas répondre.

C'est là que l'intrus avait dû perdre patience et lancer un morceau de musique pour attirer mon attention. Je manquai m'étouffer de rage devant cette intrusion dans ma vie privée.

— Pas poli, pas poli, tu te fous de ma gueule ? C'est qui, le putain de voyeur qui s'est branlé sur ma copine et moi ? J'espère que tu en as bien profité, parce que c'est fini ! À partir de maintenant, je coupe Internet, je sais pas comment je me démerderai, mais je me débarrasserai de toi ! Et oublie notre deal, les mille euros, tu peux t'asseoir dessus et faire trois tours sur toi-même ! De toute façon, j'en ai marre de cette histoire, de ces conneries, laisse tomber !

Je tendais déjà la main vers ma box pour me déconnecter, mais le curseur se mit à danser avec une urgence palpable. Les mots s'affichaient un par un ou deux par deux, comme si le hacker s'inquiétait de se faire couper avant que ses phrases n'apparaissent.

Attends

J'ai l'info

Déco pas

Voulait-il dire « ne te déconnecte pas » ou « ne déconne pas » ? Dans le doute, je laissai ma main planer près du cordon internet. Ce gars serait sans doute capable de bloquer tout ce que je pouvais faire sur l'ordinateur. Mais si j'arrachais la prise, il serait complètement impuissant.

— Je t'écoute, connard.

Le curseur mit plus longtemps cette fois-ci.

Ok, je n'aurais pas dû t'espionner. Mea culpa, mea maxima culpa. Mais ce n'était pas prévu à l'origine. J'ai eu l'information plus tôt que je le pensais. C'était un jeu d'enfant, en fait. Du coup je te fais un prix plus bas. Pour me faire pardonner.

Je restai méfiant, bras croisés face à l'écran comme s'il pouvait me voir.

— Tu es en train de me dire que tu sais qui a envoyé le mail de menaces ?

Oui.

— Et quand tu dis un prix plus bas, qu'est-ce que tu entends par là ?

Cinq cents euros. Ça m'a pris la moitié du temps, je te prends la moitié de l'argent.

J'étais toujours énervé par le manque de manières du hacker. Je ne sais pas à quoi je m'attendais de la part d'un pirate informatique, mais pas à ça. En plus, je l'imaginais comme le cliché qu'on voit dans les films : obèse, greffé à son ordinateur, avec des morceaux de pizza collés à la barbe. Ça rendait son voyeurisme encore plus difficile à supporter.

D'un autre côté, il avait l'information, et il était prêt à me la donner. J'aurais pu encore baisser le prix mais je n'avais plus envie de lutter. Je voulais en finir avec cette histoire, refermer la page, passer l'info à Moussah ou à la police, sortir de nouveau en soirée. Et, si ça pouvait innocenter Aurélie au passage, ça serait plutôt bien pour ma tranquillité d'esprit. Une fille avec un tel corps ne saurait être totalement mauvaise.

— Ok, va pour cinq cents euros. Dès que tu me donnes un numéro de compte, je te fais le virement. D'un autre ordinateur, par pure précaution.

Lol. Je comprends.

Je n'en pouvais plus de ses *lol*, mais j'attendis avec patience. Son message suivant ne tarda pas.

Bon, j'ai remonté l'IP de l'expéditeur. C'est une Freebox classique, une box de particulier. Aucun piège, aucune tentative pour brouiller sa trace.

— Ça ne pourrait pas être un piège ?

Ça, c'est ton boulot. Mais en tout cas, je suis positif à 100 % que mon adresse est la bonne. Tu es prêt à noter ?

— Ouais, c'est bon, j'ai mon bloc-notes ouvert, ironisai-je.

Lol.

Évidemment.

Ton coupable a envoyé son message d'un appartement parisien. 6, rue Claude Tillier, Paris, dans le 12ᵉ arrondissement. 4ᵉ étage, appartement 402. Adresse IP 82.244.108.111. Il possède une Freebox Revolution. Si tu veux, contre une somme modique, je peux trouver plus d'infos.

— Non, c'est bon…

Je sentis mon estomac se nouer alors qu'une violente nausée me contractait les entrailles.

6, rue Claude Tillier.

16

Est-ce qu'une fois dans ma vie, une seule fois, les événements pouvaient se dérouler comme je le voulais ? Était-ce trop demander ?

Je regardais la réponse du hacker comme si les caractères pouvaient changer, s'altérer pour former une adresse différente, mais rien ne se passait. *6, rue Claude Tillier*. Aurélie était ma coupable.

Ou du moins, me rassurai-je aussitôt, elle avait envoyé ce mail. Ça ne voulait pas *forcément* dire qu'elle était impliquée dans l'enlèvement de Cerise. Mais même avec l'indulgence procurée par deux nuits inoubliables, les probabilités se liguaient contre elle.

Je pouvais déjà imaginer la colère de Moussah, l'air réprobateur de Déborah. En temps normal, ils se seraient contentés de rire devant mon mauvais goût affirmé en matière de filles. Mais là, la situation était sérieuse. Discrétion ou pas, témoins ou pas, je savais déjà que Moussah se rendrait chez la jeune femme et se débrouillerait pour lui extorquer les informations nécessaires. Et Aurélie parlerait – je n'avais vu Moussah énervé que deux fois dans ma vie, mais cela avait suffi à me convaincre de ne jamais me le mettre à dos.

Je me rappelais une échauffourée devant le Purple Rain, à l'époque où il jouait les videurs là-bas. Une bande de gamins agités lui avait cherché des noises lorsqu'il leur avait refusé l'entrée. Fidèle aux consignes de la direction, il n'avait pas levé le petit doigt devant les insultes et les menaces – jusqu'au moment où l'un des matamores lui avait enfoncé un pouce d'acier dans l'estomac.

Malgré sa blessure, Moussah s'était jeté sur le groupe, et avait envoyé à l'hôpital trois des mômes sur les cinq. Les deux autres avaient fui, trop contents de se fondre dans l'anonymat des rues environnantes. On avait emmené mon ami aux urgences, où il s'était fait recoudre ; la semaine suivante, il assurait de nouveau son poste sans broncher.

C'était à ce genre de gars que j'allais révéler qu'Aurélie avait kidnappé sa copine ? Plus j'y réfléchissais, plus je sentais la catastrophe arriver. Et pourtant, je ne pouvais pas garder ça pour moi.

Il me restait une personne à qui me confier : Déborah. Avec toutes mes tergiversations, on se rapprochait des deux heures du matin ; elle devait hanter les clubs, et je tombai sans surprise sur son répondeur. Je lui laissai un message, lui demandai de me recontacter le lendemain, si possible dans l'après-midi, avant de m'allonger et de sombrer dans un sommeil sans rêves.

Elle me rappela vers quinze heures, avec un sens du timing impeccable. Cette fille était géniale.

— Allô, Fitz ? Désolée pour hier soir, j'étais à *l'Étoile*, ça ne captait pas. Tout va bien ?

Je bâillai, me frottai les yeux, roulai sur le côté.

— Ouais... Ouais, on peut dire ça comme ça... dis-moi, ça te dirait de passer ?

— Tu es un bouc, tu es en rut ?

Je levai les yeux au ciel.

— C'est sérieux, ça concerne Cerise. Si tu peux prendre le temps de venir, j'ai des trucs à te raconter, j'ai besoin de ton avis. On pourra aller au concours ensemble, ensuite, ça te rapprochera.

Sa voix changea de registre.

— J'arrive.

Il lui fallait traverser tout Paris ; une heure plus tard, j'entendis enfin le claquement de ses hauts talons sur les marches de l'escalier.

Elle s'installa sur le lit, et je sortis du frigo l'habituelle bouteille. Depuis combien de temps n'avais-je pas mis les pieds en club ? Si je voulais maintenir mon train de vie, il allait falloir que je me bouge. Les soirées @home, ça n'allait pas me permettre de dealer.

— Tu aurais un petit gramme sous le coude, Fitz ? Je suis à court.

Ah, tiens, si.

Avant de conclure ma vente, je pris la peine de vérifier que mon ordinateur était éteint. Il ne manquait plus que mon hacker découvre que je vendais de la drogue. Il en savait déjà bien assez sur ma vie et mes fréquentations.

L'argent changea de main, et j'entrepris de donner à Déborah les dernières informations. J'avais imprimé la conversation sur le bloc-notes ;

elle s'en empara, la parcourut rapidement, puis roula la feuille pour aspirer sa coke.

— Tu es sûr que tu ne veux pas un peu de soleil dans ta vie, toi aussi ? Je ne sais pas comment tu fais pour ne tomber que sur des cas sociaux, mais tu as un don.

— Elle est mannequin, brillante, drôle..., protestai-je.

— ...psychopathe, menteuse, criminelle, et je suppose qu'on ne sait pas tout. Tu te rends compte qu'elle a enlevé une rivale pour augmenter ses chances de gagner ce concours ? Et on ne sait même pas si Cerise va ressurgir un jour, ni même dans quel état. L'ennui avec toi, Fitz, c'est qu'un beau cul te rend tout de suite plus indulgent.

Je la trouvais plutôt injuste. Je tendis mon majeur dans sa direction mais elle ne me vit pas, penchée qu'elle était sur ma table basse.

— Je suis paumé, Deb, je ne sais pas ce que je dois faire. Est-ce que je préviens Moussah ou pas ? Si je lui dis, il va péter un câble, je le connais, il va vouloir la tuer.

— La tuer, ça me paraît excessif. Lui arracher les membres, par contre...

— Ne plaisante pas, je t'assure que je ne sais pas quoi faire.

Elle aspira un grand coup, se frotta le nez, puis me tapota la joue.

— Faut pas t'inquiéter, Fitz. En règle générale, tu ne sais *jamais* quoi faire et tu t'en sors toujours bien, non ?

— Mouais... Tu ne m'aides pas beaucoup. La décision est simple, soit je lui dis, soit je le cache, au moins pour l'instant, et j'essaie d'approcher Aurélie de mon côté. Plus sobre, plus soft...

Déborah me fixa d'un œil brillant.

— Il y a quelque chose que tu veux me dire sur Aurélie ? La dernière fois qu'on a parlé d'elle, tu semblais moins virulent à la défendre. On dirait presque que... putain, Fitz, ne me dis pas que tu as couché avec elle !

— Pourquoi est-ce que tu résumes toujours tout au sexe ?

— Parce que chez toi, c'est un peu le moteur de tes sentiments ! Pour atteindre ton cœur, il faut passer par ton lit, je me trompe ?

— Je n'aurais pas vraiment dit ça comme ça...

— Je me trompe ?

Elle marquait un point. Je n'avais jamais compris les couples qui tombaient amoureux sans avoir jamais testé leur compatibilité sexuelle. J'en voyais parfois qui, pour des raisons religieuses, ou par conviction, ou en raison de traumatismes passés, se fréquentaient un mois ou deux sans la moindre relation charnelle. Le résultat de ces expériences ne m'avait pas convaincu. C'est au fond d'un lit qu'on découvre sa compatibilité, aussi bien physique que mentale, et qu'on tisse une véritable complicité.

Et puis ça m'arrangeait bien.

— Ok, ok, tu ne te trompes pas. Mais qu'est-ce que ça change ?

— Oh, Fitz...

Elle avait l'air mi-amusée, mi-exaspérée maintenant. Elle s'empara de son verre de vodka et le vida en deux gorgées.

— Tu te rends compte que, si c'est elle la coupable, tu ne pourras pas la protéger ?

— Je n'ai aucune envie de la protéger.

— Ben voyons. Pourquoi est-ce que tu veux cacher la vérité à Moussah, alors ?

— Parce que je pense que je pourrai la faire avouer plus facilement que lui, ou en tout cas plus gentiment.

— Ben voyons, bis. Putain, je ne sais pas ce que je fais là, en fait. Si tu aimes tellement ton Aurélie, c'est elle qui devrait jouer le rôle de ta copine demain avec tes parents.

Je fronçai les sourcils. D'où est-ce que ça sortait, ça ? Je ne m'étais pas attendu à ce genre de réflexion.

— Mais ça ne change rien, tu le sais bien, et encore moins maintenant que je sais qu'elle est coupable. Les filles, ça va, ça vient, mais les amies restent là pour la vie. Et tu es ma meilleure amie, Déborah.

Je me trouvais plutôt bon dans le rattrapage aux branches mélodramatique, mais mon discours ne produisit pas vraiment l'effet voulu. Elle se resservit un verre et le but cul sec.

Le silence s'étendit jusqu'à ce que je finisse par le rompre, mal à l'aise.

— Donc on est d'accord, on ne dit rien à Mouss' jusqu'à lundi soir ? De toute façon, c'est à cette date-là qu'on devait avoir les infos.

— Ok, Fitz, on ne lui dit rien. Mais fais gaffe, et je ne plaisante pas. La dernière fois que tu as voulu jouer cavalier seul, tu t'es retrouvé dans une merde noire. Alors ne nous oublie pas, d'accord ?

Je promis, la main sur le cœur.

Il était dix-sept heures ; il nous restait encore un peu de temps avant de devoir rejoindre Moussah au concours de l'agence Podium. Déborah se leva, regarda les quelques DVD qui se battaient en duel sur mon étagère. Une dizaine de films achetés au hasard des promotions à la FNAC ou des points coupons au McDonalds. Ironiquement, c'était souvent tombé sur des comédies romantiques.

— On se regarde un film ? *Coup de foudre à Notting Hill* ? suggéra-t-elle.

— Ça va pas améliorer mon image de virilité, ça...

Dans la lumière tamisée de l'appartement, sous la chaleur suffocante des toits de Paris, avec le bruit du ventilateur en arrière-plan, nous regardâmes Julia Roberts et Hugh Grant se tourner autour. Une bouteille de vodka se vidait doucement, et je vérifiai deux fois durant le film que le verrou de mon entrée était bien poussé. Déborah se comporta admirablement bien – elle ne retoucha à la coke qu'une fois dans la soirée, au moment où la presse à scandale découvrait que les deux acteurs étaient amoureux. Superbe rebondissement.

Puis ce fut le générique de fin, et le temps pour nous de quitter l'appartement pour nous rendre au concours.

— Les comédies romantiques, c'est quand même le comble de l'enfumage, observa Déborah alors que nous descendions l'escalier. Les deux qui se tourneent autour et qui finissent par tomber amoureux, c'est pas comme ça dans la vraie vie.

Je hochai la tête et allumai une clope. Il était temps de voir de quel bois Aurélie était faite.

17

La présélection était une chose, la grande finale de l'agence Podium une autre. Lors de mon premier contact avec l'univers du mannequinat, j'avais été frappé par l'impression bas de gamme qui se dégageait de la cérémonie : décors de mauvaise qualité, sponsors inconnus, moquette usée, feuille de papier en guise de pancarte. Très loin de l'image glamour que je pouvais me faire de ce métier.

En prenant ma place dans la queue qui serpentait jusqu'à la salle Wagram, je réalisai que mes vœux allaient enfin être exaucés. Voilà qui sentait bon la hype, voilà qui respirait le luxe, voilà ce que j'imaginais lorsque j'entendais parler de défilés de mode.

La foule des invités se massait pour accéder à l'entrée – les parents, bien sûr, mais également de nombreux journalistes et photographes. Je vis deux équipes de télévision, des chaînes de mode de la TNT, qui se frayaient un chemin à travers le bas peuple à grands coups de perches et de caméras. Je baissai la tête pour esquiver le coude d'une jeune fille à la taille impressionnante. Elle devait bien dépasser le mètre quatre-vingts, et les talons de ses Jimmy Choo la propulsaient dans la stratosphère.

Elle n'était pas la seule dans sa catégorie. Plus je regardais autour de moi, plus je découvrais de filles grandes et minces, habillées avec goût, trop apprêtées pour être honnêtes. Il me fallut un peu de temps pour réaliser qu'il devait s'agir de mannequins en recherche de contrats, qui tenteraient de rencontrer les dénicheurs de talents et les sponsors durant les pauses du concours.

Même au niveau du service d'ordre, Nathan avait bien fait les choses. Quatre colosses au regard aussi sombre que leur costume s'occupaient de filtrer la foule et de récupérer les invitations. Je n'aurais pas aimé les croiser dans une ruelle sombre. L'un d'eux dévoilait une cicatrice bien plus visible que la mienne sur un visage de mafieux repenti.

Le ciel était encore bleu au-dessus de nous, avec les teintes sombres du début de soirée, mais les nuages s'amoncelaient du côté de Belleville. Si jamais nous restions trop longtemps dehors, nous allions avoir droit à l'orage.

Moussah était en retard. Ça lui ressemblait bien, mais je ne pouvais m'empêcher de me sentir nerveux, et d'espérer le voir arriver avec son air d'excuse habituel sur le visage. En règle générale, la foule me rassurait. Là, j'avais l'impression d'étouffer. Les corps pressés contre moi me rappelaient la main qui m'avait à moitié disloqué l'épaule.

Et s'il lui était arrivé quelque chose ? S'il avait tenté de suivre une piste en solo ? Pourrais-je me pardonner de ne pas avoir prévenu la police ?

Ces angoisses métaphysiques me furent épargnées par la silhouette large de mon ami qui se faufilait à travers l'océan de géantes à talons. À voir le regard surpris qu'il portait sur son entourage, il ne devait pas souvent se retrouver entouré de filles aussi grandes que lui. Je réprimai un sourire en le voyant rentrer le ventre. C'était ridicule : ce salaud avait des abdos en acier. Pas étonnant qu'il ait du succès avec un corps pareil – et malgré sa tête de rappeur sur le retour.

Il poussa un soupir de soulagement en arrivant à notre hauteur.

— J'ai mis du temps à vous repérer dans cette marée humaine.

— Moussah, c'est le nom que les musulmans donnent à Moïse. La mer Rouge aurait dû s'ouvrir devant toi.

— Ouais, ou alors Moïse, c'est le nom que les blancs donnent à Moussah. Enfin bon, on s'en fout. C'est incroyable, le peuple qu'il y a. On va être quoi, deux mille ?

— Je dirai plutôt cinq ou six cents, corrigea Déborah, mais c'est déjà énorme pour un événement comme ça. Plus rien à voir avec ce qu'on a vécu avant.

Nous nous dirigeâmes vers les vigiles, nos invitations en main. En l'absence de Cerise, c'était Aurélie qui nous les avait fournies. Je ne pouvais m'empêcher de me demander si c'était une bonne idée de lui devoir une faveur.

Merde, j'avais promis de ne pas y penser. Je regardai Moussah en biais, comme s'il avait pu deviner mon dilemme, mais il observait la foule, la mâchoire serrée. Il m'inquiétait un peu – depuis la disparition de Cerise, ce n'était que l'ombre de lui-même. J'espérais qu'il n'avait pas plongé plus avant dans la dépression ou dans la drogue. S'il s'en tenait aux quantités que je lui vendais, tout se passerait bien. Mais s'il s'était trouvé un nouveau dealer, une source complémentaire…

Je sentis une pression contre ma main et me retournai. Deb me souriait, rassurante. Son contact me fit du bien, et nous restâmes paume contre paume jusqu'au couloir principal.

Nos places étaient numérotées comme au théâtre et se situaient presque au premier rang. Logique, pour les invités des participantes. Je ne pus m'empêcher de sourire avec orgueil en dépassant les spectateurs moins bien installés.

Ce ne fut qu'une fois assis que je repris mon sérieux, lorsque Moussah s'installa entre Déborah et moi puis me murmura :

— Alors, du nouveau ?

Je secouai la tête. Il se rembrunit.

— Jusqu'au dernier moment, j'ai cru qu'il y aurait un Happy End. Qu'elle monterait sur scène ce soir, à l'annonce de son nom, et que le cauchemar se finirait. Tu sais quoi, je pourrais même accepter qu'elle m'ait menti et que toute cette histoire ne soit qu'une manière de rompre avec moi. Bon, ça ferait salope psychopathe, mais au moins, je serais rassuré sur son sort. Là, dès que je ferme les yeux, je l'imagine aux mains de ses kidnappeurs, loin de la scène, loin de moi. Elle doit avoir peur, elle doit être terrorisée, elle doit espérer qu'on vienne à son aide. Et on peut rien faire, putain, rien du tout. À quoi je sers, moi, comme mec ? C'est mon rôle de la protéger.

Et de chasser le bison. Je l'enlaçai d'un côté et je vis Déborah faire la même chose de l'autre. Ce ne fut qu'en voyant ses larges épaules se secouer et en sentant quelque chose d'humide contre mon épaule que je réalisai qu'il était en train de pleurer. Moussah, mon bloc de béton préféré, était en train de se fissurer en direct.

— *Boys don't cry*, Mouss, murmurai-je d'un ton gêné.

— Ta gueule, fut la réponse étouffée par le coton de mon T-shirt – un Givenchy à deux cents euros, merde.

Le regard de Déborah croisa le mien dans une interrogation muette ; de nouveau, je me demandai si je devais lui raconter les découvertes de mon mystérieux hacker. Mais, dans un tel état de fragilité, qui sait ce qu'il serait capable de faire ? Je finis par secouer la tête, et Déborah acquiesça.

— Ça va aller, me contentai-je de marmonner, ça va aller.

Je le berçai contre mon sein comme si c'était un môme de cinq ans, et ses larmes continuaient à tremper le tissu, et je voyais le regard interrogateur de nos voisins, et ça commençait à devenir embarrassant. Doucement, je le poussai du côté de Déborah, qui prit la relève en grimaçant. *Merci, connard* pus-je déchiffrer sur ses lèvres.

Son visage disparut dans la pénombre alors que les lumières s'éteignaient. Il y eut des *ooh* et des *aah* dans la salle, le flash de portables que l'on utilisait comme appareil photo, le ronronnement de caméscopes. Je me rencognai dans mon siège, les yeux fixés sur la scène et son rideau de théâtre rouge.

Toctoctoctoctoctoctoctoctoctoc. Toc. Toc. Toc.

Les trois coups : pas à dire, Nathan s'y connaissait en effets mélodramatiques.

Le rideau s'entrouvrit.

Devant moi, les trente finalistes (pardon, vingt-neuf) se tenaient dans une immobilité de statue, vêtues de noir de la tête au pied. Après les outrances vestimentaires que j'avais pu voir, ce dépouillement me semblait reposant, rafraîchissant. C'était sans aucun doute l'effet recherché.

J'attendis que les filles bougent – mais elles restaient immobiles, insensibles devant les applaudissements. Elles avaient le regard perdu dans le vide, concentrées, décidées à ne pas faillir.

Aurélie se trouvait sur le côté gauche, l'expression neutre, rendue encore plus belle par l'éclairage direct. Je me rappelais de son corps contre le mien, je me souvenais de son haleine contre ma joue, et je me sentais misérable.

Au centre, mis en valeur par l'absence de Cerise, il y avait le trio que j'avais observé depuis le début, celui que Nathan considérait comme le plus dangereux. Émilie, Wahida et Stéphanie, les mains sur les épaules l'une de l'autre. Elles étaient éblouissantes ainsi, dans des styles complètement différents. Tout le talent de Nathan se retrouvait dans la manière de les placer ; je réalisai alors qu'il présentait plus qu'un concours ce soir, mais également une pièce de théâtre millimétrée au geste près, dans lequel une chevelure blonde devait servir de contrepoint à une tignasse noire.

Une pensée fugace me frappa, et je me figeai, cherchant à la rattraper. Je n'en eus pas l'occasion avant que la musique ne commence. C'étaient les premières notes d'une chanson que je connaissais, mais subtilement altérées. On m'avait toujours reconnu une excellente oreille, capable d'identifier un morceau au bout d'une ou deux mesures – mais je restai en pleine confusion. À côté de moi, Moussah avait fini de pleurer.

— Désolé, les gars. C'est les nerfs. Mais ça va passer, regardons le spectacle.

— Ouais, regardons.

Quelques secondes de plus, et je compris enfin pourquoi je n'avais pas trouvé tout de suite le titre : c'était une reprise de *Someone like you*, d'Adele par les chanteurs de Glee. Cela faisait longtemps que j'avais cessé de regarder cette série, qui mettait en scène une chorale de losers dépareillés dans un collège américain.

Les finalistes continuaient à observer une immobilité totale.

Puis, d'un seul coup, elles s'animèrent. Je reconnus certains mouvements répétés lundi mais il y avait plus, tellement plus. Ces filles avaient dû travailler des dizaines d'heures dans la semaine pour arriver à un tel résultat. Elles tourbillonnaient en avant, cinq par cinq, se présentant au public au rythme d'une musique débridée. Leurs cheveux tournaient, et leur bouche souriait, et leurs yeux pétillaient, et elles prenaient vie devant nous, et je ne pouvais m'empêcher de toutes les admirer, toutes, avec leur assurance, leur joie de vivre, leur soupçon d'incertitude dans le regard. Ça ne devait pas être facile d'être jugées ainsi, sur un physique et une attitude. La sanction d'un concours de mannequin était brutale pour les nombreuses recalées. La benjamine avait treize ans, l'aînée douze de plus, mais elles arboraient le même espoir touchant.

Je sentis une pression sur mon bras droit et me retournai. Moussah se tenait à ma gauche, Déborah encore plus loin, alors qui osait ? Mes doigts se fermèrent en poing, prêt à riposter – mais ce n'était qu'un père de famille, le regard embué d'admiration, qui m'enjoignait de regarder la scène.

— Là, c'est elle, la troisième, c'est ma petite Coralyne. Vous ne trouvez pas qu'elle est magnifique ? Regardez-la, comme elle est belle. Comment est-ce que je peux avoir une fille aussi belle ?

Je hochai la tête, me dégageai en murmurant quelques banalités. La Coralyne en question déambulait comme une professionnelle, mais elle ne devait pas dépasser les seize ans. Le coiffeur avait arrangé ses cheveux en une touffe protoplasmique de bouclettes blondes. C'était touchant de voir à quel point certains parents pouvaient s'impliquer dans les choix de leur progéniture.

De nouveau concentré, je vis Aurélie s'avancer en compagnie de quatre autres filles. Malgré mon impartialité légendaire, il était difficile de ne pas voir la différence entre elle et les autres. Nathan avait affirmé qu'il pressentait sa victoire, et je pouvais comprendre pourquoi.

Un regard en direction du box du jury, au-dessus de nos têtes, mais je n'en voyais pas les membres d'ici. De toute façon, je n'en aurais reconnu aucun.

Un coach en développement personnel, la gagnante de l'an dernier, le patron d'un célèbre salon de coiffure, un romancier inconnu au bataillon et la directrice d'une agence de casting sur internet. Je me demandai sur quels critères ils allaient voter. Y avait-il de la corruption dans ces concours ? Si une candidate était prête à en kidnapper une autre pour gagner, où s'arrêterait-elle ?

La musique s'interrompit dans un torrent d'applaudissements, alors que les candidates reprenaient la pose. Je les admirais – ça devait être épuisant, physiquement comme nerveusement. Et pourtant, elles souriaient.

Les chansons se succédèrent, toutes plus récentes et *mainstream* les unes que les autres. Moi qui ne jurais que par Lady Gaga ou Rihanna, je me trouvais au paradis. Les filles exécutaient des chorégraphies complexes pour se mettre en valeur devant l'œil brûlant des projecteurs. Pour être déjà monté sur scène, je savais qu'elles ne voyaient rien au-delà du premier rang, aveuglées par les lumières agressives.

Nathan avait prévu plusieurs épreuves pour conserver l'intérêt de l'audience ; ce n'était pas seulement sur la pertinence de leur propos qu'on les jugerait mais aussi sur leur aisance, la manière dont elles s'adressaient au public, leur confiance en elle et les poses qu'elles prenaient pour susurrer leur réponse. Je trouvais ça hypocrite. Je trouvais ça merveilleux.

It is a man, man's world... but it wouldn't be nothing, nothing, without a woman or a girl.

Je me renfonçai dans mon fauteuil alors que le portrait des vingt-neuf candidates s'affichait à l'écran, l'une après l'autre. C'était un peu long – surtout lorsqu'on savait que dix-sept allaient rapidement disparaître du concours, éliminées pendant la semaine par le pré-jury.

– Elle est pas mal, la Stéphanie, là, me murmura Moussah à l'oreille alors que la grande blonde se trouvait projetée sur écran géant.

Je l'avais vu se détendre au cours de la soirée ; je ne sais pas s'il avait pris quelque chose avant de nous rejoindre mais, dans tous les cas, je lui étais reconnaissant de ne plus faire d'esclandre. J'acquiesçai : Stéphanie avait une certaine répartie. Mais, encore une fois, Aurélie restait ma préférée. Ça m'énervait.

Le rideau se referma sans que j'aie vu le temps passer. Un regard à ma montre me confirma qu'une heure venait de s'écouler. Apparemment, c'était suffisant pour que le jury prenne une première décision.

La directrice de casting monta sur scène sous les applaudissements, se fendit d'une révérence, exhiba ses dents en un sourire cruel.

Il paraît qu'elle avait été mannequin autrefois. Elle en gardait l'allure et la finesse. J'entendis Déborah à côté de moi, son soupir rêveur :

– Qu'est-ce que je ne donnerais pas pour avoir ses cheveux.

Quoi, ses cheveux ? Qu'est-ce qu'ils avaient de si exceptionnels ?

Je louchai pour essayer de comprendre, mais on avait déjà donné un micro à la femme. Un sourire professionnel aux lèvres, elle ouvrit l'enveloppe et annonça les douze candidates retenues à l'issue de la semaine de stage.

Les premiers noms furent applaudis par toutes les filles – mais, alors que le tri s'opérait, les sourires devinrent plus difficiles à maintenir, les expressions heureuses plus hésitantes.

— C'est quand même dégueulasse, observa Moussah. Tu te rends compte que dix-sept d'entre elles ont bossé leur chorégraphie comme les autres, ont fait venir leur famille, alors que tout était déjà décidé ?

— Elles connaissaient les règles dès le début. Est-ce que tu te sens coupable quand tu refoules un mec mal habillé quand tu fais le videur ?

— C'est pas pareil.

— Ah ouais ? Pourtant, il a peut-être passé des heures à se préparer, à espérer pouvoir entrer, peut-être que ça comptait beaucoup pour lui et que tu lui as ruiné sa soirée.

— C'est pas pareil, s'obstina Moussah.

Sur scène, les dix-sept perdantes étaient ovationnées par la foule avant de se retirer vers un cruel anonymat. L'une des filles avait du mal à retenir ses larmes, et je vis les autres la câliner et la réconforter. C'était si *chou.*

— Qu'est-ce qui va se passer, maintenant ? Quelqu'un a pris la peine de regarder comment ça se déroulait ? demandai-je à ma gauche.

Moussah me fit un geste d'impuissance, mais Déborah se pencha au-dessus de lui pour me répondre.

— C'est au jury de jouer. Dans un quart d'heure, ils ne vont plus en garder que six !

— Chtttt ! fit quelqu'un dans notre dos.

De nouveau des danses, des chants, des interviews. Ça se corsait : elles étaient proches du but, et elles le savaient. Lorsque la lumière s'éteignit de nouveau pour diviser leur nombre par deux, les spectateurs se penchèrent en avant comme un seul homme. Les caméscopes tournaient, les ongles se rongeaient et les fronts perlaient de cette sueur âcre aux relents d'inquiétude.

Derrière le rideau immobile se trouvaient les espoirs de la jeunesse de notre pays, ou quelque chose comme ça. Lorsqu'il se rouvrit sur douze sourires éblouissants, je ne pus m'empêcher de ressentir de nouveau de l'admiration pour leur maîtrise de soi. Lorsque j'étais allé consulter les résultats du bac, j'avais les mains moites.

Le jury avait délibéré. Les résultats étaient comptabilisés. Une enveloppe fut apportée sur scène, avec six noms à l'intérieur.

— Tu paries qu'il va y avoir ton Aurélie ? fit Moussah. Et Stéphanie, la blonde, aussi.

Il y avait en effet Aurélie. Et Stéphanie. Et Wahida. Et Émilie. Carton plein pour Nathan. Par contre, Tania ne se faufila pas dans le dernier carré – ou devais-je dire hexagone ? Pareil pour Coralyne, la fille de mon voisin, qui pesta à voix basse. Ça ne me dérangeait pas, jusqu'à ce qu'il se retourne vers moi, la voix brisée.

— C'est vraiment des connards, ces jurés. Incapables de voir la vraie beauté. De toute façon, je suis sûr que c'est truqué. Si t'as pas les bonnes relations, t'as aucune chance. Dégoûté, je suis. Vous ne pensez pas qu'elle avait tout ce qu'il faut pour gagner ?

Je restai bouche ouverte, incapable de répondre. Que pouvais-je dire ? Un non provoquerait l'ire immédiate du pater familias. Quant à répondre oui aux attraits physiques d'une gamine de seize ans... Je m'en sortis en marmonnant avec un air compatissant qu'elle avait la vie devant elle, et il parut se calmer. Il se renfonça dans son siège ; il me fallut quelques secondes pour réaliser qu'il pleurait, le nez dans son caméscope. Sale soirée pour les machos.

Les finalistes souriaient de toutes leurs dents ; pourtant, je sentais la pression monter. Elles étaient aux portes du succès. Comme dans un match de boxe, ça ne servait à rien d'arriver deuxième.

La musique recommença, laissant à chaque candidate la possibilité de montrer ses talents de danseuse dans une chorégraphie originale. Je n'aurais pas aimé me trouver dans le jury : je me sentais incapable de les départager sur ce point tant elles ondulaient avec grâce et légèreté.

On leur tendit un micro, on leur demanda de dire quelques mots. Je trouvai leur discours aussi policé que les danses avaient été endiablées. Ces filles étaient brillantes, mais le poids du conformisme les incitait à raconter des banalités sur l'importance de l'image, à remercier leur famille qui leur avait fait confiance, à expliquer à quel point c'était un honneur formidable de se tenir ici sous les projecteurs, et si seulement le rêve pouvait ne jamais s'arrêter, et si vous pouviez voter pour moi, ce serait *tellement* adorable. À côté de Moussah, Deb avait mis ses doigts en revolver dans sa bouche et faisait mine d'appuyer sur la détente.

– Est-ce que tu accepterais de poser en maillot de bain avec deux gros serpents dans les bras, demandait l'animateur à une gamine à peine sortie de la puberté.

La fille hésita, visiblement gênée.

– Bah... je sais pas... Ça dépend des serpents, ça dépend du maillot de bain.

Sourire de l'animateur, approbation du public.

Puis le rideau tomba pour quelques minutes, le temps de la dernière délibération. La salle s'emplit des murmures des parents et des amis, pariant sur le vainqueur final. J'eus beau tendre l'oreille, je n'entendis aucun nom en particulier, rien qui me permette de donner un pronostic. De mon côté, j'aurais voté pour Aurélie, bien sûr. Si on oubliait qu'elle était une manipulatrice menteuse et criminelle, on ne pouvait que tomber sous son charme.

Je me demandais ce que ça changerait, qu'elle gagne ou non. Est-ce que le sort de Cerise était lié au sien ? Elle pouvait croire que la fin justifiait les moyens, mais comment réagirait-elle si elle se rendait compte que tous ses efforts n'avaient pu la hisser au pinacle ?

Lorsque le rideau s'ouvrit de nouveau pour laisser passer les six candidates, j'applaudis comme tout le monde, les yeux fixés sur le regard brûlant d'Aurélie, ce regard qui m'avait tellement séduit voici trois semaines.

C'était égoïste, mais je la détestais plus pour m'avoir manipulé que pour avoir kidnappé Cerise. J'avais envie qu'elle perde – qu'elle puisse voir que, dans la vie, les méchants ne triomphent pas toujours à la fin.

— Et la gagnante de la finale de l'agence Podium 2012 est…

Roulements de tambour. Musique de David Guetta.

— Aurélie Dupin !

La vie est une chienne.

18

Je croisai Nathan à la sortie de la salle, alors qu'il serrait les mains des parents, un air de compassion professionnelle sur le visage. Ça ne devait pas être une mission facile que de consoler toutes ces familles éplorées, leurs rêves piétinés par un jugement abrupt, mais il s'en sortait plutôt bien. La parole tranquille, le costume impeccable, il avait laissé tomber son côté modasse follasse pour donner l'image de sobriété et de professionnalisme nécessaire dans un moment pareil. J'avais l'impression de le voir présenter ses condoléances pour le décès d'un proche : même port de tête, même hochement de menton, même visage sombre.

Nos regards se croisèrent et il me fit un signe imperceptible de la main. Lorsqu'il se dégagea de l'étreinte d'une participante en pleurs – elle ne devait pas avoir plus de quinze ans – pour s'esquiver dans une salle adjacente, j'attendis quelques secondes puis le suivis, Moussah et Déborah sur les talons.

Il referma la porte avant de dévisager les deux autres de haut en bas.

— Eh bien, on vient accompagné à ce que je vois. Je suppose que ce sont les amis dont tu m'as parlé ?

Je hochai la tête, fis les présentations, mais il m'interrompit aussitôt.

— Pas d'importance, je ne retiendrai pas leurs prénoms de toute façon. Bon, chéri, va falloir m'expliquer où on en est, là, parce que ça fait une semaine que tu me laisses dans le noir – (il se tourna vers Moussah) pas d'offense, bien sûr – et j'aime pas du tout ça. Je croyais qu'on travaillait ensemble, je te laissais assister au stage, mais en échange j'aurais bien aimé savoir où tu en étais de ton enquête. On va la revoir, Cerise, ou pas ?

— Pour être franc, je n'en ai aucune idée. Si tu veux tous les détails, je me suis fait agresser en sortant de ton local parce que je posais trop de questions, donc je t'avoue que j'ai retenu la leçon.

Il porta les mains à ses tempes dans une caricature de l'affolement.

— Agressé, toi ? Mais par qui ? Mais alors il est vraiment arrivé quelque chose à Cerise et quelqu'un ne veut pas que tu creuses ?

— Faut croire...

Je le laissai digérer l'information, tout en l'observant du coin de l'œil. Tout à l'heure, j'avais eu comme un doute à son sujet. Je m'étais demandé s'il était aussi innocent qu'il en avait l'air. Peut-être n'avait-il pas envie que Cerise devienne son égérie, pour une raison ou pour une autre. Les filles avaient un mobile pour se débarrasser d'une rivale, certes – mais lui aussi pouvait souhaiter que quelqu'un d'autre soit choisi. Cette agence de mannequins, c'était sa vie. Et puis, il m'avait quand même offert son aide avec une spontanéité surprenante.

Je restai donc évasif en attendant qu'il prenne congé. Il finit par lever les bras au ciel et retourna saluer ses invités. S'il n'était pas impliqué, il allait me trouver grossier, mais je n'étais plus à ça près. Il nous restait une cartouche à jouer, mais nous devions agir vite. J'attendis d'être sûr que personne ne puisse nous entendre, puis incitai mes amis à se pencher vers moi.

– Bon. Moussah, j'ai une grosse info pour toi, concernant Cerise, mais le temps presse. Alors je te propose qu'on sorte d'ici et qu'on file, je te raconterai en chemin.

– Euh, je veux bien, mais qu'on file par où ? Et c'est quoi cette info ?

Je refusai de répondre, me dirigeant d'un pas ferme vers la sortie. Tout le monde était encore là, réunis en petits groupes pour commenter les résultats. Dans un coin, je vis Aurélie assaillie par les photographes. On pouvait à peine deviner ses cheveux au milieu de la cohue. Ses parents patientaient à côté – le père avec le visage blasé d'un homme qui en avait trop vu, la mère avec une expression de joie obscène.

Parfait.

Personne ne nous regarda partir. Il était vingt-trois heures, et la nuit était tombée. Les lampadaires et les éclairages des magasins donnaient à la rue un aspect brumeux. Je respirai une fois, deux fois, ce bon air parisien pollué de frais.

Nous arrivions à l'escalier du métro lorsque Moussah s'empara de mon bras. Je grimaçai de douleur – c'était celui que l'autre fou m'avait tordu récemment.

— Hey, Fitz ! Tu sais que je te fais confiance, mais faudrait un peu m'expliquer ce qui se passe. Tu me dis que tu as une info sur Cerise, ça serait bien de me la donner. Et pourquoi t'as attendu la fin de la cérémonie pour ça, tu aurais pas pu me le dire plus tôt ? Tu te rends compte dans quel état je suis à cause de cette fille ?

— Mouss, tu peux me lâcher s'il te plaît ?

Il me regarda, et je ne baissai pas le regard. Finalement, marmonnant une excuse, il finit par abandonner sa prise. Je me frottai le bras.

— Merci. Ok, je t'explique, mais on continue à avancer. Je te dis, le timing va être serré.

— Mais quel timing, bordel ?

Déborah avait déjà compris. Je le voyais à sa mine inquiète, à la manière dont elle rentrait la tête dans les épaules. Je lui fis un clin d'œil d'encouragement avant de me tourner vers Moussah. Nous continuions à marcher dans la bonne direction, et c'était tout ce qui comptait.

— On va chez Aurélie, expliquai-je enfin.

Il freina net.

— Hein ?

— Avance, Moussah, putain !

Je ne m'étais pas arrêté, et il lui fallut quelques enjambées pour me rattraper. Il avait les sourcils froncés, partagé entre colère et incompréhension.

— Attends, qu'est-ce qu'on va faire chez Aurélie ? J'ai rien à lui dire à cette fille.

— Ça tombe bien, elle ne sera pas là. Tu n'as pas vu qu'elle était retenue par tous les photographes, les sponsors, les admirateurs ? Et sa famille se trouvait là, aussi.

— Autant dire qu'il n'y a personne chez elle, compléta Déborah d'une voix monocorde.

— Ouais, prenez-moi pour un con. Tout ça, j'avais bien compris, mais qu'est-ce qu'on va faire chez elle ? Pourquoi chez elle ?

Je lui expliquai rapidement ce que m'avait dit le hacker, en ne mentant que sur le moment où j'avais eu l'information. Pour ne pas provoquer de discussion houleuse, je prétextai n'avoir été contacté qu'une heure avant le show.

J'avais bien fait de nous éloigner de la salle du concours. En entendant qu'Aurélie était la coupable, ses épaules se contractèrent comme celles d'un taureau prêt à charger.

— Putain, c'est cette salope qui a fait le coup ? Je le savais, Fitz, bordel, je le savais, rappelle-toi, je te l'ai dit depuis le début ! Attends, on va avoir une petite discussion, elle et moi, et je te garantis qu'elle me dira où est Cerise. Clair et net.

— Bien sûr, je vais te laisser la torturer, quelle bonne idée !

— T'en as une meilleure ?

— À ton avis, pourquoi est-ce qu'on va chez elle ?

Il hésita un instant ; ses poings s'ouvraient et se refermaient dans le vide. Mais je continuais à avancer, et il finit par m'emboîter le pas.

Arrivés à Charles-de-Gaulle-Étoile, nous n'eûmes pas longtemps à attendre pour qu'une rame arrive.

À cette heure-ci, un samedi soir, la ligne 1 était bondée. Impossible d'aborder le moindre sujet délicat tandis que le métro nous emportait jusqu'à Reuilly-Diderot. Les yeux sombres de Moussah ne quittèrent pas les miens durant tout le trajet.

Ce ne fut qu'une fois sortis, hors de portée d'oreilles complaisantes, que je leur expliquai mon plan.

L'idée d'aller voir chez Aurélie me trottait dans la tête depuis que je la soupçonnais. Pour l'instant, nous n'avions pas de preuves, uniquement la parole d'un hacker douteux. Sur place, nous pourrions peut-être trouver des indices, de quoi être crédibles si nous décidions de prévenir la police.

Seulement, pour réussir à s'introduire chez elle, il fallait trouver un moment où personne ne serait à la maison. Nous aurions pu profiter de la cérémonie, mais ça me paraissait dangereux : si elle n'avait pas gagné, elle aurait pu décider de rentrer directement. Maintenant qu'elle avait remporté le concours, je savais qu'elle était immobilisée pour au moins deux heures. Largement de quoi voir venir.

— Ok, ok, c'est bien beau tout ça, mais je ne me déplace pas toujours avec une radio de mes poumons. Comment tu comptes t'introduire dans leur appart ? En plus, on ne peut pas espérer à chaque fois que les mecs laissent la porte juste claquée. Si elle vivait seule, je veux bien, mais à mon avis ses parents tournent le verrou.

— Suffira de le tourner nous aussi.

Et je produisis une clé sous leurs yeux émerveillés. Du moins espérais-je qu'ils étaient impressionnés, parce que la récupérer m'avait coûté des sueurs froides.

La dernière fois qu'Aurélie était venue chez moi, j'avais profité d'un de ses passages sous la douche – sans moi – pour prendre l'empreinte de sa clé dans de la pâte FIMO. Je m'y connaissais moins que Moussah en serrurerie, mais j'avais vu plus de films d'espionnage. Lorsqu'elle était sortie avec sa serviette autour des reins, elle m'avait souri avec tellement de candeur que je m'étais senti coupable. Aujourd'hui, je ne regrettais pas ces quelques minutes de mauvaise conscience.

Un serrurier du Triangle d'or m'avait fait une reproduction en une journée. Dans ces endroits-là, on ne posait pas de questions, on se contentait d'empocher les billets.

J'étais plutôt content de moi, mais Déborah ne semblait pas du même avis.

— Ça va trop loin, là, je sais pas si je peux vous suivre. Ok, on s'est introduits dans l'appartement de Cerise, mais c'était parce qu'on n'avait pas de nouvelles, qu'on était inquiets. Là, si on se fait choper, on dit quoi ? C'est ni plus ni moins qu'une violation de domicile. Je veux pas finir ma vie en taule, moi. En tout cas, pas avant d'avoir trouvé l'amour.

— Personne ne finira en taule, Deb.

— Personne, sauf Aurélie, grogna Moussah. Sérieux, j'y crois toujours pas. J'espère vraiment qu'on pourra découvrir ce qui est arrivé à Cerise et qu'on va la retrouver en bonne santé. Sinon, quand j'en aurai fini avec Aurélie, je t'assure qu'elle ne passera plus jamais de concours de mannequin.

— On ne frappe pas les femmes, fût-ce avec une rose.

— C'est toi le fût-ce.

Déborah ne semblait toujours pas convaincue ; elle traînait des pieds, les yeux dans le vague. Maintenant que Mouss me suivait, je me tournai vers elle.

— Tu sais, si tu ne veux pas venir, personne ne t'y oblige. Tu as raison, il y a pas mal de risques, et je ne pense pas que Jessica pourra m'aider cette fois si ça tourne mal. Alors, si tu préfères être en dehors du coup…

La jeune femme me regarda. Je sentais son indécision. Je ne savais pas quel choix me soulagerait le plus. Dans un sens, je me sentirais moins coupable si elle abandonnait – mais dans un autre, sa présence me rassurait. C'était souvent la plus rationnelle de nous trois, lorsqu'elle n'était pas en pleine descente.

— Bon, allons-y, finit-elle par marmonner. On ne pourra pas dire que je ne vous ai pas prévenus. Après tout, entre ça ou se ruiner la santé, c'est une autre forme d'autodestruction.

— Voilà, *that's my girl !* sourit Moussah. Tu vas voir, on sera rentrés et ressortis de l'appart en un rien de temps.

J'en étais moins sûr, mais je gardais mes doutes pour moi. Ce n'était pas la peine de les déprimer encore plus. De toute façon, si l'on ne trouvait pas d'informations, nous arrêterions les frais.

J'avais l'impression de beaucoup répéter cette phrase, ces derniers temps.

Je retrouvai le chemin que j'avais déjà emprunté, le hall de l'immeuble, l'ascenseur, le couloir. La porte marquée *Dupin* me semblait plus épaisse que dans mon souvenir, plus inquiétante aussi.

Nous n'avions croisé personne, mais ce n'était pas étonnant, à cette heure de la nuit. J'essuyai mes mains moites sur mon jean.

— Ok, les enfants. C'est maintenant que ça se complique. S'ils ont une alarme, on est dans la merde. S'ils ont un chien, on est dans la merde – je n'en ai pas vu quand je suis venu, mais ça ne veut rien dire, ses parents n'étaient pas là. Et si on se fait choper... putain, je n'ai même pas envie d'imaginer cette hypothèse.

— C'est réjouissant, ce que tu nous racontes là, white trash.

Même le *white trash* de Moussah ne sonnait pas joyeux. Il regardait la serrure, et je le sentais hésiter. Pendant une seconde, je caressai le fol espoir qu'il laisse tomber toute cette histoire et que nous puissions ressortir de là sans problème.

Mais non. Le réalisme ne passerait pas par nous.

— On y va, murmura-t-il.

Il était temps de voir si ma clé allait tenir le choc. J'avais beau avoir pris toutes les précautions pour faire mon moulage, mon expérience avec la pâte à modeler remontait à d'embarrassantes tentatives pour fabriquer des poteries *Playschool* lorsque j'avais quatre ans.

Là encore, un mauvais travail du serrurier aurait pu nous sauver la mise – mais non. Dans de tels moments, tout fonctionnait parfaitement, exprès pour nous compliquer la vie. La clé rentra sans même frotter, et elle tourna dans le barillet sans une hésitation. Il n'y avait pas d'autre verrou : la porte s'ouvrit sans un bruit.

Nous entrâmes dans le couloir à la queue leu leu et je refermai derrière moi. J'hésitai à allumer la lumière, puis finis par appuyer sur l'interrupteur : il n'y avait pas de fenêtres ici, on ne verrait rien de la rue – et puis, quitte à chercher des indices, autant le faire dans les meilleures conditions.

— C'est toi qui connais l'appart, tu nous guides, me murmura Déborah à l'oreille.

Je sentis sa main se refermer sur mon bras, et je trouvais ça mignon. Puis je sentis les doigts de Moussah sur mon autre bras, et ça me toucha un peu moins.

Tout était comme dans mes souvenirs : le salon meublé avec goût, les décorations sportives du père, les trophées de mannequin de la mère, les tableaux au mur.

— Si on était vraiment en train de faire un casse, on pourrait devenir riches, murmurai-je.

— Et après, c'est moi qui ai le crime dans la peau, ironisa Moussah.

Je ne répondis rien, trop occupé à retrouver le chemin vers la chambre d'Aurélie. Ça pouvait sembler facile dit comme ça, mais je n'étais venu ici qu'une fois, et l'appartement faisait trois cents mètres carrés ! Par deux fois, je fus obligé de revenir sur mes pas, confronté à la dure réalité d'un petit bureau ou d'une salle de jeux.

— Ils ont un sauna dans leur appart. Ces gens sont malades...

— Ou juste riches...

— Ou malades.

Finalement, je reconnus la porte de la chambre. Derrière se trouvaient les mêmes peluches qu'avant, amoncelées sur le sofa. La robe de couturier n'avait pas bougé non plus. Le dressing était entrouvert, et de nombreux vêtements gisaient sur le lit. Un ordinateur trônait dans un coin, et je fis signe à Moussah :

— C'est celui de Cerise ?

Il s'approcha, plissa les yeux, puis secoua la tête, l'air déçu.

— Non. Enfin, je pense pas. Je suis pas sûr à cent pour cent, c'est pas comme si j'avais vraiment fait attention à son ordi, mais je crois que c'est pas la même tour.

— Et puis, ça ne serait pas très malin de mettre un truc comme ça juste au milieu de sa chambre. Si elle l'a vraiment volé chez Cerise, elle a dû le planquer.

Déborah, la voix de la raison. Pourtant, j'aurais rêvé que notre enquête se termine aussi facilement, sans coup férir. Nous ouvririons un placard, et nous l'y trouverions pieds et poings liés. Nous la détacherions avant de partir en sifflotant vers le soleil couchant, non sans oublier de coffrer l'affreuse Cruella avec qui j'avais eu le mauvais goût de coucher.

Pris d'un soudain accès de superstition, j'ouvris le placard auquel j'avais pensé – mais non, pas de captive, juste des vêtements qui bruissaient dans la pénombre.

— Bon, qu'est-ce qu'on cherche, exactement ?

— Aucune idée. Des documents, des infos, une correspondance, des mails, des objets qui appartiennent à Cerise... n'importe quoi.

Déborah s'approcha de l'ordinateur.

— Si on trouve quelque chose, ce sera là-dedans. Je me demande même si on ne devrait pas le prendre sous le bras et s'enfuir avec.

— Et mettre Aurélie au courant que quelqu'un est entré chez elle ? Non merci ! Si c'est elle qui a enlevé Cerise, je n'ai pas envie qu'elle prenne des mesures extrêmes en se sachant traquée.

— Comment est-ce que tu peux encore dire « si c'est elle » ? Bien sûr que c'est elle, c'est le hacker qui te l'a dit.

— Ouais, enfin, je ne sais pas si je peux lui faire confiance à cent pour cent, je ne le connais pas, après tout.

— Quelle raison il aurait eu de te mentir ?

Je n'en voyais aucune, mais tout de même. Quelque chose ne tournait pas rond dans cette histoire, et je ne parvenais pas à mettre le doigt dessus. Je relevai les yeux, observai une photo d'Aurélie à six ans dans un concours de mini-miss. Je ne savais même pas que c'était légal en France.

Je me penchai en avant, regardai la légende : *Aurélie Dupin, 2e dauphine, concours de Minimiss du Missouri, 1993.*

J'avais donc raison, il n'y avait pas de tels concours chez nous, il avait fallu partir aux États-Unis pour en trouver. Décidément, Aurélie était prédestinée.

Pendant que mes amis continuaient à fouiller, j'observai les autres souvenirs de la jeune femme. Aurélie à sept ans, dans le Colorado. Aurélie à huit ans, dans le Kentucky. Et puis le retour en France, une longue période d'abstinence, puis : Aurélie à treize ans, en Savoie.

Je soulevai la photo, cherchant à retrouver sous les traits de l'adolescente celle qu'elle allait devenir plus tard. Ce fut à ce moment que mon portable sonna. Nathan.

— Allô ?

— Fitz ? Dis donc, je te cherche partout. Ça te dirait de prendre un verre, je connais un bar sympa dans le coin. Tu pourrais me raconter ton histoire. Parce que là, j'ai quand même l'impression que tu m'as bien laissé en plan.

Je fronçai les sourcils.

— Mais tu n'es pas avec tes candidates, les photographes, tout ça ?

— Non, ça s'est fini très rapidement. Tu n'as pas vu la scène qu'il y a eu ? Émilie a sauté à la gorge d'Aurélie, elles se sont battues comme des chiffonniers. Si *seulement* j'avais eu de la boue, ça aurait fait la vidéo de l'année, ça aurait détrôné le bébé qui se fait mordre le doigt par son frère. Ma chérie, on aurait été les rois de YouTube. Comment tu as fait pour rater ça, tu étais déjà parti ?

Déborah me regardait avec inquiétude alors que je pâlissais à vue d'œil.

— Tu es en train de me dire que la soirée est déjà finie ? Qu'Aurélie est déjà repartie ?

— Bien sûr, elle avait une de ces griffures sur le visage, ma pauvre, que même Photoshop ne pourrait rien pour elle. Ça fait une demi-heure qu'elle est partie avec ses parents. Des gens adorables d'ailleurs, ils avaient déjà oublié leur bonheur de voir leur fille couronnée, ils ne parlaient que de procès envers Émilie. Sincèrement, je ne sais pas ce qui lui est passé par la tête, mais elle est folle, cette fille.

Je n'entendis pas la suite, j'avais déjà raccroché.

— Il faut qu'on file d'ici. Tout de suite !

Moussah mâchouilla un cigare imaginaire.

— J'aime quand un plan se déroule sans accroc.

— Putain, qu'est-ce que tu ne comprends pas dans *tout de suite* ?

Je n'eus pas le temps d'en dire plus. À l'autre bout de l'appartement, la porte d'entrée s'ouvrait.

19

Bon. Réfléchissons et ne paniquons pas.

Ou alors réfléchissons, et paniquons.

Comme d'habitude, mon plan sans failles se révélait en avoir une. Mais comment aurais-je pu prévoir qu'Aurélie et ses concurrentes allaient se crêper le chignon ? Il fallait avouer que c'était un manque de chance flagrant ; moi qui avais toujours compté sur ma bonne étoile, je commençais à la trouver plutôt inconstante.

Malgré nos tours et détours dans l'appartement, je n'avais pas une idée très précise de l'agencement des lieux. Ce qui paraissait évident, c'était qu'il fallait passer par le salon pour rejoindre la porte d'entrée. Difficile d'organiser une fuite discrète dans ces conditions.

Moussah s'approcha de la fenêtre, écarta les persiennes et regarda en bas. Je ne sais pas à quoi il pensait, mais il secoua la tête d'un air déçu. De toute façon, même si ça avait été possible, je ne me voyais pas enjamber la balustrade et passer par les toits. Il y avait des limites à ce qu'on pouvait exiger comme exercice physique de la part d'un clubbeur, fumeur de surcroît. Sans parler de Déborah qui portait des talons – évidemment, elle s'était mise sur son trente et un pour la cérémonie.

— Qu'est-ce qu'on fait, maintenant ? T'as une autre idée brillante ? siffla-t-elle.

Je restai muet devant tant d'injustice. C'était moi qui les avais emmenés ici, certes, mais ils n'avaient pas traîné les pieds non plus – enfin, pas vraiment. Je sentais ma tension monter, l'adrénaline dans mes veines, mon cœur qui battait plus vite. J'avais beau réfléchir, je ne voyais aucune issue. L'image d'une cellule de prison grise et vide se superposa avec le mur d'en face. J'avais suffisamment vu d'épisodes de la série *Oz*, voici quelques années, pour me soucier de mon intégrité prostatique si jamais je finissais derrière des barreaux.

— On n'a pas le choix, on pare au plus pressé : on se planque !

Déborah me regarda comme si j'étais intellectuellement limité, mais je ne lui laissai pas le temps de répondre et me jetai sous le lit. Les bruits de conversation dans le couloir se rapprochaient.

Le nez contre le plancher, je constatai une grande vérité sur le ménage : personne n'aspire jamais sous son lit. Des moutons de poussière accumulés depuis des générations me chatouillaient le nez et me donnaient envie d'éternuer. Il y avait devant moi une canette de coca abandonnée, un soutien-gorge délaissé et des caisses transparentes qui avaient l'air de contenir des chaussures en vrac.

Je terminai cette inspection machinale lorsque Déborah se glissa contre moi, râlant et pestant à voix basse. Son corps se pressa contre le mien, m'obligeant à me traîner sur un coude pour lui faire de la place.

— Qu'est-ce que tu me fais pas faire, Fitz, sérieux...

Je croisai son regard, et fut surpris d'y voir une étincelle d'amusement. D'amusement ! Malgré ses paroles inquiètes et le stress qu'elle devait ressentir, Deb prenait tout ça comme un jeu ? Il allait falloir que je me mette à la coke, ça donnait des résultats plutôt impressionnants.

— Et Moussah ?

Elle haussa les épaules. Il n'y avait pas la place ici pour mon ami, et il le savait pertinemment. J'entendis le bruit sourd d'une porte d'armoire, et le froufrou de robes qu'on déplaçait.

— L'amant dans le placard, sérieux, on tombe dans les pires clichés...

— Chttt !

Ainsi allongé à même le sol, à entendre Moussah pester à voix basse contre les cintres emmêlés, je ne pus m'empêcher de sourire bêtement. Moi aussi, je commençais à voir le ridicule de la situation. Loi de Murphy, aussi nommée Loi de l'Emmerdement Maximal. Difficile d'imaginer comment les choses pouvaient se compliquer encore plus, mais j'avais confiance.

Déborah se pencha pour me souffler quelque chose mais je plaquai ma main contre sa bouche : les rumeurs de conversation se rapprochaient. Je n'avais pas vraiment l'espoir de passer inaperçu et de sortir d'ici indemne, mais autant ne pas compliquer les choses.

On entendait bien la voix d'Aurélie, et celle de sa mère. Après vingt minutes de taxi, la tension n'était toujours pas retombée – mais c'était la mère qui se montrait la plus vindicative.

— ...pute ! Mais vraiment, elle est complètement tarée ! Je ne comprends pas pourquoi tu ne voulais pas passer au commissariat tout de suite. Demain, on verra déjà moins les marques.

— Maman, si on les voit moins demain, c'est que ça n'est pas grave. Tu sais, j'ai gagné ce concours, je suis désormais l'égérie de l'agence Podium, alors on pourrait passer à autre chose ?

— Autre chose ? Tu es folle, ma fille, aussi folle que cette Émilie ! Tu ne vas quand même pas laisser passer ça ?

Le bruit de la porte de la chambre qu'on ouvrait. Je vis une paire de Louboutin passer dans mon champ de vision, puis disparaître aussitôt alors que leur propriétaire se déchaussait.

— Et pourquoi pas, maman ? Après tout, je peux me montrer magnanime, maintenant, non ? Le mannequinat, c'est une question de communication. Autant donner l'image d'une fille au-delà des querelles de clocher.

Elle parlait bien, pour un top model. Mais la mère ne se laissait pas convaincre si facilement.

— On était là, on a filmé la scène avec notre téléphone, on a des preuves. Tu te rends compte, elle aurait pu t'abîmer le visage !

Je sentis le lit vibrer ; Aurélie venait de s'y asseoir.

— Et alors ? Parfois, j'ai l'impression que ma vie serait plus normale si je n'avais pas cette tête-là. On me prendrait peut-être plus au sérieux si j'étais défigurée.

— Oh, pauvre petite fille riche, belle et jeune. Bou-hou. Tu veux que j'aille chercher un couteau, que je fasse le travail moi-même ?

— Ben vas-y ! Qu'est-ce que tu veux que je te dise ? Ou alors enferme-toi dans ta chambre et écoute *Cendrillon* en boucle, ça te fera du bien.

Ah, que j'aimais les relations de famille équilibrées. Je rentrai la tête dans les épaules lorsque la porte claqua. Aurélie resta seule.

Déborah remuait à côté de moi. Je me tournai vers elle. Mimant la scène sans dire un mot, elle me demandait si c'était le moment de sortir, mais je lui fis signe que non. Je n'avais aucune idée de la réaction d'Aurélie devant mon apparition subite – même en supposant que nous puissions la neutraliser, je ne voulais pas rajouter un délit de plus à la longue liste de nos infractions.

Il était minuit et demi. Même si la mère ne revenait pas avec un croc de boucher en main – je n'excluais désormais plus aucune hypothèse –, je doutais fort que la mannequin n'éteigne la lumière rapidement. Après une soirée aussi riche en émotions, toute personne normalement constituée allait sans doute appeler des amis (au moins les couche-tard), mettre à jour son statut Facebook, raconter la finale sur Twitter, *liker* les pages de l'agence de mannequins, regarder de nouveau la vidéo de la soirée si elle était déjà en ligne, parcourir les blogs fashion pour voir si on faisait allusion à elle, poster sur Instagram une photo de ses blessures de guerre…

Elle n'était pas couchée, et nous non plus.

Comme d'habitude lorsqu'il s'agissait d'événements désagréables, mes prédictions se révélèrent exactes. Aurélie commença par se caler confortablement sur son lit, enfonçant le matelas contre notre visage, puis appela l'une de ses amies. Je tendis l'oreille en espérant tomber sur des allusions à Cerise – après tout, c'est pour ça que nous étions là – mais non, rien de rien. Elle poussa quelques cris de joie, raconta de bout en bout sa soirée, fit une allusion rapide à Émilie :

— Et attends, tu sais pas ce qui m'est arrivé ? À la fin ? Une des candidates, une blondasse sans saveur, genre glace Miko sans le bâton, qui me saute dessus ?… Non mais si, elle m'a *vraiment* sauté dessus, genre à la gorge ! Je te jure, j'ai les marques !… C'était juste pas croyable ! Ouais, bien sûr, je posterai la photo…

Elle raccrocha, appela une autre amie, lui fit le même compte rendu. Puis elle pianota quelques textos. Je commençais à sentir une crampe me remonter le long de la cuisse, et la poussière continuait à me piquer les narines. Il n'y aurait rien de plus cliché que d'éternuer maintenant.

Dans le reste de l'appartement, les bruits cessèrent peu à peu. J'avais beau tendre l'oreille, je n'entendais plus les voix étouffées des parents dans le salon, les tasses de porcelaine qui s'entrechoquaient, ou le fond sonore de BFM TV. Je remuai mes doigts pour les dégourdir. À côté de moi, Déborah avait fermé les yeux et respirait lentement.

Je me demandai un instant si elle ne s'était pas endormie, puis ses paupières s'entrouvrirent et elle me fixa de son regard de chat. Je lui souris, à défaut d'autre chose, et elle esquissa une grimace en retour.

J'imaginais le calvaire de Moussah dans son placard. Je l'avais ouverte, cette porte, lorsque nous fouillions la chambre, et j'avais pu juger de la place dont il disposait maintenant. Alors que nous étions allongés de manière à peu près confortable, lui devait se tenir debout les bras le long du corps, sous peine de faire tomber tringle et cintres. Combien de temps allait-il pouvoir tenir ainsi ?

Aurélie continuait à prendre son temps. Je l'entendais chantonner des mélodies différentes, et j'imaginai qu'elle avait mis des écouteurs.

Hey, I just met you, and this is crazy, so here's my number, so call me maybe.

Carly Rae Japsen. Je grimaçai. L'aiguille de ma montre refusait d'avancer. Il n'était que une heure et demie ? J'avais l'impression d'être là depuis une ou deux éternités.

– Elle fait chier, quand même, ta copine, finit par me murmurer Déborah à l'oreille.

Je n'eus pas le cœur de la réprimander pour ce bruit intempestif. Au point où j'en étais, j'aurais accueilli notre découverte avec soulagement – ça m'aurait au moins permis de sortir de cette cachette exiguë et de m'étirer un peu.

Enfin, vers deux heures du matin, le lit remua de nouveau, et les pieds d'Aurélie réapparurent dans mon champ de vision. Ses vêtements tombèrent au sol les uns après les autres. Même si je ne pouvais rien apercevoir dans ma position, je me sentais comme le pire des voyeurs. Une part de mon esprit me soufflait encore que tout ceci n'était qu'un énorme malentendu, qu'Aurélie n'était pas coupable, que j'étais un beau salaud ; le reste de mon cerveau tentait de se remémorer si le placard de Moussah possédait des trous qui lui permettraient d'observer la scène.

En parlant de Mouss, il fallait espérer qu'Aurélie ne range pas ses habits ce soir. Si jamais elle ouvrait la porte…

Les pieds disparurent et le lit grinça, puis la lumière s'éteignit. La pénombre s'abattit sur moi, rendue encore plus épaisse par la sensation d'écrasement que je ressentais. Je n'avais jamais été claustrophobe, mais je n'appréciais pas ma situation pour autant. Le nez au ras du sol, incapable de voir ne fût-ce que ma main, je commençai à sentir la panique monter en moi. J'avais l'impression que ma respiration était bruyante, sifflante, qu'Aurélie allait l'entendre d'une seconde à l'autre et regarderait sous son lit – avant de hurler à la lune et d'appeler la police.

Je bloquai mon souffle, tendis l'oreille pour entendre celui de Déborah, mais le sang qui battait à mes tempes noyait tous les autres sons. Au bout d'un moment, je dus bien me remplir les poumons de nouveau et manquai m'étouffer. Je retins à grand peine une toux sèche.

Une minute. Deux. Peut-être cinq ? Maintenant qu'on n'y voyait plus rien, je ne pouvais plus savoir l'heure qu'il était. Les montres de marque n'avaient pas le même bouton *lumière* que la Casio à dix euros que je portais au collège. De toute façon, je n'aurais jamais pris le risque de me faire repérer ainsi.

Je n'y tenais plus, il fallait que je bouge. Doucement, je ramenai mon genou vers moi, guettant le moindre bruit suspect. Le soulagement fut instantané alors que je me massai la cuisse. Lorsque James Bond enquêtait, il ne se mettait jamais dans ce genre de situation, lui.

Nous attendîmes encore, espérant qu'Aurélie ait le sommeil lourd. Moi qui ne l'avais jamais vue dormir, je le regrettais aujourd'hui. Je ne savais pas si elle ronflait, si elle remuait, si elle parlait. Autant d'indices qui auraient pu m'indiquer quand bouger.

Puis le coude de Déborah vint me fouailler les côtes ; le temps était venu. C'était dangereux, bien sûr, mais nous n'avions pas de meilleur moment pour sortir d'ici. Je cherchai à déglutir, sentis ma bouche sèche, m'humectai les lèvres avec difficulté. J'enlevai mes chaussures et les pris dans ma main droite.

Go !

Je tâtonnai du côté de Déborah, rencontrai une épaule, son omoplate, puis son bras et sa main. Je la saisis alors que je glissai sur le côté en tentant de me fondre dans le décor.

Mes yeux s'étaient habitués à l'obscurité. Moi qui comptais sur le noir d'encre du début, je commençais à discerner la forme de la commode ou de la fenêtre. Merde. Ça voulait dire qu'Aurélie ne serait pas aveugle non plus, si jamais elle se réveillait. Il fallait agir encore plus vite que je le pensais.

Le parquet n'était pas notre allié. Moi qui l'aimais tellement en décoration, le trouvais si fashion dans les appartements haussmanniens, maudissais aujourd'hui les craquements du vieux bois. Je m'interrompis la première fois, me figeai la seconde, puis finis par ne plus y prêter attention. De toute façon, je ne pouvais rien y faire.

Deb émergea à mes côtés, et nous nous dirigeâmes vers le placard de Moussah. Ça allait être avec lui que tout se compliquerait. Je n'osais imaginer comment il pourrait s'extraire de sa cachette. Je touchai les contours du meuble, cherchant la poignée dans la pénombre, puis ouvris la porte.

La robe de soirée qui se trouvait accrochée au cintre se relâcha, accompagnée dans sa chute par Moussah qui ne s'attendait pas à ce qu'on le libère de manière aussi cavalière. Je me retrouvai cul par-dessus tête sur le sol, mon ami étalé sur moi de tout son poids. Il m'avait un jour annoncé fièrement qu'il avait dépassé les cent dix kilos de muscles. Je pouvais le croire, incapable que j'étais de me relever. Déborah avait réussi à sauter de côté – des années d'enseignement en ZEP lui avaient donné des réflexes à toute épreuve.

En termes de dégâts, nous étions tous les trois sains et saufs – même si j'avais du mal à respirer, avec des biceps imprimés dans mon sternum.

En termes de discrétion, c'était raté.

Moussah s'était à peine relevé que la lumière s'allumait brutalement. Je portai la main à mon visage, momentanément aveugle.

Lorsque je recouvrai la vue, ce fut pour apercevoir Aurélie assise dans son lit, les yeux écarquillés, la bouche ouverte comme pour crier. Je cherchai désespérément quelque chose à dire, une plaisanterie pour détendre l'atmosphère, mais mon cerveau tournait à vide.

Elle emplit ses poumons, elle allait hurler, quand Moussah se jeta sur elle et lui plaqua sa grosse main contre la bouche.

Pour réussir dans le mannequinat, Aurélie subissait de nombreuses heures de sport hebdomadaires. J'étais bien placé pour la savoir en forme physiquement, souple, mince, nerveuse, musclée.

Rien de tout cela ne servit face à l'épaisseur des bras du videur. Elle se contorsionna quelques secondes, rua une ou deux fois, puis abandonna et se contenta de nous regarder avec des yeux haineux. Je devais lui reconnaître une sacrée maîtrise de soi.

Moussah se tourna vers moi. Il souriait, l'abruti.

– Quand je bossais au *Purple*, je devais mater des junkies en mal de dose qui voulaient me planter avec un cutter rouillé. Qu'est-ce qu'elle croyait, franchement, avec ses cinquante kilos toute mouillée ?

Puis il redevint sérieux.

– En tout cas, heureusement que l'attente n'a pas duré plus longtemps. Je sentais plus mes bras. La prochaine fois, tu te tapes le placard et moi le lit avec Deb, ok ?

Ladite Deb regardait la scène avec l'air incrédule du maître d'un jeune chiot qui constate les dégâts en rentrant du travail.

– Et qu'est-ce qu'on fait, maintenant ?

C'était, bien sûr, la question à mille euros.

20

Dans un appartement de trois cents mètres carrés, les chambres sont assez éloignées pour qu'une bagarre dans l'une des pièces ne réveille pas les occupants de l'autre. Malgré le chaos de cintres au sortir de la penderie, malgré la chute de Moussah sur le sol, malgré les tentatives d'Aurélie pour se libérer, la maison restait calme et silencieuse. Je collai mon oreille à la porte l'espace de quelques battements de cœur pour le confirmer : pas un bruit.

Je me passai la main dans les cheveux, cherchant à me raccrocher à une idée, n'importe laquelle. Finalement, je m'assis sur le lit près de la jeune femme et la regardai droit dans les yeux. Il n'y avait plus trace de l'amusement que j'y avais souvent vu, seulement de la colère, de l'incompréhension, peut-être même de la peur. Je pouvais la comprendre : ce n'était pas tous les jours que vous vous retrouviez agressée dans votre chambre par un commando aussi improbable que le nôtre. Savait-elle pourquoi nous nous trouvions là ? Comme les plans les plus simples sont ceux qui ont le plus de chance de marcher, je lui posai la question.

— Tu sais pourquoi nous sommes là ?

Elle se tordit contre la poigne de Moussah, marmonna quelque chose derrière les doigts épais. Je haussai un sourcil dans la direction de mon ami, et il se pencha pour lui murmurer à l'oreille.

— Je vais desserrer ma prise. Tu tentes de crier, tu te débats, tu fais un geste de travers, et ça va mal se passer. Alors n'essaie pas, d'accord ? On n'est pas des méchants, nous.

Je n'avais jamais vu le videur en action. Ses exploits devant les portes des clubs m'avaient toujours été rapportés à travers deux ou trois témoins, si bien que je n'y avais guère accordé de crédit. Mais à l'observer ainsi, les babines retroussées sur un rictus cruel, j'étais content qu'il fût de mon côté. Son discours ressemblait bien trop à celui de l'amoureux de Bambi que j'avais croisé rue de Berri.

Aurélie devait être parvenue à la même conclusion, car la lueur de défi s'éteignit dans son regard. Elle hocha la tête, et il enleva sa main. Doucement. Je pouvais sentir la nervosité de Moussah, ses muscles tendus alors qu'il observait la jeune fille, mais elle ne chercha pas à crier. Elle se tourna vers lui autant que sa position le lui permettait.

— Tu crois que tu peux me lâcher aussi les mains ou c'est trop te demander ? Ce n'est pas comme si je faisais le poids face à toi, de toute façon.

— On verra ça plus tard, ma belle. En attendant, on a quelques questions à te poser.

— Oui, comme : *tu sais pourquoi nous sommes là ?* répétai-je, dans l'espoir de reprendre le contrôle de la situation.

Son regard se posa sur moi et un sourire flotta sur ses lèvres. Dans sa situation, je trouvai ça courageux.

— Pas vraiment, non. Je croyais que tu serais là pour me féliciter après le concours, mais je n'imaginais pas que tu irais jusqu'à venir chez moi. D'ailleurs (elle fronça les sourcils), depuis combien de temps est-ce que vous êtes dans ma chambre ?

Je tapai du poing sur le lit.

— C'est moi qui pose les questions, ici ! Tu sais pourquoi nous sommes là ?

J'avais vu faire ça dans les films policiers ; elle ne se troubla pas pour autant. Je la vis gigoter un peu, essayer de se dégager un bras, mais Moussah tenait bon. Elle finit par abandonner, la tête posée contre le mur.

— Ben je t'ai répondu : *pas vraiment, non.* Tu sais que ça ne se fait pas, Fitz, de débarquer chez les gens à l'improviste comme ça ? À la limite, si tu avais été seul, j'aurais pu trouver ça romantique... et encore, non, j'aurais trouvé ça super flippant. D'ailleurs, comment tu as fait pour entrer ? Tu as crocheté la serrure ? Il y a beaucoup de choses que je ne sais pas sur toi, on dirait.

— Comme ça on est quittes. Je crois qu'il y a beaucoup de choses que je ne sais pas sur toi, non plus. Tu n'as pas été très franche, ces derniers temps.

Elle eut un rire moqueur.

— Qu'est-ce qu'il se passe, Fitz ? Tu es jaloux des mecs que je *poke* sur Facebook, c'est ça ?

— Ce n'est pas de ça dont je parle, et tu le sais très bien.

— Mais non, je ne sais rien du tout, je ne comprends rien du tout, et ton pote me fait mal aux bras, et tu commences à m'emmerder avec tes conneries ! J'ai toujours bien aimé les bad boys, mais t'es pas un bad boy, t'es juste un cas social ! Alors barre-toi de là avec tes potes, si tu te débrouilles bien mes parents n'entendront rien, et je peux envisager de ne pas te balancer à la police. Mais si tu t'entêtes…

— Et c'est toi qui parles de police…, grogna Moussah derrière elle.

Déborah était restée silencieuse durant tout cet échange. Elle s'accroupit près de la jeune fille, un sourire avenant aux lèvres. Le duo bon flic/méchant flic, ça marchait toujours.

— Aurélie, je comprends que tu aies peur de nous, je comprends que tu sois perturbée de nous voir dans ta chambre, mais nous avons des raisons. Ce n'est plus la peine de jouer la comédie. Nous savons que c'est toi qui a enlevé Cerise.

— Hein ?

Si je n'étais pas aussi sûr de moi, j'aurais pris son expression pour de la stupéfaction – comme si elle s'attendait à tout, sauf à ça. Puis je me rappelai son CV. Comme beaucoup de mannequins, elle avait aussi pris des leçons de théâtre, tourné dans des courts métrages. Cette image de dignité outragée était fabriquée de toutes pièces.

C'était également l'avis de Deb.

— Je te le dis, ça ne sert plus à rien. Nous avons une copie du mail que tu as envoyé à Cerise pour la menacer, et nous l'avons tracé. Nous avons ton adresse IP. Tu ne peux plus nier.

— Mais qu'est-ce que vous racontez, enfin ? Quel mail ? Pourquoi est-ce que j'aurais fait ça, d'ailleurs ?

Je pris le relais.

— Tu me l'as dit toi-même, c'était une candidate dangereuse. Tout le monde nous a confirmé qu'elle avait toutes ses chances de gagner cette finale. Et regarde comme les choses tournent bien : maintenant qu'elle a disparu, c'est toi qui es couronnée. Quelle chance, quand même...

Elle secouait la tête d'avant en arrière, aussi loin que la poigne de Moussah le lui permettait.

— C'est n'importe quoi ! Je ne sais pas ce que vous avez fumé, mais c'est de la bonne ! Et puis, si vous êtes tellement convaincus de ma culpabilité, pourquoi est-ce que vous n'avez pas appelé la police ? Vous êtes pathétiques, à jouer les justiciers à deux euros. Sans compter que vous vous plantez grave.

— Ben ouais, tiens, appeler les flics, quelle bonne idée ! Après l'appel qu'on a reçu, après le bras tordu de Fitz, en nous disant que ça se passerait mal pour Cerise si on allait les voir... Tu nous prends vraiment pour des jambons ?

— De la part d'un muslim, c'est une belle insulte, observa Deb.

— De la part d'une chalalah aussi, rétorqua-t-il.

Je levai les bras au ciel.

— Aurélie, tu pourras dire ce que tu voudras, on a le mail et on a l'adresse IP. Alors je ne vois pas ce que…

— Je peux le voir, ce mail ?

— Parce que tu crois que je me balade en permanence avec ? Franchement…

Je m'interrompis en voyant Déborah fouiller dans son sac et en extraire une feuille soigneusement pliée.

— Ça, c'est de l'organisation.

— Je me disais que ça pourrait toujours servir. Et puis, si ça lui fait plaisir…

— Qu'est-ce qu'on s'en fout de lui faire plaisir ! gronda Moussah.

Bon flic, méchant flic, rebelote. Je m'emparai du papier et le glissai sous le nez d'Aurélie. Elle le parcourut, ses lèvres remuant au fil de sa lecture. Il n'y avait pas grand-chose, et elle reporta rapidement son regard sur moi.

— Ok, Cerise a donc reçu un mail pour lui demander de ne pas se présenter au concours…

— Tu appelles ça demander ? Moi, je dirais menacer.

— Menacer, si tu préfères. En tout cas, je ne vois toujours pas ce que ça a à voir avec moi. C'est quoi cette histoire d'adresse IP ?

Je soupirai, jetai un coup d'œil à ma montre. Le temps passait, nous n'avancions pas, et chaque minute rendait notre présence plus risquée. Au moins Aurélie ne cherchait-elle pas à se débattre. Les menaces de Moussah marchaient mieux que mon charme légendaire. Je tirai mon téléphone de ma poche, allai dans la partie *notes*. Moi aussi, je faisais mes devoirs.

— Ce mail a été envoyé le 2 juin à vingt heures de l'adresse IP 82.244.108.111. Une Freebox – comme la tienne, dis donc. Et attends, c'est après que ça devient amusant. Cette adresse correspond au 6, rue Claude Tillier, dans le 12e arrondissement. Et grâce aux progrès de la technologie, on sait même que la box est au 4e étage, appartement 402.

Je ne mentionnai pas l'existence du hacker ; d'une part pour ne pas compliquer encore la situation, de l'autre parce qu'elle pouvait ainsi nous imaginer bien plus doués en informatique que nous l'étions réellement.

Aurélie releva le menton, l'air toujours aussi arrogant.

— Je me fous de ce que vous pensez avoir trouvé, je n'ai jamais envoyé ce mail. Je te l'ai déjà dit, Fitz, je ne fais pas ce concours pour gagner de l'argent. Et j'ai assez confiance en moi pour penser que j'aurais pu être choisie malgré la présence de Cerise.

— Tu aurais pu… mais c'était moins sûr.

— Rien n'est sûr, dans la vie. En attendant, vos infos sont fausses. Je ne sais pas comment vous avez obtenu tous ces détails, mais c'est de la connerie.

Déborah se tourna vers l'ordinateur et l'alluma. Lorsqu'elle se retourna vers Aurélie, un sourire de prédateur dansait sur ses lèvres.

— Nous allons vite voir qui a raison. Rien de plus facile que de connaître l'adresse de cet ordinateur.

La mannequin soutint un instant le regard de mon amie, puis baissa les yeux. Sa lèvre inférieure tremblait, et je me demandais si elle allait oser tenter le coup des larmes. Mais non, c'était la colère qui la secouait ainsi.

Pourtant, elle ne dit rien, jusqu'à ce que l'ordinateur finisse de démarrer. Son bureau apparut, une photo d'Aurélie provenant d'un shooting quelconque. Elle était vraiment belle. Ça me faisait mal au cœur de la martyriser – et en même temps, c'était étrangement thérapeutique. J'en avais un peu assez de ne croiser que des folles furieuses. Je repensais aux moments que nous avions passés ensemble, et je sentais une rage sourde monter en moi – depuis le début, elle m'avait utilisé, pour se tenir au courant de l'avancée de notre enquête. Si j'avais eu un cœur, elle me l'aurait piétiné.

Déborah lança le navigateur internet et commença à taper dans la barre des tâches.

— Eh ben faut pas vous gêner, grommela Aurélie.

— Je vais juste sur whatismyip.com. C'est un site qui permet de connaître l'adresse IP publique de l'ordinateur.

— On en apprend tous les jours.

— Et voilà. Des chiffres valent mieux qu'une longue démonstration. Malgré tes dénégations, Aurélie, cette adresse est bien la tienne.

Coupable. Aurélie était coupable. Pourtant, elle ne semblait pas plus affectée que cela. À moitié affalée contre Moussah, les yeux mi-clos, elle réfléchissait. Lorsqu'elle se tourna enfin vers nous, son expression avait changé.

— Attends, attends. Fitz, tu as bien dit que le mail a été envoyé le 2 juin à vingt heures ?

— Oui, et alors ?

— Et alors j'étais à une soirée de gala pour un shooting, je peux même vous le prouver, les photos sont en ligne ! Allez sur Facebook, vous les trouverez !

Déborah s'exécuta, les sourcils froncés. Elle ne mit pas longtemps avant de découvrir les nombreuses images d'un cocktail. Aurélie y figurait en bonne place, vêtue d'une robe écarlate qui dévoilait son dos.

— Ça y est, vous avez fini vos conneries ? Vous avez compris que vous vous êtes plantés ? Vous me croyez enfin ?

Je ne répondis rien. Je me penchai par-dessus l'épaule de Déborah pour vérifier – un cas soudain de myopie fatale ? – mais non, c'était bien Aurélie, et c'était bien le 2 juin.

— Elle est coupable ou pas ? Je la relâche ou pas ? demanda Moussah, sourcils froncés.

— Me relâcher, ce serait bien, offrit la mannequin.

J'hésitai toujours.

— Je ne sais pas. L'adresse IP est correcte. Nous avons la bonne rue, le bon étage, le bon numéro. Ça ne peut pas être une erreur, une coïncidence qu'on tombe sur toi. Peut-être que tu as envoyé ce mail de ton portable…

— Auquel cas il ne proviendrait pas d'ici, crétin !

— À ta place je ne la ramènerais pas, white trash, gronda Moussah.

— J'ai toujours cru que c'était affectueux, white trash, protestai-je.

— Avec toi, oui. C'est comme quelqu'un qui m'appellerait *négro* ou qui appellerait ton pote Nathan *tafiole*, ça dépend du contexte.

Tout ça était passionnant, mais ça ne nous avançait pas beaucoup.

Moussah se tourna vers moi.

— Je fais quoi, je la cogne ?

L'expression sereine d'Aurélie glissa pendant une fraction de seconde, et je fus tenté de laisser le moment se prolonger pour lui faire goûter à la vraie angoisse. Puis je me figeai, saisi d'un doute atroce.

— Attends une seconde. Aurélie, il y a combien d'ordinateurs chez toi ?

Elle me regarda un instant, puis ses épaules s'affaissèrent. Quand je disais que les menaces fonctionnaient mieux que la douceur.

— Il y en a trois, sans parler des consoles de jeu. Un pour chacun de nous. Mon père, ma mère et moi. Mais je vous dis que…

Ce fut à son tour de s'interrompre, bouche grande ouverte, frappée par la même idée que moi. Je vis la compréhension grandir en elle, en même temps que l'horreur. Si elle avait eu les mains libres, elle les aurait portées à sa bouche.

— Merde… merde… merde…, balbutia-t-elle.

Merde, en effet.

Je m'assis à côté du lit, repoussai une mèche de cheveux qui lui tombait sur les yeux. Elle était belle, elle était formidable, et elle était probablement innocente.

— C'est ta mère, c'est ça ?

21

J'aurais pu y penser. Non, vraiment, j'aurais pu. Mais la précision des résultats du hacker m'avait incité à foncer tête baissée. Une adresse, un numéro de porte, autant d'éléments irréfutables pour trouver le coupable.

Sauf si, bien sûr, plusieurs personnes habitent dans l'appartement.

Devant moi, fragile dans sa chemise de nuit malmenée, Aurélie ne fanfaronnait plus. Jusqu'à maintenant, malgré la poigne de Moussah, elle semblait contrôler la situation. Mais désormais...

— Ça va, Mouss, tu peux la lâcher, marmonnai-je d'une voix atone.

Il hésita un instant, chercha confirmation du côté de Déborah, puis libéra sa prisonnière. Aurélie entreprit de se masser les poignets avec force grimaces. Sa réaction me paraissait exagérée – elle jouait la montre.

— Quelqu'un pourrait m'expliquer ce qui se passe ? Elle est coupable ou pas ? demanda Moussah.

— Ça, je n'en suis toujours pas sûr. Mais ce n'est pas elle qui a envoyé le mail.

— Ou alors elle veut nous faire croire que ce n'est pas elle, et elle s'est servie de l'ordinateur de sa mère pour brouiller les pistes.

Déborah restait à se tapoter le nez de l'index, comme toujours lorsqu'elle réfléchissait.

Je regardai Aurélie, toujours occupée à rétablir sa circulation sanguine. Comme tout à l'heure, si elle jouait la comédie, elle le faisait bien. On ne pouvait pas improviser cette expression hantée, la manière dont les épaules se voûtaient – ou bien j'étais vraiment trop naïf et j'allais encore une fois me faire rouler dans la farine.

J'attendis qu'elle se lâche le bras pour lui prendre la main. Elle me l'abandonna sans résister, et cette réaction me perturba plus que le reste : si elle était innocente, elle aurait dû ressentir de la colère à mon égard, pour ne pas l'avoir crue, pour avoir laissé quelqu'un la brutaliser. Mais elle restait sans réaction. État de choc.

— Quelqu'un pour me mettre au courant ? reprit Moussah.

— Si ce n'est pas elle qui a envoyé ce mail, mais qu'il est bien parti de l'appartement, alors nous avons une nouvelle suspecte : sa mère. Tu l'as entendue comme moi tout à l'heure, elle a l'air assez impliquée dans ces histoires de mannequinat. D'ici à ce qu'elle ait décidé d'ouvrir le chemin pour sa fille…

Je me rappelai les photos de concours de minimiss au mur. J'avais déjà vu plusieurs émissions sur le sujet, qui parlaient de féminisation abusive, d'incitation à la pédophilie, et d'autres termes encore plus violents. Pour ma part, je ne me permettais pas de juger – mais quelque chose me paraissait évident : toute mère capable de partir aux États-Unis pour inscrire sa fille dans des concours, simplement parce qu'ils sont interdits en France, est une personne déterminée. D'aucuns diraient monomaniaque.

Ce n'était pas la première fois que j'entendais parler des transferts parents-enfants. Parce qu'on avait raté sa vie, ou parce qu'elle n'avait pas pris le chemin qu'on aurait aimé emprunter, on reportait tous ses espoirs sur sa progéniture, et tant pis si celle-ci n'aspirait pas aux mêmes buts. On aurait voulu être un artiste ? Il suivra des cours de chant. On voulait être footballeur de haut niveau ? Il sera inscrit en club dès son plus jeune âge.

Était-ce si surprenant qu'un ancien mannequin souhaite voir sa fille reprendre le flambeau ?

Mais aller jusqu'à commettre un crime pour ça ?

— Bon, on fait quoi, du coup ? On va dans la chambre de ses parents et on s'explique avec eux ?

Je regardai Moussah, l'orage qui couvait dans son regard. C'était amusant mais, à trente ans, je ne me considérais pas tout à fait adulte, pas encore. Ça viendrait peut-être un jour – probablement quand je deviendrai père de famille. Mais je n'arrivais pas à m'imaginer en train de faire irruption dans la chambre à coucher d'un couple de la cinquantaine, c'était au-delà de mes forces. Pour quelqu'un qui n'avait pas hésité à reproduire une clé pour s'introduire en douce dans un appartement, c'était risible.

Je n'eus pas l'occasion de développer mes arguments ; ce fut Déborah qui posa une main apaisante sur l'épaule de mon ami.

– Mouss, je sais que c'est pas facile en ce moment. Mais on n'a pas le droit d'être ici, on est rentrés par effraction. Même si la mère est coupable et qu'on arrivait à lui faire avouer, les flics nous embarqueraient aussi. On ne peut pas tout risquer comme ça. Il faut qu'on file d'ici.

Ouais. À une condition, qu'Aurélie n'appelle pas la police une fois la porte refermée. Je n'en étais pas si sûr. Je lui pressai doucement la paume.

– Bon... je ne suis pas très doué pour les excuses, mais je suis désolé pour notre intrusion. Il faut avouer que tout t'accusait, que tu faisais une coupable idéale, avec ton arrogance et tes premières rides.

Elle renifla.

– C'est vrai que tu n'es pas très doué pour les excuses.

– Ce n'est pas ce que je voulais dire, je suis désolé, je m'embrouille. Je suis juste content que tu ne sois pas impliquée – mais ça veut dire que ta famille l'est. Et tu te doutes qu'on ne pourra pas laisser les choses comme ça. Est-ce que tu as une idée, une suggestion, est-ce que tu peux nous aider ? Notre seul objectif, c'est de retrouver Cerise en bonne santé. Le reste n'a aucune importance.

– Ouais, enfin..., commença Moussah, mais je le coupai net :

– Le reste n'a aucune importance.

Aurélie m'écoutait, les yeux rivés sur moi, mais elle n'était pas entièrement présente. Elle se mordillait une mèche de cheveux et se balançait d'avant en arrière sur son lit. J'avais l'impression d'être au milieu de *Vol au-dessus d'un nid de coucou.* Lorsqu'elle parla enfin, sa voix était calme et mesurée.

– Tu sais, il y a trois heures, peut-être quatre, j'étais la fille la plus heureuse du monde. Pour la première fois de ma vie, je gagnais un casting vraiment important, pas l'un de ces trucs miteux qui te servent juste à étoffer ton CV. Enfin, une chance de percer, de voir mon visage dans les journaux, sur les abribus, peut-être même à la télévision.

– Les abribus, le rêve de toute une vie, persifla Déborah.

– J'étais tellement contente que le jury m'ait choisie. Avant que Stéphanie ne me saute dessus, j'ai eu le temps de discuter avec deux membres, qui m'ont dit que le résultat avait été quasi-unanime. Vous ne pouvez pas vous rendre compte de l'effet que ça fait, d'être ainsi sous le feu des projecteurs. C'est comme une seconde naissance. Je me disais que j'allais enfin connaître la gloire et le bonheur. J'étais impatiente de pouvoir t'en parler, Fitz, j'étais déçue de ne pas t'avoir vu à la fin de la cérémonie. J'ai même failli t'appeler ce soir, tu vois, c'est marrant. J'ai renoncé au dernier moment en me disant que tu n'avais qu'à faire le premier pas si tu voulais me demander des nouvelles. Tu parles d'un premier pas.

Je repensai à ma position de tout à l'heure, allongé sous son lit. Si mon téléphone avait sonné… effectivement, ça aurait été *marrant.*

Elle se leva pour réajuster sa chemise de nuit.

— Et maintenant, je te retrouve dans ma chambre – encore, ça, j'aurais pu le trouver mignon – avec tes potes – et là, ça commence à devenir moins glamour. Et tu m'apprends qu'un mail a été envoyé d'ici. Et que si ce n'est moi, c'est donc ma mère. Putain, mais Fitz, qu'est-ce que je t'ai fait pour que tu réduises mon bonheur en cendres en quelques minutes ? J'aurais aimé ne jamais te rencontrer.

Je voulus lui dire que ce n'était pas mon cas, mais mes mots s'étranglèrent dans ma gorge. Alors, je ne répondis rien, et le silence se fit pesant. Ce fut Moussah qui le rompit.

— Bon, les gars, je ne veux pas briser un moment aussi romantique, mais l'heure tourne. Si vous ne voulez pas qu'on aille voir les parents d'Aurélie, qu'est-ce qu'on fait ? On se barre comme ça, bien gentiment ? On l'emmène avec nous ?

Je soupirai, me tournai vers la jeune femme.

— Est-ce que tu pourrais nous parler de tes parents, un peu ? Au moins de ta mère ? Qu'on sache dans quoi on met les pieds ?

Je crus qu'elle n'allait pas répondre. Je pensai qu'on l'avait perdue pour toujours. Je me demandai si elle n'allait pas crier, essayer de s'enfuir, appeler la police, terminer cette mascarade. Puis elle s'essuya le nez sur sa chemise de nuit dans un geste très peu mannequinesque.

— Qu'est-ce que tu veux que je te dise ? Ma mère, c'est ma mère. Je n'en ai qu'une, c'est pas à moi de la juger. Quoi qu'elle fasse, quoi qu'elle ait fait.

Je ne répondis pas, me contentant de la presser du regard. Elle se pencha vers sa table de chevet et, sous le regard vigilant de Moussah, en retira un paquet de mouchoirs en papier.

— Elle a toujours été très compétitive, je suppose. La mode, la beauté, c'était toute sa vie. Elle vient du Périgord – dans ce coin, soit tu prends soin de toi, soit la bouffe finit par t'avoir. À quatorze ans, elle avait déjà fait quelques shootings, des trucs locaux, le calendrier des moissons, tu vois le genre. Et puis ça s'est accéléré quand elle est devenue Miss Périgord. Elle a eu des idées de grandeur, est montée à la capitale. Bon, dans un sens, ça lui a plutôt réussi financièrement, mais pas vraiment professionnellement.

J'ouvris la bouche, mais Déborah me devança.

— Comment ça ?

— Elle a rencontré mon père, qui est tout de suite tombé amoureux d'elle. Lui était riche, un grand coureur automobile avec de nombreuses victoires pour son écurie. Je pense qu'elle l'aimait, et en l'épousant elle s'est aussi mise à l'abri du besoin. Ça compte, je suppose. Seulement sa carrière à elle n'a pas eu le succès escompté.

— Elle n'a pas percé ?

— Non. Il paraît qu'elle, elle n'est pas passée loin, mais c'est un univers impitoyable. Il ne suffit pas d'être belle pour réussir, il faut avoir le petit truc en plus, quelque chose qui attire le regard, qui te distingue du lot. Des filles avec un visage sympa et un physique bien proportionné, il y en a plein les clubs, et elles ne font pas toutes carrière. Pourtant, à un moment, elle s'est fait repérer par une agence. Elle a cru que c'était bon.

— Et alors ?

— Et alors elle s'est rendu compte quelques jours après que c'était son mari qui avait tout organisé, payé le patron pour qu'il la fasse mousser. Ça partait d'une bonne intention mais je ne sais pas si tu imagines le traumatisme. Je crois qu'à ce moment-là, fric ou pas fric, elle a failli divorcer. Elle est restée, mais quelque chose s'est cassé. Et puis je suis née. Au bon moment pour rattraper les choses, je suppose.

C'était surréaliste, cette discussion dans la chambre d'Aurélie à trois heures du matin. Nous devions partir, nous faufiler dehors sans faire de bruit, mais je ne pouvais m'empêcher de me sentir aussi à l'aise que dans mon bar favori. Ça manquait de cocktails, par contre. Je ne poussai pas l'audace jusqu'à lui demander où se trouvait le frigo.

Une mère à la carrière brisée, un orgueil en miettes, un enfant unique qui représentait ses seuls espoirs de revanche sur la vie… tellement cliché, tellement embarrassant. Je me penchai vers la jeune femme en essayant de ne pas respirer son parfum.

— Et qu'est-ce qu'on fait, maintenant ? La solution la plus logique, ce serait d'aller voir la police. Ils trouveront certainement des traces du mail que ta mère a envoyé depuis son ordinateur. Et puis, je connais un peu leurs méthodes, ils regarderont son journal d'appel, ils surveilleront toutes les personnes à qui elle a pu parler dans les derniers jours, les dernières semaines, voire les derniers mois. Ils finiront bien par trouver une piste qui nous amènera à Cerise. L'ennui, c'est que ta mère finira probablement en taule. Et toi, bien sûr, tu risques de ne pas en sortir indemne. Même si tu n'y es pour rien, ça rendra l'élection irrégulière, tu perdras ton titre au moins temporairement. Que du bonheur, en somme.

— Peut-être, fit Aurélie d'une petite voix… peut-être que ce mail ne veut rien dire. Après tout, ma mère a pu vouloir décourager une concurrente et s'arrêter là. Ça n'est pas pour ça qu'elle est impliquée dans son enlèvement.

Moussah eut un rire déplaisant.

— Tu veux parier là-dessus ? Ça ne me paraît pas très crédible.

Aurélie l'ignora. Elle ne me quittait pas des yeux.

— Tu as parlé de la police comme s'il y avait une autre solution. Qu'est-ce qu'on pourrait faire pour…

Elle n'eut pas le temps de préciser sa pensée : une sonnerie stridente résonnait de plusieurs endroits dans l'appartement. La première fois que j'étais venu ici, Aurélie m'attendait sur le seuil ; la seconde fois, nous étions rentrés par effraction. Il me fallut donc quelques secondes pour réaliser qu'il s'agissait de la sonnette de la porte d'entrée. Mon portable me confirma qu'il était trois heures et quart du matin. Un peu tard pour une visite.

Peut-être un voisin nous avait-il vus tout à l'heure, et avait-il appelé la police ? J'eus des sueurs froides en imaginant les explications que nous allions devoir fournir. Mais non, même s'il était facile d'ironiser sur la lenteur des flics, je doutais qu'ils mettent plusieurs heures à arriver.

Quoi qu'il en fût, cette sonnerie était une catastrophe. Nous qui comptions quitter l'appartement discrètement, voilà qui était fortement compromis.

La sonnerie retentit de nouveau. J'entendis le bruit d'une porte qui s'ouvrait au loin.

Je me tournai vers Aurélie.

— Il y a souvent des gens qui viennent chez vous à cette heure-ci ?

— Bien sûr que non. C'est la première fois, et ça tombe mal. Maintenant, mes parents sont réveillés, et s'ils vous trouvent ici...

— Formidable. Il va falloir attendre qu'ils se rendorment, marmonna Déborah. (Elle me tira doucement la manche, et je plongeai mes yeux dans son regard fatigué.) Fitz, il te resterait pas un peu de soleil dans les poches ? Juste un peu ? Je ne sais pas si je vais tenir le coup, là. Ça fait dix heures que j'ai rien touché.

Je roulai des yeux dans la direction d'Aurélie, mais Deb ne parut pas comprendre le message. De toute façon, je n'avais rien sur moi, pas ce soir. J'écartai les mains dans un geste d'impuissance. Déborah gémit.

La porte d'entrée s'ouvrit. J'entendis quelques éclats de voix, trop étouffés pour discerner leur contenu. Je croisai le regard d'Aurélie, qui haussa les épaules. Son arrogance habituelle avait disparu – elle ressemblait à une jeune femme comme les autres, perdue dans une chemise de nuit trop grande, sur un lit trop petit.

— Je me demande si je ne devrais pas aller voir de quoi il s'agit, murmura-t-elle.

— Pas question, tu restes ici, siffla Moussah.

Je n'eus pas le temps d'arbitrer la dispute entre les deux. Des bruits de pas se firent entendre, en direction de la chambre. On alluma une lampe dans le couloir ; un rai de lumière filtra sous la porte.

Je croisai le regard de Moussah, de Déborah, d'Aurélie. Pas le temps de se concerter. En quelques secondes, le videur se contorsionna de nouveau dans le placard, et Aurélie lui referma la porte au nez. Pour ma part, je me retrouvai sous le lit avec Déborah, le nez sur le plancher, avec mes moutons familiers. La top model éteignit la lumière et l'obscurité nous engloutit au moment où on frappait à la porte de la chambre. Trois coups secs, faits pour réveiller.

Fidèle à son rôle de jeune femme endormie, Aurélie ne répondit pas. Les coups se répétèrent. Puis encore. Finalement, je l'entendis parler, la tête sous la couette, comme sortie d'un long sommeil. Elle avait décidément un vrai talent d'actrice.

— Mmmmh ? Quoi ?

— C'est maman ! Je peux rentrer ?

La voix était presque affolée, mais Aurélie tenait son rôle avec un admirable souci du détail. Elle bâilla et se redressa dans le lit.

— Qu'est-ce qui se passe ? Il y a un souci ?

La porte pivota ; je vis des pantoufles roses apparaître dans mon champ de vision, suivies d'une seconde paire bleue. Elles étaient suivies de bottes paramilitaires.

— On peut le dire comme ça, oui. (La femme s'assit sur le lit, et le sommier grinça. Le matelas s'incurvait de manière inquiétante au-dessus de ma tête.) Ma chérie, je crois que j'ai fait une énorme bêtise.

22

Il était facile d'imaginer à qui appartenaient les pantoufles colorées – les roses avaient disparu lorsque la mère s'était assise sur le lit, et les bleues restaient figées sans but devant le lit, illustrant le *pater familias* en pleine indécision. Mais les bottes militaires ?

Je n'étais pas le seul à me poser la question. Malgré mon admiration pour les talents de comédie d'Aurélie, elle n'aurait jamais pu forcer cette pointe de nervosité dans sa voix.

— Maman, qu'est-ce qui se passe ? Et qui est cet homme ?

— Mon nom importe peu, répondit Paraboots.

Et je me figeai, le nez dans la poussière, en reconnaissant une voix que je ne pourrais jamais oublier. Celle d'un amoureux de films de Walt Disney ; celle de l'homme de main qui m'avait à moitié brisé l'omoplate rue de Berri. Que faisait-il ici ? Inconsciemment, je rentrai la tête dans les épaules.

Nous devions pénétrer dans l'appartement à minuit, le fouiller rapidement, partir une demi-heure plus tard, et ne jamais nous faire surprendre. Il semblait bien que j'avais choisi le pire plan au monde ; je voyais la situation s'aggraver de minute en minute avec une sensation d'irréalité.

Le fan de Bambi changea de position ; à observer ses chaussures, il venait de s'adosser au mur. Il y eut un cliquetis sec, que mon oreille de fumeur identifia aussitôt comme un briquet. Puis sa voix rocailleuse s'éleva de nouveau entre deux bouffées de cigarette. Qu'est-ce que je n'aurais pas donné pour une clope...

— Ça y est, toute la petite famille est là ? Alors racontez-leur ce que vous avez fait, ma grande. Vous allez voir, ils vont adorer.

— Chérie ? Qu'est-ce que cet homme raconte ?

La voix du père, pas très assurée. Étonnant, de la part d'un ancien sportif ; en voyant ses photos, je l'aurais imaginé plus fier-à-bras.

— Oui, maman, qu'est-ce qui se passe ?

Il y eut un silence. Malgré ma position au ras du sol, je sentis les effluves du tabac venir me chatouiller les narines. À l'odeur amère, cela devait être un de ces petits cigarillos venimeux dont je n'avais jamais compris l'intérêt. Normalement, la fumée était censée monter, et je n'aurais rien dû sentir, mais je ne pouvais imaginer les senteurs âcres qui venaient m'agacer le nez.

— Maman ? répéta Aurélie.

La forme assise sur le lit remua.

— Tu sais que je n'ai toujours voulu que ton bien, ma chérie. Tu sais que tout ce que j'ai fait, ça a été pour toi.

— Maman, abrège. On est en pleine nuit, ce mec est flippant, je ne suis pas d'humeur à écouter tes histoires. Dis-moi juste ce qui se passe.

Un sursaut d'orgueil de la femme :

— Comment est-ce que tu parles à ta mère ?

— Comme à quelqu'un qui a visiblement fait une *énorme bêtise.* Je te cite, hein, parce que moi, j'aurais utilisé un autre vocabulaire. Alors crache le morceau, m'man. Ça a à voir avec le casting, je suppose ?

— Oui.

Après ce premier mot, comme arraché, le reste sortit plus facilement. Je plongeai la main dans ma poche pour en sortir mon téléphone, et lançai l'enregistrement. Je ne savais pas si on allait bien entendre les voix, et j'avais déjà lu que de tels documents n'avaient aucun poids juridique mais enfin, c'était mieux que rien.

— Ma puce… tu sais que les castings sont de plus en plus durs au fil du temps ? C'est difficile de percer après vingt ans, presque impossible après vingt-cinq. Je le sais… oh, comme je le sais.

— Maman, je le sais aussi. Et alors ?

— Et alors… et alors ce concours, celui que tu as gagné hier, c'est peut-être ta dernière chance de réussir ta vie, d'être reconnue comme un véritable mannequin. Tu le mérites, tu es belle comme un cœur, douce, généreuse…

— Maman…

Je ne prétendais pas connaître les femmes, mais l'intonation dans la voix d'Aurélie m'aurait incité à la prudence. Sa mère n'entendit pas, ou n'en tint pas compte.

— Bref, je me suis beaucoup intéressée à cette opportunité que tu avais. J'ai regardé tes concurrentes sur Facebook, je me suis entretenue avec le directeur de l'agence, ce... Nathan si *affreusement* homosexuel, j'ai demandé son opinion, j'ai fait ce que j'ai pu pour te mettre en avant... comme toutes les mères, en fait. Mais alors...

Elle renifla. L'homme aux bottes militaires eut un rire sec.

— Continuez, je n'ai pas toute la nuit.

— Mais alors, il m'a expliqué qu'il ne fallait pas que je prenne ce concours tellement à cœur, parce que d'après lui, tu n'étais pas la favorite. Il m'a dit que tu avais tes chances, bien sûr, mais qu'il fallait peut-être qu'en tant que mère j'explore d'autres options, que je te suggère d'autres voies, si jamais ça ne marchait pas. Il m'a sorti la fiche d'une certaine Cerise, une métisse atrocement vulgaire, et m'a dit que c'était le genre de concurrence que tu aurais. Je suis sortie de là folle de rage. Je l'ai peut-être même un peu insulté.

Intéressant. Nathan n'avait rien dit de cette rencontre. D'un autre côté, peut-être se sentait-il coupable d'avoir montré la photo à une mère vengeresse ? Ou alors des scènes de ce genre étaient tellement banales qu'il n'y prêtait même plus attention ?

Je sentis la main de Déborah contre la mienne et je me retournai vers elle. Les lèvres bougeant à peine, elle articula :

— Famille de tarés !

Je ne pouvais qu'acquiescer. Cela dit, les éléments que la mère apportait au dossier contribuaient à laver Aurélie de tout soupçon. Je ne sortais pas avec une criminelle, mais avec la fille d'une criminelle. C'était quand même bien mieux.

Au-dessus de moi, le vaudeville continuait.

– J'ai envoyé un mail à cette Cerise pour lui demander de se retirer du concours, pour lui faire peur. Rien de bien méchant, mais je me suis dit que ça la ferait peut-être hésiter. Et puis je me sentais protégée, j'avais utilisé une adresse mail jetable, comme j'avais lu dans un magazine informatique de ton père.

– Tu es complètement folle, murmura ledit père, avant de se faire réduire au silence par un « Ta gueule ! » péremptoire de Paraboots.

– Traite-moi de folle si ça t'amuse. Si tu savais comme je te méprise, toi et ton inaction ! Ne jamais rien faire, ne jamais bouger, ne jamais rien tenter ! Tu viens d'avoir cinquante ans, et on dirait que tu en as quatre-vingts ! Et encore, mon oncle a plus de tonus que toi quand il fait ses sudoku !

– Vous n'allez pas vous disputer, pas maintenant, s'exclama Aurélie. Maman, termine ton histoire, que je sache à quel point on est dans la merde.

Le silence dura longtemps ; ce fut Paraboots qui le rompit.

– On ne va pas y passer toute la nuit. Bon, la môme, voilà ce qu'il faut que tu saches. Ta maman chérie t'aime, t'idolâtre, te protège ; elle est complètement tarée, mais c'est pas mon problème. En tout cas, elle a flippé quand la petite Cerise a réussi à tracer l'origine de l'email envoyé. Douée en informatique, la gamine – ou alors c'est ta mère qui est vraiment pas forte pour cacher ses traces. En tout cas, elle a voulu porter plainte. Et ça, ta maman, elle n'a pas vraiment aimé.

— Comprends-moi, si jamais Cerise portait plainte, ça allait te retomber dessus ! Tu allais être éliminée de la compétition ! Et je ne parle pas que de ce concours-là, ça serait resté une tache qui t'aurait suivie toute ta vie ! Je ne voulais pas être responsable de ton échec...

— Maman...

Le mot était un feulement, l'avertissement d'une lionne sur le point de bondir. Je n'osais plus respirer de peur que mon souffle perturbe la qualité de mon enregistrement. Je tenais le téléphone à bout de bras, le rapprochant autant que je l'osais du bord du lit. Avec tout ça, je pouvais retourner voir Jessica. Avec tout ça, on pourrait enfin démêler cette histoire.

La voix tranquille de Paraboots fusa de nouveau.

— Heureusement, ta mère avait des contacts. Lorsqu'elle s'est rendu compte de la situation dans laquelle elle s'était mise, elle a cherché à limiter les dégâts. Et elle a fait appel à nous.

— Ce n'est pas vraiment comme ça que ça s'est passé, protesta la mère. En fait...

— Peu importe. Elle a fait appel à nous. Et nous avons enlevé Cerise. Et ta rivale n'a pas passé le casting. Et tu es maintenant reine de beauté. Bravo.

— C'est... ridicule, marmonna Aurélie.

Bien sûr, la discussion que nous avions déjà eue ensemble l'avait préparée. Mais même ainsi, ça devait être difficile à encaisser.

— Chérie, comment est-ce que tu as pu faire ça..., marmonna le père, sa voix toujours aussi atone. Tu te rends compte dans quoi tu nous as fourrés ? Kidnapping, complicité de séquestration ?

— Mais je pensais que tout se passerait bien ! C'était juste l'affaire de quelques jours ! Je ne pensais pas que...

— Que tu te ferais doubler ? Chérie, je ne t'ai pas épousée pour ton cerveau, mais là tu dépasses les bornes.

Le bruit d'un tableau qui chutait, soudain. Le cadre se brisa contre le plancher et des éclats de verre jaillirent dans toutes les directions. Par réflexe, je fermai les yeux. L'un des morceaux vint m'érafler la joue. Je crus un instant que le mouvement d'humeur provenait de la mère mais non, c'était bien l'homme de main qui s'énervait.

— Les scènes de ménage, vous pourrez les faire quand je serai parti. Pour l'instant, je voulais juste que toute la petite famille soit au courant de la situation. Cher monsieur, votre épouse a fait appel à nous pour se débarrasser de Cerise Bonnétoile. Comme nous sommes des gens raisonnables, nous avons attendu le résultat du casting avant de venir réclamer notre dû.

— Vous n'aviez pas besoin de venir en pleine nuit, et de nous menacer avec votre revolver, gronda la mère. Je vous aurais payé ce que je vous devais. Vingt mille euros, comme convenu.

Revolver ? Je comprenais mieux le silence du mari, désormais, la manière dont il encaissait les chocs sans la moindre rodomontade. Paraboots était armé. Je rentrai la tête dans les épaules, priant pour que personne ne regarde sous le lit. Jusqu'ici, je ne craignais que la prison. Maintenant commençait à se profiler la possibilité bien réelle de prendre une balle perdue.

Je pouvais prédire les prochaines paroles du brigand. Je les connaissais d'avance. Nous étions dans un mauvais film américain, et il allait dire :

— Les choses ont changé, madame Dupin.

Gagné.

— Vingt mille euros, c'est une belle somme, mais ça ne nous convient plus. Nous avons des enregistrements de vos conversations, des films des rencontres que vous avez eues, et nous hébergeons désormais cette Cerise pour une durée indéterminée. Ce serait délicat, si jamais tout cela se savait. Très délicat. Pour votre fille, bien sûr, qui perdrait son titre, mais surtout pour vous, qui finiriez derrière les barreaux. Si je ne me trompe pas, vous pourriez y passer le restant de votre vie.

— Pour un kidnapping ? marmonna la mère, la voix sourde.

— Pour un assassinat. Rien ne nous oblige à vous rendre Cerise. Si vous vous montrez difficile, c'est elle qui en souffrira. Et, en tant que commanditaire, ça rejaillira sur vous. Mais rassurez-vous : comme dirait Aladin, on n'a des ennuis que si on se fait prendre. Ah, et histoire que vous n'ayez pas de doute, voici une photo qui devrait vous éclairer.

Plus personne ne parlait. Je retenais mon souffle. J'avais eu une bouffée d'espoir en entendant le début de la conversation, et en comprenant à quel point la mère de famille s'était fait rouler dans la farine. Était-ce possible d'être stupide à ce point ? Conclure des marchés de dupe avec des gens capables de tout ? Elle aurait dû savoir qu'elle se ferait doubler, à un moment ou à un autre. Mais en tout cas, ça m'avait rassuré sur la santé de Cerise.

Seulement maintenant, je n'étais plus aussi sûr de voir une issue favorable. Malgré son penchant pour Disney, Paraboots n'avait pas l'air de plaisanter. Qu'est-ce qu'il y avait sur cette fameuse photo ?

— Qu'est-ce que vous voulez ? finit par dire le père, la voix brisée. Qu'est-ce que vous voulez pour partir d'ici, sortir de notre vie, rendre la liberté à cette fille, et ne plus jamais revenir ?

L'homme de main s'autorisa un petit rire satisfait.

— Eh bien voilà, on y arrive. Comme je disais, vingt mille euros, c'est un peu faible. Surtout lorsqu'on voit où vous habitez. Superbe appartement, d'ailleurs, meublé avec goût. Et puis, j'ai appris que la gagnante du concours de l'agence Podium – c'est-à-dire votre fille, pour l'instant – allait signer de nombreux contrats, et gagner beaucoup d'argent. Alors forcément, avec mes compagnons, on se dit que ce n'est que justice d'avoir une part du butin plus importante.

— Forcément.

La voix du mari ne tremblait plus de peur, mais de mépris. Je le sentais reprendre le contrôle de la situation. C'était un homme de pouvoir, habitué à se faire obéir. La vue d'une arme l'avait choqué, mais maintenant qu'il s'agissait d'argent, il se retrouvait dans son élément. Les chaussons bleus pivotèrent sur le plancher devant moi.

— Je vais aller chercher mon chéquier. Dites votre prix, prenez l'argent, et allez au diable. Je m'expliquerai avec ma femme plus tard.

— Quatre cent soixante mille euros.

Le chiffre plana dans l'air. Je m'étais attendu à une somme extravagante, mais tout de même pas à ce point. Je me sentis envahi par un sentiment d'irréalité. À entendre la qualité du silence qui suivit, je n'étais pas le seul.

— Quoi ? finit par prononcer le père.

— Vous m'avez très bien entendu. Nous voulons quatre cent soixante mille euros.

— Je n'ai pas cette somme-là, vous devez vous en douter.

L'homme rit.

— Ne plaisantez pas avec moi, cher monsieur. Vous êtes sans doute très discret sur vos investissements bancaires, mais ce n'est pas le cas de votre épouse. Comme ces fameuses assurances-vie dont vous disposez, investies pour moitié en obligations et pour moitié en contrat actions. À ma connaissance, pour un montant de quatre cent soixante et un mille euros et des poussières. Comme nous aimons bien les comptes ronds, nous vous laissons ce qui dépasse.

Je n'avais pas besoin de voir le père pour interpréter le silence qui suivit. Le coup, bien en dessous de la ceinture, avait porté. J'entendis le bruit sourd de son corps qui s'adossait au mur de la chambre.

— Même si c'était vrai, je ne peux pas clore mon compte comme ça et partir de la banque avec une mallette de billets. Il faut du temps, pour de telles sommes. Et ça attirera certainement l'attention. Je peux peut-être trouver les vingt mille euros que vous vouliez au départ, et encore...

— Monsieur Dupin. Vous êtes charmant, vraiment. Mais ça ne prend pas. De toute façon, vous n'avez pas vraiment le choix. Prostituez votre fille ou votre femme si vous voulez, mais trouvez l'argent. L'alternative serait douloureuse pour tous. Moi, je n'aime pas blesser les gens. Ils me regardent avec des yeux tristes, un peu comme Bambi quand sa maman meurt. Et ça, ça me fend le cœur.

Décidément, quand il tenait une phrase choc, l'homme ne la lâchait pas. Ça aurait pu le rendre ridicule, mais ce n'était pas le genre de personne dont on se moquait.

— On s'est bien compris ? Je ne suis pas sûr, alors voilà ce qui va se passer. Demain soir, vous allez me verser les vingt mille euros, et nous considérerons ça comme un acompte. Le reste devra nous parvenir avant la fin de la semaine. Et pour vous montrer que nous ne plaisantons pas, voici un cadeau pour vous.

Je mourais d'envie de voir ce qui se passait au-dessus du niveau du sol, mais ça m'était bien sûr impossible.

Puis la famille hurla d'une seule voix, un cri d'horreur qui me vrilla les tympans.

— Le petit doigt de Cerise. Il ne lui manquera pas beaucoup, j'en suis sûr. On fait beaucoup de choses avec quatre doigts. Saviez-vous que c'est son pouce opposable qui a fait de l'homme le superprédateur qu'il est aujourd'hui ? C'est fascinant de constater que Darwin…

Nous ne sûmes jamais à quel point Paraboots maîtrisait la théorie de l'évolution. Avec un rugissement de fauve blessé, Moussah venait de surgir du placard.

23

Je m'étais demandé qui remporterait un combat entre Moussah et mon agresseur. Le destin avait décidé de m'offrir la confrontation en direct.

Direct est un bien grand mot : de là où j'étais, je ne pus qu'entendre les exclamations diverses et variées des occupants de la pièce : le piaillement de la mère, le cri de surprise du père, le *non !* choqué de la fille. Et le silence glacial de l'homme de main.

Il y eut un bruit sourd lorsque les deux corps se percutèrent. Le torse de Paraboots apparut dans mon champ de vision alors qu'il venait s'écraser au sol, vaincu par le tacle de mon ami. Il suffisait à la brute de tourner la tête pour m'apercevoir, mais il avait d'autres chats à fouetter. Le poing de Moussah vint s'intercaler ; l'autre leva les bras pour se protéger. Dans ma position, je ne pus voir s'il avait touché sa cible ou non.

Ce que je vis, par contre, c'était un reflet lumineux sur le métal, à quelques pas de moi. Paraboots avait lâché son arme.

– Qu'est-ce que c'est que ce bordel ? hulula la mère alors que les deux colosses s'empoignaient au sol.

Il était trop tard pour la discrétion, trop tard pour l'un de ces plans que je ne cessais d'échafauder et qui ne cessaient d'échouer. J'eus le temps de voir Déborah se hisser sur un coude alors que je roulais de sous le lit.

Voici trois ans, on m'avait offert une box à Noël. C'était la grande mode, à une époque, ces cadeaux packagés qui permettaient au bénéficiaire de choisir parmi une liste de nombreux séjours ou, dans mon cas, *sports extrêmes*. Ce qui montrait à quel point mon frère connaissait mon amour du risque – mais bref, passons. Pour ne pas le vexer, j'avais fini par utiliser la boîte et choisir le saut à l'élastique.

Je retrouvais aujourd'hui les mêmes sensations que pendant la chute, alors que j'étais en train de tomber comme une pierre, le vent contre le visage, incapable de penser à quelque chose d'autre que : *et si l'élastique casse ?*

J'émergeai en pleine scène de folie. Tous les détails que je n'avais pu voir jusque-là me sautèrent au visage. Le teint cireux du père, adossé à un mur, la chemise relevée sur une débauche de poils et de graisse. La mère, les mains portées aux joues dans une expression d'horreur caricaturale. Aurélie qui, malgré son sang-froid habituel, ne semblait plus savoir où donner de la tête. Moussah et Paraboots, par terre. Avec Paraboots en train de gagner.

Les deux géants roulaient d'un côté et de l'autre, se tenant mutuellement les poignets, mais je sentais Moussah faiblir. Son adversaire ne parut pas surpris par mon apparition, et en profita même pour placer un coup de coude de biais à la tempe de mon ami. Moussah grogna. Je m'attendais à un commentaire de la part de l'homme de main, une remarque sur Bambi, ou une menace à mon encontre, mais il ne desserra pas les dents. En plein cœur de l'action, le professionnel économisait son souffle.

Ce n'était pas le cas de Moussah.

— Sale fils de pute, je vais te défoncer la gueule ! T'as coupé un doigt à Cerise ? Je vais t'arracher les tiens et te les faire bouffer !

J'avais mieux à faire qu'observer leur combat. Je me ruai vers le pistolet – ou le revolver, c'était quoi, encore, la différence ? ah oui, le barillet. Du coin de l'œil, j'aperçus la tête de Déborah qui sortait de sous le lit.

Paraboots me plongea dans les jambes. Comment s'était-il dégagé ? J'étendis les bras pour retrouver mon équilibre, mais peine perdue. Lentement, très lentement, le coin de la commode s'approcha de mon visage. Mes mains jaillirent pour me protéger, et j'entraînai dans ma chute le grand miroir de princesse agrémenté de photos de soirées. Je poussai un grognement en heurtant le sol de l'épaule – puis un autre lorsque le verre se brisa en mille morceaux et me couvrit de débris.

Moussah se releva, la main sur la bouche. Il devait s'être pris un sacré coup pour avoir relâché ainsi sa prise. Ses yeux s'étrécirent alors qu'il jaugeait son adversaire.

— J'en ai écrasé des plus fiers que toi, mon gars. Tu vas pas faire le malin très longtemps.

Ces mots arrachèrent au moins une réaction à l'homme : il dévoila ses canines en un sourire effrayant. Je mis la main sur le sol pour tenter de me relever, et jurai lorsqu'un morceau de verre se planta dans ma paume.

Malgré ses fanfaronnades, la supériorité de Paraboots avait ébranlé Moussah. Lorsqu'il avança de nouveau, ce fut dans une posture de boxeur, les deux mains en avant, le visage protégé. Je connaissais la force de ses bras, et je n'aurais pas aimé me retrouver en face de ces énormes poings. Puis, Paraboots avait des biceps tout aussi impressionnants. Et où était passé ce putain de flingue ?

Le père d'Aurélie tenta de sortir de la pièce, sûrement pour prévenir la police, mais la porte s'ouvrait vers l'intérieur, et les deux combattants bloquaient le passage. Il essaya de les contourner, sans succès, puis resta les bras ballants. Au temps pour les renforts.

Je voulus me relever mais, sans détourner les yeux du grand black, Paraboots m'envoya un coup de pied en plein dans les côtes. Je me pliai en deux, le souffle coupé. Mais merde, quoi, pourquoi est-ce que je me retrouvais toujours dans des bagarres ? Je n'avais rien demandé à personne.

Si tu ne rentrais pas par effraction chez des kidnappeurs présumés, ça t'arriverait peut-être moins, me souffla une petite voix avant qu'une quinte de toux ne l'emporte avec ma respiration.

À travers un brouillard, j'aperçus le père serrer les poings, enfin décidé à se jeter dans la mêlée. Moussah et son adversaire échangeaient des coups capables d'abattre un bœuf. Ça n'avait rien des combats de karaté que j'avais pu voir dans les films et tout de l'empoignade du marché de Brive-la-Gaillarde vue par Brassens.

Puis Paraboots parla enfin.

— Les parents, si vous bougez, Cerise meurt, et vous finissez en taule. (Il toussa.) Je vais m'occuper de ces merdeux.

Le père baissa aussitôt les bras ; j'avais envie de hurler, mais je n'avais pas la force d'ouvrir la bouche.

— Quoi, pas de putain de citation de Walt Disney pour nous ? ironisa Moussah, avant qu'un coup de poing ne l'atteigne au ventre et ne le fasse reculer.

J'avais assez envié ses plaquettes de chocolat pour savoir qu'il avait de bons abdos, mais ça n'avait pas l'air de lui avoir fait du bien. Quant à moi, malgré toute ma volonté, je ne parvenais pas à me relever. Du coin de l'œil, je vis Déborah avancer vers le flingue, et je l'encourageai par la pensée. C'est bien, plus qu'un pas, plus que deux. Il te tourne le dos, il ne te voit pas.

Elle s'accroupit pour ramasser l'arme, et subit le même sort que moi lorsqu'il lui envoya sa botte au creux du ventre. Mais il avait des yeux derrière la tête, ou quoi ? Elle miaula, se plia en deux, et vomit sur le parquet. Ce n'était pas parce que c'était une fille qu'il avait retenu son coup.

À quoi est-ce que je m'attendais de la part de celui qui avait coupé le doigt de Cerise ?

Par un suprême effort, je parvins à mettre un genou en terre. Moussah se jeta de nouveau en avant, et les coups se remirent à pleuvoir entre les deux colosses. Puis j'entendis le cri de la mère...

— Chérie, non !

... et celui du père...

— Arrête, tu l'as entendu !

... et l'invective d'Aurélie...

— Prends ça, fils de pute !

... et je vis la lampe de chevet dessiner une courbe parfaite pour aller s'abattre sur le crâne de Paraboots. L'ampoule éclata en morceaux tandis que l'abat-jour glissait à l'autre bout de la pièce.

L'homme aurait dû s'effondrer comme une masse ou, au moins, mettre un genou en terre. Il se contenta de se frotter le crâne avec un air furieux.

— Toi..., commença-t-il.

La fraction de seconde pendant laquelle il baissa sa garde suffit. Avec un mugissement de taureau, Moussah lui envoya toute sa rage en un magnifique uppercut.

Même ainsi, Paraboots ne tombait pas. Il recula de quelques pas, les mains tendues pour se protéger. Il devait avoir le visage aplati, les dents déchaussées, mais il ne tombait pas.

Jusqu'à ce qu'il vienne trébucher sur moi. Je n'avais toujours pas réussi à me lever et, concentré sur Moussah, Aurélie et son revolver sur le sol, il ne réalisa pas que je me trouvais derrière lui. Je grimaçai en sentant ses jambes me heurter alors qu'il partait à la renverse. Son coude vint me frapper le dos.

J'eus le temps de me dire que j'avais servi à quelque chose, finalement. Puis je me tournai sur le côté et vomis à mon tour. Dans un brouillard, j'entendis la mère d'Aurélie murmurer que le parquet serait difficile à nettoyer. C'est incroyable, les préoccupations que certains peuvent avoir, même au cœur de l'action. Est-ce que je me souciais de mon T-shirt souillé, moi ? Et pourtant, c'était un Versace.

Je me dégageai péniblement de l'homme à terre, attendant de le voir se relever accompagné par une musique angoissante, comme dans tous ces dessins animés où les méchants refusaient de perdre. Il tenta de le faire, une main levée en bouclier – mais le bout de la chaussure de Moussah l'atteignit au menton alors que Déborah parvenait enfin à se relever et à saisir le revolver. Elle l'agitait d'une main tremblante, au point que je n'aurais pas été surpris d'entendre une brusque détonation.

— Mains sur la tête ! hurla-t-elle, la voix encore nauséeuse.

Si j'avais été le gros costaud, j'aurais obéi sans hésiter. Elle était nerveuse, et haineuse, et en manque, la Deb. Je n'aurais pas douté un seul instant de sa capacité à presser la détente. À mon avis, Paraboots se serait lui aussi soumis. Nous ne le sûmes jamais : le dernier coup de Moussah l'avait fait tomber au sol, inconscient.

Le silence retomba dans la pièce. Histoire de me faire remarquer, je vomis de nouveau, un mince filet de bile cette fois. Déborah tremblait toujours, ne baissait pas son arme. Figé dans une posture de doute, le père avait levé les mains en l'air, dans son coin de la pièce. La mère ne bougeait pas. Aurélie s'était assise sur son lit, en état de choc. Moussah se pencha sur sa victime, posa la main au niveau de sa gorge, et se redressa avec un air soulagé.

— Il est en vie. K.O. mais en vie.

Le premier à reprendre ses esprits fut le père de famille. C'était admirable car, de toutes les personnes présentes, ça devait être celui qui avait eu à assimiler le plus d'éléments ces dernières minutes. Sa femme complotait dans son dos, des brigands voulaient le faire chanter, il devait trouver plus de quatre cent mille euros, un grand black se cachait dans l'armoire de sa fille, un couple se dissimulait sous son lit… je pouvais comprendre sa confusion.

— Quelqu'un peut m'expliquer ce qui se passe ? C'est *Surprise sur prise*, ou quoi ? Et pour commencer, qui êtes-vous ?

— Ta gueule ! hurla Déborah, les dents serrées, l'arme toujours à bout de bras.

Elle était drôlement tendue, mon amie. Le père se tut aussitôt, tandis que je me levai péniblement. Elle me regarda avancer, les yeux hantés. Doucement, je posai ma main sur la sienne. Elle me laissa prendre l'arme sans réagir. Sa lèvre inférieure tremblait. Comme je n'y connaissais rien en flingue, je me contentai de pointer le canon vers le sol.

— Désolé pour les mauvaises manières de mon amie, mais je pense qu'elle est un peu stressée.

— Ouais, et y'a pas qu'elle, gronda Moussah. Attends, j'avais vu un truc au fond du placard.

Sans plus de précision, il plongea la tête dans l'armoire à vêtements et farfouilla quelques instants avant d'en ressortir avec une paire de menottes recouvertes de fourrure rose. Il les secoua, grimaça. Aurélie baissa les yeux, vaguement gênée.

— De la vraie camelote, mais c'est déjà un début. Hey, les vieux, vous avez pas de la corde quelque part, du gros scotch, quelque chose, je sais pas ? Dans un appart aussi grand, ça devrait se trouver, non ? (Personne ne bougeait, et il tapa du poing contre la commode renversée.) Ben qu'est-ce que vous attendez ? Allez, filez, ramenez-moi ça, et vite ! Je suis sûr que vous n'aimeriez pas qu'il se réveille tout de suite, si ?

Le père ouvrit la bouche, probablement pour demander de nouveau qui nous étions, puis il changea d'avis et quitta la pièce d'un pas lourd. Je me demandai s'il allait prévenir la police, mais quelque chose me disait que non. Il était trop choqué pour ça – et il ne connaissait toujours pas l'étendue des problèmes qui le menaçaient.

Galant en toute circonstance, je m'inclinai devant la mère. Pour une première rencontre avec la famille, je faisais fort. La disparition du miroir dans la chambre ne m'empêchait pas de bien me visualiser, avec ma balafre au visage, mes diverses coupures, mes cheveux trempés de sueur, mon jean poussiéreux et mon T-shirt souillé. Sans même parler du revolver dans ma main droite. Oh, je représentais le gendre idéal.

— C'est vrai que nous ne nous sommes pas présentés. Voyez-vous, Moussah ici présent (je désignai mon ami, lui-même fort occupé à tirer les bras de Paraboots dans son dos) est le petit ami, le compagnon de Cerise. Il a très mal vécu sa disparition, et il cherche à la retrouver. Avec notre aide, parce que nous sommes de véritables amis, le cœur sur la main.

— Ou au bord des lèvres, marmonna Déborah.

J'ignorai l'interruption.

— C'est votre mail qui nous a conduits ici. Et, compte tenu de ce qui vient de se passer ce soir, je pense que c'était la bonne piste. Il y a encore pas mal de zones d'ombre, mais je commence à y voir plus clair.

— Tu as de la chance, parce que moi, pas vraiment, marmonna Aurélie.

La mère fronça les sourcils.

— Vous vous connaissez ?

— C'est une longue histoire. Et je ne suis pas sûr que ce soit le plus important, là, tout de suite. Cerise est toujours enlevée, torturée (je regardai autour de moi en repensant au doigt coupé mentionné, mais il avait dû rouler par terre) et dans votre cas, vous êtes dans les ennuis jusqu'au cou. Heureusement, j'ai pu enregistrer la discussion de votre agresseur. C'est déjà quelque chose, ça pourra vous servir si jamais vous vous retrouvez face à un tribunal.

Sans lâcher le revolver, je plongeai mon autre main dans mon jean pour en sortir mon téléphone. J'appuyai sur *play*. J'étais tellement habitué à voir toutes mes idées foulées au pied que je ne m'énervai même pas en entendant le son épouvantable de l'enregistrement. Les bruits du matelas se confondaient avec les raclements de pied pour noyer toute la conversation dans un brouhaha incompréhensible. Peut-être que des spécialistes parviendraient à en faire quelque chose, mais je n'avais pas grand espoir.

Ce fut le moment que choisit le père pour revenir. Je me raidis en voyant la porte pivoter – il ne manquait plus qu'il ait une arme cachée dans un coin et qu'il se décide à prendre le contrôle de la situation – mais non, il rentra, le front baissé, les mains chargées de ficelle et de scotch épais.

— De la ficelle ? Sérieux ?

— C'est tout ce qu'on a ici, marmonna-t-il. (Une étincelle de colère brilla dans ses yeux, prouvant qu'il lui restait encore un peu de caractère.) Je n'avais pas prévu de devoir ligoter un homme, figurez-vous.

— Ouais, ben ça sert, parfois, d'être prévoyant. Regardez votre femme, vous auriez pu anticiper et divorcer.

Sur ces belles paroles, Moussah lui prit le matériel des mains et entreprit de sécuriser sa victime au mieux. Ça faisait déjà deux minutes que l'homme était assommé ; je ne m'y connaissais pas vraiment en évanouissement, mais ça me paraissait long. Dans le doute, je le surveillai du coin de l'œil, prêt à pointer le canon de l'arme sur lui. Et après, quoi ? Tirer ? Je ne savais pas si j'en étais capable. J'espérais que, si on en arrivait aux menaces, Paraboots prendrait les miennes au sérieux.

Je n'aurais pas dû m'inquiéter : avec une complaisance coupable, l'amoureux de Bambi n'ouvrit les yeux qu'une fois attaché aux montants du lit par une combinaison de ficelle, de scotch et de menottes. Je ne savais pas si c'était solide, mais la position l'empêchait de se relever, et c'était tout ce qui comptait pour le moment.

Il battit des paupières, focalisa son regard sur nous. Il ne tenta pas de se libérer. Je vis sa joue se gonfler, comme s'il explorait ses dents avec sa langue pour constater les dégâts. Puis il sourit, sans montrer la moindre peur.

— Vous savez que vous faites une belle connerie. Vous pouvez encore me détacher, payer la rançon, et tout ira bien. Si jamais il m'arrive quoi que ce soit, toi (il se tournait vers Moussah), tu peux dire adieu à ta petite Cerise. Et toi (il fixait la mère), tu vas finir ta vie en prison.

Je me penchai vers lui – mais pas trop près.

— Ou alors, tu peux nous dire tout ce que tu sais. Une fois qu'on aura récupéré Cerise, on pourra te laisser partir. C'est un bon deal, non ?

Il éclata de rire.

— Je crois que vous n'avez pas compris à qui vous avez affaire, les mômes.

Moussah s'avança, le poing serré. Lorsqu'il l'ouvrit, je vis quelque chose de petit et de rabougri dans le creux de sa paume. Il me fallut quelques secondes pour comprendre de quoi il s'agissait.

Le doigt de Cerise.

— Tu aimes bien les citations de Disney, hein ? Tu as vu Aladin ?

Il se pencha sur son prisonnier et lui attrapa le bras.

— Incassable ? Incassable ?

Il y eut un bruit sec.

— Cassé.

24

Quelle belle revanche que de voir Paraboots dans l'état où il souhaitait me mettre.

Je n'en verdis pas moins en constatant le résultat du craquement que j'avais entendu. Son bras formait un angle indécent avec son épaule, et le hurlement qu'il poussa me vrilla les oreilles. Si les voisins n'étaient pas en train d'appeler la police, c'est qu'ils prenaient des somnifères très efficaces.

Comment est-ce qu'on avait pu en arriver là ? À l'origine, je voulais simplement aider Moussah.

— C'est bon, c'est pas la peine de le torturer, non plus.

— Ouais ? Après ce qu'il a fait à Cerise, je peux te dire que c'est qu'un début.

— Mouss, je comprends que tu sois furieux, mais ça résout rien. On est censés être les gentils dans l'histoire. Si tu commences à faire ce genre de conneries, ça va se terminer en taule. Je ne sais pas ce que tu en penses, mais je préférerais un *happy ending*.

Il agita le doigt qu'il tenait toujours dans sa main, et je reculai devant le macabre trophée.

— Un happy ending ? Comment tu veux que ça se termine bien quand ça commence comme ça ? Tu crois que, même si on la retrouve en vie, elle s'en sortira indemne ? Physiquement, psychologiquement ?

Il n'avait pas tort, mais ce n'était pas le moment de le reconnaître.

— En attendant, je crois que ton mec a son compte. Regarde, il vient de tourner de l'œil.

Moussah se retourna et ne put que confirmer mes dires. Malgré son entraînement militaire et ses postures de gros dur, le colosse avait fini de geindre ; sa tête pendait mollement sur le côté. La douleur devait être atroce.

— Génial. Je le réveille pour qu'on lui pose nos questions ?

— Qu'est-ce que vous comptez faire, exactement ?

La voix du père s'éleva au milieu de nos palabres. Je l'avais oublié, celui-là. Malgré son teint cireux, il semblait décidé à ne pas se faire oublier.

— À votre avis ? Vous êtes prêt à verser la somme qu'ils demandent pour relâcher Cerise et vous laisser tranquille ?

— Bien sûr que non ; c'est hors de question. Je me refuse à céder au chantage.

Sa femme eut un petit rire de gorge.

— C'est facile pour toi de dire ça. Si jamais le pire arrive, tu pourras plaider que tu n'étais pas au courant, tu pleurnicheras devant la police, et on me mettra tout sur le dos. À choisir entre nous retrouver à deux sur la paille, ou rester seul à profiter de notre argent, ta décision est déjà prise.

— Comment oses-tu me parler comme ça ? Je te rappelle que c'est à cause de toi qu'on en est là ! Si tu n'avais pas fait n'importe quoi pour ta fille, non, pardon, pour l'image que tu en as... mais regarde-là, bon sang, ça fait des années qu'elle se présente à ces concours pour ton plaisir, est-ce que tu as déjà pensé au sien ?

Aurélie ne répondait pas, prostrée sur le lit ; je me demandai si ce n'était pas elle qui avait l'attitude la plus sage.

— Dites, je ne voudrais pas vous vexer, interrompit Déborah, mais nous avons la vie d'une jeune fille dans la balance. Est-ce que vous accepteriez de laisser de côté deux secondes vos querelles de ménage pour qu'on puisse se concentrer ? Je pense que le plus important, c'est de récupérer Cerise en vie. Le reste, vous pourrez voir ensuite.

Si Moussah ou moi nous étions exprimés ainsi, l'ire parentale se serait abattue sur nous, et qui étions-nous pour les juger ainsi, et d'ailleurs nous étions nous aussi des délinquants pour avoir pénétré chez eux par effraction et qu'est-ce qu'on voulait à la fin – mais Déborah avait de longues années de pratique devant ses élèves et le père se contenta de hocher la tête. Je ne savais pas comment elle parvenait à convaincre ses interlocuteurs, et ça m'énervait, mais ça marchait à tous les coups.

— Alors, je fais quoi, je le réveille et je le fais parler ?

Des images de gégène et de tête plongée dans une baignoire me traversèrent l'esprit. C'était toujours le même débat, dans toutes les discussions de comptoir : peut-on justifier la torture ? Même pour sauver quelqu'un ? Jack Bauer n'aurait pas hésité, lui. Mais il possédait le numéro de portable du président des États-Unis. Ça pouvait aider.

Je jetai un coup d'œil à Paraboots, sur le sol. C'était étrange de l'appeler encore ainsi ; je ne connaissais pas son nom, pas même un pseudo. Par acquit de conscience, je m'accroupis à côté de lui, attentif au moindre de ses gestes. Son évanouissement pouvait être une mascarade.

Il ne bougea pas lorsque je lui effleurai le bras, ni lorsque je fouillai sa veste de cuir informe. Je trouvai son portefeuille, l'ouvris. Il y avait quelques billets, une centaine d'euros environ, ainsi qu'une carte d'identité au nom de Timothée Duchemin. La photo correspondait, mais cela ne voulait rien dire ; quelqu'un qui se promenait avec une arme pouvait aussi se procurer de faux papiers.

Nous avons tous des images préconçues lorsqu'on nous cite un prénom, probablement en raison des camarades de classe que nous avions en maternelle ou au primaire. Dans mon cas, le nom de Timothée m'évoquait un gamin chétif, constellé de taches de rousseur, avec des lunettes trop grandes sur un regard trop sérieux. Je sentis l'angoisse que j'éprouvais devant Paraboots se dissiper légèrement. Pas de quoi esquisser un sourire, mais c'était un début.

Puis je trouvai le cliché que le gros bras avait montré aux parents, et mon humeur s'assombrit.

C'était un polaroïd, pris par un amateur comme moi, mais on y reconnaissait bien Cerise. Elle était attachée à une chaise en bois, les mains dans le dos, une épaisse corde de marin autour du corps. Un morceau de ruban adhésif recouvrait sa bouche et le journal du jour reposait contre son torse. Je le tendis à Moussah sans dire un mot. Il s'en empara, regarda fixement l'image, puis la donna à Déborah. Il n'offrit aucun commentaire. Sa mâchoire était serrée, les muscles de son cou tendus.

— Vous avez trouvé quelque chose ?

La voix du père, presque déférente. Je me tournai dans sa direction, lui jetai le portefeuille entre les mains.

— Timothée Duchemin. Ça vous parle ?

La voix d'Aurélie s'éleva de son coin du lit, acide, haineuse.

— À lui, probablement pas, mais à ma mère ? S'il y a bien quelqu'un dans cette pièce qu'il faudrait torturer, c'est elle, pas ce mec par terre. Je suis sûre qu'elle a plein de choses à nous raconter.

— Chérie..., protesta la femme, mais sa fille était désormais lancée.

— Il n'y a pas de *chérie* qui tienne ! Tu te rends compte de ce que tu m'as fait, de ce que tu as fait à Papa ? Mais tu croyais quoi, que tout se passerait comme sur des roulettes ? Tu sais quoi, maman, ce qui me blesse le plus, ce n'est même pas ces conneries, j'ai toujours su que tu n'étais pas très équilibrée. Non, ce qui me blesse, c'est que tu ne m'as même pas fait confiance pour ce concours. Tu n'as pas songé que j'aurais pu le gagner sans ton aide. Tu as essayé de jouer à la bonne fée – mais tu sais, maman, les bonnes fées, elles n'interviennent que quand leur filleule a une vie de merde.

— Mais je voulais...

— Je m'en fous ! Je sais ce que tu voulais, et ça ne m'intéresse pas ! La seule chose qui m'intéresse, là, maintenant, c'est qu'on arrive à se sortir de ce merdier. Et ce qui me motive, c'est de sauver Cerise, pas de t'éviter la prison. Je n'en voudrais même pas à Papa s'il demandait le divorce, là, tout de suite, maintenant. Je sais pas comment il t'a supportée toutes ces années !

Lorsqu'on se mariait pour le meilleur et pour le pire, envisageait-on que *le pire* inclurait des arrangements louches et une tentative de séquestration ?

— Je ne voulais pas tout ça, murmura la mère, les yeux baissés.

— Ça tombe bien, nous non plus, coupa Moussah. Du coup, si vous avez quelque chose à dire, c'est le moment de le cracher. Parce que sinon…

Il n'eut pas besoin de préciser sa pensée. Aurélie se tenait très raide sur son lit, encore vibrante d'indignation. Déborah posa sa main sur mon épaule d'un geste rassurant. Je regardai le bout de mes chaussures.

— Je ne sais pas pour vous, mais j'aurais bien besoin d'une vodka, marmonnai-je.

Personne ne fit attention à moi. Le silence grandit.

Puis la mère agita vaguement le bras en direction de son mari. Quelques bracelets tintèrent à son poignet. Elle dormait vraiment avec ? Ou alors elle les avait mis lorsqu'on avait sonné à la porte.

— Je veux bien vous raconter, mais pas devant lui. Pas maintenant.

Voilà autre chose. Qu'est-ce qu'elle voulait encore cacher ? Après ce qu'il venait d'apprendre, je doutais qu'il puisse s'émouvoir beaucoup plus. À moins que ce ne fût une histoire de coucherie. Les hommes étaient susceptibles, parfois. Autant l'ancien sportif pourrait rester avec sa femme contre vents et marées malgré ses magouilles ridicules, autant la moindre rumeur d'infidélité précipiterait une séparation brutale.

Moussah résuma la situation avec sa diplomatie habituelle.

— Quoi, qu'est-ce que tu as fait, t'as couché avec un autre mec ? Et alors, tu crois que ça change quelque chose de lui demander de partir dans la cuisine ? Tu penses qu'il va se douter de rien ?

La mère resta impassible. Elle croisa les bras sur une ample poitrine qui devait attirer nombre de regards dans sa jeunesse. Je connaissais bien cette position : elle se raccrochait à ses dernières bribes de dignité, et ne céderait pas.

— Ok, ok, on fait sortir votre mari, cédai-je. Quelle importance, après tout. Comme Moussah, je ne vois pas l'intérêt, mais si c'est le prix à payer pour que vous parliez...

Je m'attendais à devoir argumenter, protester, peut-être menacer, mais le père obéit sans un mot. Trop d'émotions, trop d'événements qui s'enchaînaient, trop de révélations. J'essayai de me mettre à sa place, puis renonçai. Chacun ses problèmes, et j'en avais suffisamment comme ça.

— Voilà, il est parti. Maintenant, est-ce que vous pourriez nous raconter clairement comment s'est passée toute cette histoire ? Tout détail est important si nous voulons nous en sortir, alors j'espère que vous avez une très bonne mémoire.

— Maman ? Dis-lui tout. S'il y a quelqu'un qui peut te sortir de là, c'est bien lui.

Depuis quand avais-je une telle aura auprès d'Aurélie ? Il me semblait pourtant avoir tout mené de travers jusqu'à maintenant.

Sur le sol, l'homme de main s'agita faiblement, et Moussah s'accroupit à côté de lui pour le surveiller. La mère lui jeta un regard venimeux avant d'abdiquer.

— Il s'appelle Jean-Philippe. Il est grand, il est beau, et il a beaucoup d'humour.

Je ne pus empêcher un ricanement de dérision, mais la femme était au-delà de cela. Les poings serrés, la voix monocorde, elle fixa du regard un morceau de verre et ne bougea plus. J'avais déjà vu ce comportement de nombreuses fois : la culpabilité est tellement forte qu'on se sent réellement soulagé lorsqu'on finit par se confesser, quelles qu'en soient les conséquences.

— Ça fait quatre mois que nous nous sommes rencontrés dans un parc. J'aime bien aller lire là-bas, même en plein hiver. Il y a moins de monde qu'en juillet, moins de gamins qui courent dans tous les sens, c'est reposant. Et il était là lui aussi, toujours sur le même banc. De temps en temps, je relevais la tête, et il me souriait.

Du coin de l'œil, j'entrevis Déborah en train de se mettre un doigt dans la bouche pour mimer le vomissement. Je n'eus pas la force de sourire. D'accord, cela ressemblait pour l'instant à de la littérature Harlequin, mais je n'oubliais pas que tout avait fini par un kidnapping.

La mère se tourna vers sa fille, les yeux obstinément rivés au sol.

— Tu sais, trente ans de mariage, ce n'est pas quelque chose de facile. Comme dans tous les couples, comme au vélo, il y a des côtes, des descentes et des plats. Mais c'est les plats qui finissent par nous épuiser. Tout doucement, insidieusement, on finit par perdre le désir, le plaisir de voir l'autre. On tombe dans l'indifférence. Ce n'est plus de l'amour mais de la colocation. On s'ennuie, on se lasse, c'est humain. Trente ans. Trente années ensemble. Comment pourrait-il en être autrement ?

— Maman…

Une dernière étincelle de défi brilla dans les prunelles lasses.

— Quoi, *maman* ? Tu voulais que je te raconte, oui ou non ? *Il* m'a écoutée, lui, pas comme ton père, pas comme toi. Lorsqu'il m'a proposé de prendre un verre, j'ai accepté. Tu me croirais si je te disais que je me sentais de nouveau adolescente ? Non ? Tu t'en moques ? On verra quand tu auras mon âge, on verra si tu sauras dire non à une seconde jeunesse. Je passais mes soirées à attendre ses messages, comme une bécasse. Et je l'ai revu. Plusieurs fois. Je n'ai pas honte de le dire.

Je pensai à mes propres parents, toujours ensemble, toujours amoureux après quarante années. S'étaient-ils posé ce genre de questions ? De mon côté, je me rappelai les derniers moments avec Jessica. Deux ans et demi seulement, et pourtant la passion s'était déjà émoussée.

Moussah fit craquer ses doigts.

— Tout ça, c'est super, mais si vous pouviez abréger...

Elle eut un petit rire sec.

— Ah, les turpitudes d'une mère de famille ne vous intéressent donc pas ? Très bien, je vais faire court. Nous nous sommes tournés autour pendant trois semaines. Sans rien dire, chacun sur son banc, juste un sourire de temps en temps. Et puis il m'a abordée, et nous avons pris un café, et nous avons fini par passer plus de temps ensemble. C'était tellement agréable d'avoir enfin quelqu'un qui m'écoutait, qui m'écoutait vraiment. Je lui parlais de mes doutes, et de ma vie, et de toi ma chérie, et ça l'intéressait.

— C'est ça que vous appelez *abréger* ? protestai-je.

— Il faut croire que tu lui parlais aussi des assurances-vie de Papa, siffla Aurélie en même temps.

— C'est vrai. Je lui ai parlé de beaucoup de choses, et peut-être que j'ai mentionné certains investissements à un moment ou à un autre. Mais il faut que vous compreniez que nous discutions tout le temps, de tout et de rien. Et le plus souvent, je lui parlais de ma fille, à quel point j'étais fière d'elle, à quel point elle allait réussir là où j'avais échoué.

Si la mère avait espéré amadouer Aurélie, c'était peine perdue. Les yeux de la jeune mannequin brillaient de colère contenue. La mère avala sa salive.

— En tout cas, il y a trois semaines, lorsque tu as gagné cette présélection, j'étais absolument ravie pour toi. J'étais convaincue que tu allais gagner. Et puis j'ai vu cette... cette Cerise, avec sa beauté, sa vulgarité, son côté métisse, sa...

— On se calme, là..., gronda Moussah.

— Je ne pouvais pas supporter qu'une rivale vienne concurrencer ma fille au plus mauvais moment. Alors j'ai envoyé un mail, oui, je l'ai fait. Je pensais qu'elle se dégonflerait. Et j'étais si sûre d'être anonyme... Jean-Philippe m'avait montré comment créer une adresse mail différente de celle que j'utilise tous les jours.

Brave, talentueux Jean-Philippe, capable de lui faire découvrir gmail sans lui préciser qu'il serait bien de poster ce genre de message d'un cybercafé ou en tout cas d'un autre ordinateur que celui de sa chambre...

Je m'écartai de Déborah pour aller m'asseoir près du lit, et posai ma main sur le bras d'Aurélie. Pendant un instant, je crus qu'elle se dégagerait – mais elle se laissa aller contre moi. Je fis un signe de tête en direction de la mère, qui continua complaisamment son récit.

— Quelque chose n'a pas fonctionné. Cette... Cerise a réussi à remonter ma trace informatique, elle a découvert que j'étais derrière le mail. Elle m'a dit qu'elle avait déjà déposé une main courante et que, maintenant qu'elle savait qui j'étais, elle allait porter plainte. Je... je m'affolai. Une telle histoire, ça aurait été de la mauvaise publicité, pas seulement pour moi mais aussi pour ma fille. Si on avait pensé qu'elle était impliquée, elle aurait été bannie du concours, peut-être pire ! Alors que c'était sa dernière chance ! Alors que je voulais l'aider !

Elle raconta la suite la tête baissée, douloureusement consciente des regards que nous échangions. Jean-Philippe qui l'invitait dans un bar, lui offrait un kir, puis allumait sa cigarette, tellement *bad boy*. Il lissait ses cheveux, se penchait en avant, baissait la voix. Est-ce qu'elle était prête à tout faire pour sa fille ? Il pouvait arranger les choses, même si ça ne serait pas facile. La mère s'avançait, prenait elle aussi des mines de conspirateur. Oui, elle était prête à tout. Sa fille était tout ce qui comptait. Elle ne pourrait pas se regarder en face si elle gâchait les dernières chances d'Aurélie de monter sur un podium.

La voix tranquille, hypnotique de Jean-Philippe qui lui expliquait son plan. Il suffisait d'éloigner Cerise le temps de la compétition, puis la relâcher en lui démontrant que porter plainte serait une mauvaise idée. Pas de blessure, pas de séquelles, et surtout aucune piste qui pourrait remonter jusqu'à la mère. Même si elle finissait par aller voir la police, elle ne pourrait rien prouver.

Aurélie se prit la tête entre les mains.

— Et tu l'as cru ? Sérieusement ?

— Pas au début. Au début, je pensais trouver une solution plus facile.

Elle avait contacté Cerise. Elle lui avait proposé mille, puis cinq mille, puis dix mille euros pour qu'elle accepte de ne rien dire du mail et se retire de la compétition. Mais la réponse de la jeune mannequin n'avait pas varié. Elle ne voulait pas d'argent, pas d'arrangement.

— Elle m'a raccroché au nez en me disant que ma fille allait mériter ce qui allait lui arriver. Alors...

alors j'ai vu rouge, et j'ai rappelé Jean-Philippe, et nous avons discuté des détails, et j'ai accepté.

Elle baissa les yeux, l'air misérable. On le serait à moins.

— Il m'a dit que cela risquait de coûter cher. J'ai demandé combien, quand il a dit vingt mille, j'ai accepté tout de suite. Après tout, j'étais prête à donner la moitié à cette Cerise.

Il n'avait pas demandé tout l'argent directement, seulement mille euros pour les premiers frais. Elle avait acquiescé, rassurée par son absence de cupidité. Il lui avait demandé de se créer une nouvelle adresse mail pour communiquer avec lui, elle s'était sentie comme dans James Bond. Il lui avait envoyé un mail confirmant les détails de l'enlèvement, lui demandant si elle était toujours d'accord, et elle avait acquiescé. Ensuite...

— Attends, attends, attends... maman, tu es en train de dire que tu lui as répondu *par écrit* que tu étais d'accord pour enlever Cerise ?

Aurélie était l'image même de l'incrédulité. Quant à moi, je me sentais tout à coup en terrain stable. À force de ne rencontrer que des top models brillantes, bonnes études, bonne répartie, humour dévastateur, ça me rassurait de retomber sur le cliché de la mannequin pas très futée.

Mais quand même. Confirmer par écrit.

Bordel.

Elle avait donc acquiescé. Et le soir même, ce fameux mercredi à 22 heures, Cerise se faisait kidnapper, juste après le départ de mon ami qui l'avait fait *mouss'er, lol.*

Depuis, la mère avait revu Jean-Philippe plusieurs fois. Elle avait exprimé ses inquiétudes, ses doutes, mais il avait toujours su la rassurer : dès que la finale serait passée, Cerise serait libérée, elle ne porterait jamais plainte, et rien n'arriverait jamais à la famille Dupin.

Carton plein.

– C'est pas possible d'être aussi conne, résuma Moussah.

25

On ne pouvait nier la pertinence du jugement de Moussah ; mais ce n'était pas le plus important. Je me tournai vers la mère.

— Ok, on a compris toutes vos tribulations sentimentales. Maintenant, il faut agir vite. Vous avez l'adresse de ce Jean-Philippe ? (Je levai les bras au ciel devant son air coupable.) Oh, c'est bon, vous vous souciez encore de ce que pense votre mari ? Allez, vite, quelque chose !

— Je ne sais pas quoi dire... on se voyait toujours dans un café, ou... ou chez moi.

— Ok, super. Et son téléphone, au moins ? L'email qu'il a utilisé pour vous contacter ?

Je pensais déjà à mon hacker, et à ce qu'il m'avait dit la dernière fois : quelqu'un qui voulait réellement camoufler ses traces sur internet pouvait le faire. Retrouver la trace d'une mère de famille écervelée, c'était facile – mais des kidnappeurs expérimentés ? J'avais de sérieux doutes.

Elle chercha son téléphone, me le tendit d'une main tremblante. Tout le monde me regardait, comme si j'avais pris le contrôle de la situation, comme si j'allais tout résoudre. Mais je n'étais personne, moi, juste un pauvre dealer qui allait bientôt finir en taule.

Il y avait bien un numéro enregistré à Jean-Philippe, et pléthore de textos que je ne me fatiguai pas à parcourir. Les femmes aussi avaient le droit de connaître le démon de midi. Mais si ça pouvait éviter de déboucher sur un kidnapping, ce serait mieux.

Avec ce numéro, je ne doutais pas que la police puisse effectuer une triangulation, trouver la localisation du portable, mettre en place une équipe d'intervention. Ils étaient bien mieux armés que nous pour gérer la situation – seulement, dans les cas de prise d'otage, l'otage ne s'en sortait pas toujours.

Je regardai ces fichus numéros sur le clavier, priant pour trouver une solution, mais mon cerveau tournait à vide. Lorsque je me tournai vers Moussah, je compris qu'il savait déjà ce que j'allais dire.

— On arrive au bout de ce qu'on peut faire seul, Mouss. Je suis désolé, je suis à sec. On n'a pas les moyens de retrouver Cerise, pas seuls. Faut qu'on implique la police.

La mère porta la main à son cœur comme si elle allait défaillir. On tournerait de l'œil à moins : la situation risquait de se compliquer pour elle. Même si Cerise s'en sortait, elle finirait accusée d'avoir commandité un kidnapping. Je ne savais pas comment les juges trancheraient, mais elle mettrait du temps avant de revoir son appartement huppé.

Là, tout de suite, je n'en avais rien à faire, et ses larmes me laissaient de marbre. C'était Moussah qu'il me fallait convaincre.

— C'est râpé pour la rançon, les parents n'ont pas l'argent disponible et, même s'ils l'avaient, je ne pense pas qu'ils le donneraient dans la situation actuelle. En plus, tu as pété le bras d'un des gangsters. Faut qu'on se retire de cette histoire, qu'on fasse jouer les pros. Avec le numéro, ils localiseront Cerise, j'en suis sûr. Ils ont l'habitude de ce genre de situation, elle s'en sortira sans problème.

— Tu dis ça, mais les kidnappeurs peuvent décider de la buter, ou alors elle se prendra une balle perdue…

— Ouais. Je sais. Mais je ne vois pas ce qu'on peut faire d'autre. Franchement, je ne sais déjà pas comment on a réussi à progresser autant, surtout vu toutes les conneries qu'on a accumulées, mais là on va leur donner plein d'infos, ce sera du tout cuit.

Je le sentis hésiter. Il était fatigué, mon Mouss, fatigué d'être en colère, de se battre, de ne pas fermer l'œil, de s'enfiler du soleil dans la narine pour tenir le coup sous un ciel pluvieux. Il baissa les yeux sur le doigt tranché qu'il tenait toujours dans la main. Je comptai les secondes, attendis sa décision. C'est pour lui que nous avions fait tout ça, c'est pour lui que nous arrêterions.

Mais ce fut une autre voix qui s'éleva. Rauque, cassée, brisée par la douleur.

— Bande de petits merdeux. Vous avez signé l'arrêt de mort de votre copine en me sautant dessus.

Je me tournai vers Paraboots – pardon, Timothée. Il avait repris connaissance et nous observait sans rien dire. Sa peau était pâle et parcheminée, son front maculé de sueur. Solide ou pas, il avait eu son compte. Je m'accroupis et lui soulevai le menton de la main.

— Ouais ? Il me semble qu'on contrôle la situation, pourtant.

Il grimaça un sourire. Du sang perlait de sa lèvre fendue et il s'était mordu la langue, auréolant ses dents de pourpre.

— Comme on se retrouve, Fitz. Le mec qu'on m'avait dit d'impressionner dans la rue. Ça n'a pas trop marché, faut croire.

— Oh, si, rassure-toi, ça a marché. J'en ai crevé de trouille.

— Mais tu es ici, ce soir.

— Ouais. Je ne sais toujours pas pourquoi.

L'homme laissa sa tête reposer contre le coin du lit, dans la position où Moussah l'avait ficelé. Il semblait à bout de souffle.

— T'aurais jamais dû venir. On a ton nom, on a ton adresse. Un jour ou l'autre, tu te prendras une balle, tu ne comprendras pas ce qui se passe. Et cette Cerise ? (Il toussa.) Mais vous imaginez quoi, qu'on prend pas de précautions ? Qu'est-ce que vous pensez qu'ils vont croire, mes partenaires, quand je ne reviendrai pas cette nuit ?

Nous nous regardâmes. Moussah restait de marbre. Aurélie me fit un geste de la main qui voulait tout dire et rien à la fois. Quant à Déborah, je l'avais perdue dans les affres de la descente de coke. Je sentis une main glacée m'étreindre le cœur. Cette fois, le Fitz était dans les emmerdes jusqu'au cou. Je n'avais pas besoin de fermer les yeux pour imaginer, quelque part, une balle à mon nom, qui tournait, qui tournait, et qui se dirigeait vers moi.

Timothée continuait, la bouche tordue, une grimace sanglante sur les lèvres.

— Je devais juste venir ici, faire un peu peur à la famille, exposer le deal, donner les modalités. Si je ne suis pas de retour dans une heure, ils vont comprendre que quelque chose a foiré. Ils changeront leur planque, maquilleront les traces. Peut-être même qu'ils buteront leur otage.

Sa voix se faisait raisonnable désormais, un véritable effort compte tenu de son teint gris et de ses inspirations difficiles.

— Votre seule chance, c'est de me libérer. Ici, maintenant, et de me rendre mon flingue. Je saurai me montrer sympa, je ne vous toucherai pas, je ne me vengerai pas. Ce qui m'intéresse, c'est la thune. Mais si vous continuez à jouer les fouille-merde, je peux vous dire que ça va chier pour vous. On est des pros. Si vous nous emmerdez, on ne fera pas de quartiers.

Je le regardai, ce grand gaillard à moitié évanoui qui continuait à jouer les matamores. Il ne semblait pas capable de mettre un pied devant l'autre et pourtant il nous regardait de haut, confit d'arrogance, certain de sa supériorité, convaincu qu'il possédait toutes les cartes en main. Le pire, c'est qu'il avait sans doute raison.

— Tu sais que je peux te faire souffrir, que je peux te torturer jusqu'à ce que tu me donnes l'adresse de ta planque ? observa Moussah d'un ton froid.

L'autre se contenta de ricaner.

– Et quoi, prendre le risque de mettre ta chérie encore plus en danger ? Tout ce que tu me feras, on lui fera. Et toi, tu finiras en taule. C'est ce que tu veux ? Tente ta chance, et on verra bien si je te crache une info avant que ta précieuse Cerise ne finisse en morceaux.

Je n'aurais pas provoqué Moussah à sa place, pas en ce moment. Mais ce ne fut pas lui qui bougea ; ce fut la mère d'Aurélie. J'étais tellement choqué que je ne la vis pas avancer avant que ce fût trop tard. Elle avait ramassé l'un des éclats de verre sur le sol et le serrait tellement fort que ses mains saignaient. Elle pressa le morceau contre la jugulaire de l'homme, ses doigts poisseux luttant pour trouver une prise.

– Tu sais quoi, connard, je pense que tu vas parler. Parce que moi, je vais de toute façon finir en prison, et mon mari va vouloir divorcer, et ma fille me regarde comme un monstre, et tout le monde me prend pour une abrutie. Alors tu vois, je n'ai rien à perdre. Et s'il faut te saigner, je le ferai. Tu crois que je n'en suis pas capable ? Tu réalises que j'ai ordonné qu'on kidnappe une fille, juste parce qu'elle faisait de l'ombre à la mienne ? Tu veux vraiment tester mes limites ?

Les yeux de l'homme s'agrandirent alors qu'il sentait le verre lui piquer la pomme d'Adam. Il déglutit, gémit lorsqu'une larme rouge vint couler le long des arêtes. Pour un gros dur, il avait soudain l'air plutôt inquiet.

— Arrêtez-la, putain, elle est complètement folle.

— Ça, c'est le moins qu'on puisse dire, acquiesça Déborah les yeux dans le vague.

Nous regardions la scène, comme fascinés, incapables d'agir. J'avais un revolver dans la main, mais je ne me voyais pas m'en servir. Menacer la femme ? Dans son état ? Lui tirer dessus ? Je baissai le canon, résigné. À défaut de Jack Bauer, une mère de famille pouvait bien faire l'affaire.

Mollement, parce qu'il le fallait quand même, je marmonnai :

— Madame, calmez-vous...

Elle ne m'accorda aucune attention. Sa robe de chambre avait glissé sur le côté et elle se retrouvait à moitié nue, mais ça ne semblait pas la perturber outre mesure. À la place de Paraboots, je me serais senti plutôt mal à l'aise.

— Je compte jusqu'à trois. Un...

Premier chiffre, première pression. Les yeux de l'homme nous cherchaient, exorbités, incrédules. Je détournai le regard.

Mais que diable allait faire Fitz en cette galère ?

— Deux...

Elle appuya, et il gargouilla. Sa respiration devint haletante.

— Trois...

— Ok ! Ok, ok ! C'est bon, je veux pas crever, ça va, pas pour ça !

Dans les films de gangsters, on voyait souvent les hommes de main sourire jusqu'à la mort et emporter leur secret dans la tombe, fiers d'avoir gardé leur honneur et protégé la Famille. Dans la réalité, il semblait bien que l'instinct de survie fût le plus fort.

Est-ce que nous serions allés jusqu'au bout ? Est-ce que nous aurions assisté à un assassinat en direct ?

– Elle est où ? Cerise est où ? fit la mère, l'expression glaciale.

L'éclat de verre ne bougeait pas d'un pouce.

– C'est bon, c'est bon, je vais le dire. Putain, mais quelle bande de tarés !

Il bougea lentement la tête comme pour vérifier qu'il pouvait encore le faire, cracha sur le sol. Je me penchai en avant, fasciné. Il avait perdu toute sa faconde, tout son courage. Il ne restait plus par terre qu'une baudruche gonflée aux stéroïdes. Ses allusions à Disney semblaient bien loin.

– Ils sont… ils sont Porte de Vanves. Dans un appart…

– L'adresse ?

– Rue des Hortensias. 5, rue des Hortensias. 3e étage.

Il nous donna même le code, sans plus hésiter. Je ne pouvais m'empêcher de me demander si ce n'était pas une information bidon, mais le temps nous était compté.

La mère se releva. Son visage ne portait pas la moindre expression alors qu'elle essuyait son arme improvisée sur le pan de sa robe de chambre. Je me tournai vers Aurélie, qui regardait la scène avec des yeux écarquillés.

Combien d'années de thérapie pour régler tout ça ?

Je sortis mon portable.

– J'appelle Jess. Il faut qu'elle envoie du monde tout de suite.

— On avait dit pas de flics, fit Moussah sourdement.

Je me tournai vers lui. J'avais les nerfs à vif. Je crois que je lui hurlai dessus.

— Mais réfléchis, bordel, branche ton cerveau de junkie amoureux juste deux secondes ! Ok, on a l'adresse, tu veux qu'on fasse quoi ? Qu'on se la joue Fort Alamo, on fonce dans le tas et on bute tout le monde ? Je sais pas si tu as réalisé qu'on est déjà dans la merde jusqu'au cou, là. C'est pas vraiment mon domaine, partir en guerre contre des kidnappeurs armés jusqu'aux dents (j'agitai le flingue dans ma main). Parce que je suppose que ce joujou n'est pas le seul qu'ils possèdent.

Moussah me regardait.

— On est allés jusque-là ensemble, mec.

— Ouais, je sais, et je trouve que c'est déjà pas mal. Putain, je sais même pas comment on s'est retrouvés dans ce merdier ; au début, on cherchait juste à retrouver la trace de ta copine. Quand on a vu que la piste remontait jusqu'à Aurélie, je pensais que ce serait vite réglé.

— Super, fit Aurélie.

— ...douloureux, mais vite réglé. Mais là, qu'est-ce que tu veux qu'on fasse, on n'est pas de taille. Il y a un temps pour tout, et maintenant, c'est à la cavalerie d'entrer en scène.

Je ne lui laissai pas le temps de répondre et sortis de la pièce à grands pas, mon téléphone à la main. Il ne me suivit pas ; c'était aussi bien comme ça.

Je composai le numéro de Jessica – police secours, Wonder Woman, 911, elle était tout à la fois. Ces dix chiffres m'avaient servi de talisman dans toute cette enquête. Le simple fait de les posséder dans mon téléphone, sagement alignés, me rassurait lorsque je franchissais la ligne rouge. Jess serait toujours là pour m'aider, arriverait toujours à temps. Elle décrocha à la quatrième sonnerie.

– Allô, Jess ? Dis-moi...

– *Bonjour, vous êtes bien sur le répondeur de Jessica. Je ne suis pas disponible pour le moment, mais vous pouvez me laisser un message...*

– Jess, déconne pas !

– *...et je vous rappellerai dès que possible. Au revoir.*

Trois heures et demie du matin. Qu'est-ce que c'est que cette commissaire qui met son téléphone en silencieux ? Une petite voix me souffla qu'elle en avait assez d'être dérangée par des abrutis comme moi. Mais quand même, ça tombait vraiment mal. Je raccrochai, appelai de nouveau, avec le même résultat. Je finis par laisser un message, parce que je ne voyais pas quoi faire d'autre.

– Euh, Jess, c'est Fitz. Voilà, en fait, je ne sais pas comment t'expliquer, c'est un peu la merde, enfin tu me connais, enfin tu vois ce que je veux dire. Enfin, bref, je veux dire, tu sais, je t'avais parlé de la copine de Moussah, y'a quelque temps, Cerise. Eh ben, elle s'est vraiment fait enlever. C'est juste qu'on n'avait pas le droit d'appeler la police. Comme dans les films, tu vois. Mais bon, là ça se complique, y'a toute une histoire de chantage, et y'a des gens armés, et j'ai besoin de toi, de la police, je sais pas gérer tout seul. Rappelle-moi, s'il te plaît, je t'en prie, je te promets, c'est un truc de malade, là. Je t'embrasse. Euh, c'était Fitz.

Je raccrochai, pestai contre mon manque de naturel, me demandai déjà si j'avais bien fait de laisser un message. Si tout se terminait mal, est-ce que ça serait retenu contre moi dans un tribunal ?

Puis j'eus un sourire sans humour. Si tout se terminait mal, ce n'était pas dans une prison que je finirais, mais au fond d'une impasse. Comme je l'avais dit à Jess, ces gars étaient armés.

Je m'apprêtai à revenir vers la chambre lorsque j'entendis une porte claquer, puis des bruits de pas précipités dans ma direction. Je me jetai de côté, prêt à me cacher courageusement, mais ce n'était que Déborah. Derrière ses mèches en bataille, son expression me glaça. Aurélie arrivait sur ses talons.

– C'est Moussah. Il vient de partir sauver Cerise.

Putain, mais non, quoi, non.

26

Il n'était plus temps de réfléchir – si jamais j'avais réussi à faire fonctionner mon cerveau ces dernières heures, voire ces derniers jours. Je m'élançai dans la chambre, pour trouver Paraboots sur le sol, toujours entravé, surveillé par des parents hésitants. Pas de danger de ce côté-là : vu sa teinte grisâtre, il risquait plus de nous faire un infarctus que de réussir à se libérer tout seul.

Un proverbe m'avait toujours perturbé lorsque j'étais enfant : *lorsque le vin est tiré, il faut le boire.* D'abord parce que je ne connaissais pas l'expression *tirer le vin*, et que mon père avait dû me l'expliquer à grand renfort d'images. Ensuite, parce que je trouvais ça ridicule. Lorsque le vin est tiré, on peut toujours le renverser par terre.

Depuis, Lady Gaga était passée par là et avait transformé le proverbe en : *quand tu as tué la vache, bouffe le hamburger.*

Il ne restait plus qu'à manger.

J'aurais pu m'adresser au père – après tout, c'était lui le plus raisonnable, il n'y était pour rien dans cette histoire, aussi porté par les événements que je l'étais. Mais ce fut vers la mère que je me tournai, l'expression aussi menaçante que possible. Le revolver que j'agitais à bout de bras devait fortement rajouter à ma crédibilité, mais elle ne cilla même pas.

— Je dois aller voir ce que fait mon abruti d'ami, et accessoirement essayer de sauver Cerise. Si vous avez encore un poil de conscience, priez pour qu'on ne se fasse pas tuer, sinon c'est encore quelque chose qui vous sera mis sur le dos. Alors restez là avec votre mari et surveillez Paraboots pendant qu'on n'est pas là. La police ne va pas tarder à arriver, ils prendront le relais.

Je mentais, pour la police, mais autant donner l'impression de contrôler la situation. De toute façon, la mère ne réagit pas là-dessus.

— Paraboots ? se contenta-t-elle de murmurer.

— Timothée, si vous préférez. Le gars, là, par terre. C'est pas compliqué, y'en a qu'un seul. Dans son état, il ne devrait pas vous poser de souci. Bon, je file.

L'idée m'effleura un instant que ce n'était pas une bonne idée de laisser tous ces gens seuls. Qu'est-ce que je savais des culpabilités de chacun ? Peut-être le père était-il complice ? Peut-être la mère tirait-elle les ficelles malgré son expression bovine ? Peut-être l'homme de main allait-il être libéré sitôt notre dos tourné ? Peut-être allait-il prévenir ses amis ?

Peut-être, peut-être, mais je n'avais pas le temps, et Moussah avait de grandes jambes, et il devait déjà se trouver en bas de l'immeuble, et qu'est-ce que j'aurais donné pour me trouver sur un dancefloor au lieu de me précipiter vers la porte en calant un flingue dans mon jean, sous mon T-shirt, en espérant qu'un coup ne partirait pas tout seul. Déborah suivait sur mes talons. Ce qui me surprit plus, cependant, ce fut la présence d'Aurélie. Je m'en rendis compte alors que je me trompai de couloir pour sortir et me retrouvai face à une salle de bains grande comme mon studio.

— C'est par là, la porte à droite, expliqua-t-elle juste derrière mon épaule.

Je m'engouffrai dans la direction indiquée, maudissant mon sens de l'orientation lamentable. Pardessus mon épaule, je lançai :

— Qu'est-ce que tu fais là ?

— À ton avis ? Je t'accompagne.

— C'est pas une bonne idée. C'est dangereux, et ce n'est pas ta place.

— C'est pas la nôtre non plus, grommela Déborah.

Je ne pouvais rien répondre à ça. Je trouvai enfin la sortie, me jetai sur l'ascenseur, mais le panneau indiquait qu'il était au douzième étage. Je me ruai vers la porte coupe-feu et l'escalier, les deux filles derrière moi. Moussah devait avoir pris le même chemin, et il était loin maintenant.

— Tu ne pouvais pas l'empêcher de partir ? haletai-je en direction de Deb.

— Arrêter Mouss ? Moi ? Il me soulève d'une main.

Certes. Mais quand même. J'étais furieux. Nous nous retrouvâmes à courir dans le boulevard

Diderot, sous la lumière blafarde des lampadaires. À cette heure-ci, il n'y avait presque personne. Presque, car Paris refusait de dormir. On y trouvait toujours l'alcoolo du coin, ou le couple enlacé, ou les quarantenaires de retour d'une soirée chez des amis. Cette nuit ne faisait pas exception – je faillis rentrer dans un homme fortement charpenté qui remontait la rue dans l'autre sens. Je ne pris pas le temps de m'excuser, courus encore plus vite vers la station de taxi la plus proche.

Il y a toujours une heure où la recherche de taxi se transforme en guérilla et en précis de jungle urbaine. Les voitures qui semblaient suffisantes quelques minutes auparavant se retrouvent tout d'un coup prises d'assaut au sortir d'un bar, d'un club, d'une soirée ou simplement à la fermeture des métros. Du coup, chacun a recours aux techniques les plus lâches pour trouver un véhicule. Les gens s'installent en amont des stations, les filles sortent leurs seins, sans parler de ceux qui traversent simplement la rue pour obliger les voitures à s'arrêter. Taxi, ton univers impitoyable.

Enfin, je me retrouvai dans mon élément. Sans ralentir ma foulée, sans regarder si on me suivait, je coupai le chemin d'une voiture qui se préparait à rejoindre la station. Une dizaine de regards indignés se posèrent sur moi, et je vis des gens s'approcher, prêts à en découdre.

J'agitai un billet de cinquante euros devant la portière, et la vitre s'abaissa.

— On va à Porte de Vanves. Le billet est pour vous, mais vite !

Le taxi ne discuta pas ; peu d'entre eux s'en donnaient la peine. Avant que les premiers râleurs n'arrivent à sa hauteur, il avait déjà démarré. Ce ne fut qu'à ce moment que je réalisai que les filles avaient eu le temps de monter aussi. Je m'adossai à la banquette et donnai la rue au taxi en mentant sur le numéro. Autant ne pas s'arrêter pile en face – il y avait des limites à l'arrivée en fanfare.

— Et maintenant, on fait quoi ? marmonna Déborah.

— On appelle les flics.

— Je croyais que tu l'avais déjà fait et qu'elle était pas là ?

— Ouais. Mais y'a pas que Jess à Paris.

— Hey, ça va les gars, vous avez un souci ? demanda le taxi, un jeune homme à la peau sombre, probablement pakistanais, avec de magnifiques rouflaquettes tout droit sorties d'une sitcom des années 90.

— Non non, tout va bien.

Je pris mon portable, me préparai à appeler un numéro d'urgence, hésitai une seconde. Merde, c'était quoi ? Comme tout le monde, je connaissais par cœur le numéro aux États-Unis, le fameux 911. Mais en France ? Je n'avais jamais eu à le composer et hésitai entre le 15, le 17, le 18… lequel était le SAMU, lequel la police ? Ou alors le 112 ? J'avais lu qu'on avait harmonisé les procédures au niveau européen.

— Le 17, fit Déborah en voyant mon trouble.

Je fronçai un sourcil, et Aurélie confirma :

— Le 17.

Ok pour le 17. J'entendis une sonnerie, une deuxième, puis une musique d'attente. C'était une plaisanterie ? Elle ne dura que trois secondes, cependant, avant qu'une voix bourrue et masculine ne me demande quel était l'objet de mon appel.

— Bonjour, désolé de vous déranger. Voilà, on a un kidnapping en cours, mais il faudrait surtout que vous vous rendiez rue Claude Tillier. Il y a un blessé là-bas, et je pense qu'il a pas mal de choses à raconter. Il s'appelle Timothée...

— Excusez-moi, monsieur, qui êtes-vous ? Vous dites que vous appelez pour un enlèvement ?

— Oui, mais ce n'est pas ça le souci, enfin pas tout de suite. Il faut vraiment que vous envoyiez du monde au 6 de...

— Monsieur, nous avons besoin de votre nom.

Je perdis mon calme, hurlai dans le combiné.

— Mais on s'en fout de mon nom, je vous appelle de mon portable, vous allez de toute façon tracer l'appel comme des enfoirés, alors écoutez ce que je vous dis et allez au 6, rue Claude Tillier, 4e étage, appartement 402.

— Monsieur...

Je raccrochai. Je me demandai comment ils pouvaient faire la différence entre les vrais appels et les plaisantins. Dans le doute, j'espérai qu'ils enverraient quelqu'un. En dirigeant ainsi la police dans le 12e arrondissement, je couvrais nos arrières tout en me laissant assez de temps pour rattraper Moussah. Ou alors, je faisais n'importe quoi. Je ne savais plus. Je me sentais fatigué. Contre ma hanche, le revolver pesait lourd.

— Hey, les gars, je veux pas d'emmerdes, moi, c'est quoi cette histoire d'enlèvement ?

Je croisai le regard du chauffeur dans le rétroviseur intérieur. Il n'était pas inquiet, pas vraiment. Il devait avoir l'habitude de ramener des clubbers en plein trip, et devait avoir entendu bien pire. J'agitai la main dans sa direction.

— Rien, rien d'important. Une mauvaise plaisanterie. Roulez.

Il me fixa du regard, puis hocha lentement la tête et revint à son volant. À cette heure-ci, la circulation était fluide et la plupart des feux eurent la politesse de rester au vert. Par deux fois, le chauffeur grilla l'orange. Il devait vouloir se débarrasser de nous le plus rapidement possible ; qui pouvait l'en blâmer ?

Je tentai de joindre Moussah sans succès, puis éteignis mon portable. Ça ne servait à rien de s'acharner et je ne voulais pas que la police puisse me tracer. Je ne savais pas si ça changeait quelque chose avec les moyens modernes, mais dans le doute...

— Et quand on est là-bas, qu'est-ce qu'on fait ? murmura Aurélie.

Je l'avais presque oubliée.

— On essaie déjà de retrouver Moussah avant qu'il fasse une connerie.

Elle acquiesça, baissa lentement les yeux. Le silence retomba. Je tentai de me concentrer sur la suite des événements, mais j'avais l'esprit vide. Lorsqu'elle parla, ce fut une distraction bienvenue.

— Je n'aurais jamais cru que ma mère... que ma mère aurait pu... c'est incroyable...

— J'avoue qu'elle a fait fort, sur le coup.

— Ne la juge pas !

La réponse me prit par surprise, le ton agressif et décidé. Puis, soudain, ses épaules qui s'affaissaient dans la banquette.

— Elle va finir en prison, pas vrai ? Quelle que soit la conclusion de cette histoire, elle va finir en taule ?

— Ou en hôpital psy, proposa Déborah.

Je la regardai et elle croisa les bras d'un air de défi.

— Quoi ? Je le dis comme je le pense. Si on en est là, c'est quand même à cause d'elle. No offense, Aurélie, mais elle est juste complètement fêlée.

Le mannequin ne répondit pas tout de suite. Quand elle le fit, ce fut d'une voix hésitante.

— Je ne sais pas. Je ne sais toujours pas si elle a fait ça pour elle, ou pour moi. Mais il y a des gens qui se plaignent de ne pas être aimés de leur mère, d'être rejetés, d'être quantité négligeable. Au moins, je ne peux pas dire ça.

Certes.

Dans le rétroviseur, le chauffeur nous lançait des regards de plus en plus préoccupés. Lorsqu'il s'arrêta sur le trottoir de la Porte de Vanves, son soupir de soulagement se mêla au crissement des pneus. Il tendit la main et je lui donnai mon billet – trois fois le prix de la course, mais ce n'était pas le moment de discuter. Il l'empocha avec un clin d'œil et, aussi facilement que ça, nous étions dehors et il disparaissait au détour de la rue. Je me félicitai de ne pas avoir donné l'adresse exacte : si jamais lui venait l'idée de prévenir la police, nous aurions encore un coup d'avance.

Pas de trace de Moussah. À cette heure-ci, poussé par la nécessité, il devait avoir pris un taxi aussi, je ne voyais pas d'autre solution. Et il avait sans doute employé des méthodes aussi cavalières que les miennes, voire plus brutales, pour ne pas avoir à attendre. Si c'était le cas, il devait être déjà arrivé. Il avait bien cinq minutes d'avance sur nous – dans une circulation aussi fluide, c'était énorme.

Lentement, nous nous rapprochâmes du numéro 5 de la rue. Je n'avais jamais aimé la Porte de Vanves. C'était là que le trafic de cannabis de la capitale avait installé ses racines durant longtemps et, aujourd'hui encore, il en restait des séquelles. La *boboïsation* et la *gentrification* de la capitale n'avait pas encore atteint les faubourgs fatigués, les rues étroites et les éclairages déficients. Quelques ampoules non-remplacées de lampadaires obscurcissaient les artères jusqu'à les rendre inquiétantes. Il faisait toujours aussi chaud, pourtant je rajustai mon T-shirt contre un vent invisible.

Le 5 était un immeuble comme les autres, ni plus miteux ni plus riche. Une porte nous faisait face, et je tapai le code. Bien sûr, le hall était condamné par un nouveau sas, orné d'un splendide interphone. Sans trop y croire, je poussai le battant, et le vantail s'ouvrit.

— Ben merde.

Je me baissai pour trouver la veste de Moussah roulée en boule sur le sol ; il l'avait placée pour empêcher le pêne de se fermer. Il était donc bien passé par ici – mais comment était-il entré ? Je ne pouvais croire qu'il avait eu la chance de tomber pile au moment où quelqu'un passait, ce serait une coïncidence trop incroyable.

Alors quoi, il était venu et avait sonné tranquillement à l'étage indiqué ?

Je me pris la tête dans les mains. Oui, j'étais sûr que c'était *exactement* ce qu'il avait fait. Convaincu qu'il pourrait négocier d'une manière ou d'une autre la survie de Cerise, peut-être se livrer lui-même comme otage, ou bien proposer une rançon. J'avais imaginé mon Moussah débarquer les armes à la main comme dans Matrix, mais sa seule priorité était de retrouver sa copine. Je me sentis tout d'un coup minable, fragile, souillé. Étais-je capable d'autant de dévouement, pour quelque fille que ce fût ?

La voie était désormais libre. Nous nous glissâmes dans l'immeuble, et je nouai la veste de Moussah autour de ma taille. Si les ravisseurs étaient des professionnels, il devait y avoir une caméra quelque part, de la vidéosurveillance, quelque chose – mais je ne vis absolument rien à part celle de l'interphone, provisoirement éteinte.

Je me rappelai mes parties de jeux de rôles, les moments passés à boire du coca en jetant des dés à vingt faces sur des cartes de donjon. À un moment ou à un autre, on finissait toujours par se retrouver dans une caverne obscure, en face d'un ennemi dangereux et bien préparé.

Nous pénétrâmes dans l'immeuble, et j'eus l'obscur sentiment que des dés étaient en train de rouler, quelque part.

27

Un écriteau de guingois sur l'ascenseur prévenait qu'on ne pouvait l'utiliser avant mardi prochain en raison de travaux de mise en conformité. Une autre pancarte sur le mur proposait de s'adresser à M. Ramirez, 2e étage C, pour toute question sur le sujet.

La cage d'escalier était sale et laissée à l'abandon ; des tags recouverts de peinture puis réappliqués démontraient la victoire des habitants sur les sociétés d'entretien. Je ne savais pas s'il s'agissait d'un HLM en déshérence ou d'un syndicat de copropriété particulièrement économe, mais le résultat ne me donnait pas envie de déposer un dossier de location. Nous étions en périphérie de Paris, pourtant je me sentais comme dans l'un de ces reportages de TF1 censés aggraver le sentiment d'insécurité, avec leurs travellings poussifs sur des banlieues difficiles et des barres d'immeubles vétustes.

Je m'engageai sur le palier, les deux filles à mes côtés. Ah, quelle belle cavalerie nous représentions pour Moussah. Nous étions tous les trois taillés comme des fils de fer ; seul le contact du revolver contre ma hanche me rassurait un peu. C'était ridicule : la seule fois de ma vie où j'avais eu une arme à feu entre les mains, je ne m'en étais pas servi. Mais tout de même. Je regardai Déborah, je regardai Aurélie, et je sentis une bouffée de machisme m'envahir. J'étais leur seul rempart face à la violence des kidnappeurs. Ce sentiment me fit du bien, et dissipa une partie de ma crainte.

Oui, j'avais peur. Nous touchions au but, et je crevais de trouille. Nous montions une marche après l'autre, et je m'attendais à tout moment à ce qu'on me tire dessus, ou à ce qu'une batte de base-ball vienne me fracasser la clavicule. J'y tenais, à cet os. Nous avions fait pas mal de chemin ensemble. Je me rappelais les paroles de Timothée, sa remarque sur la balle qui portait mon nom. Quel effet cela faisait, d'angoisser toute sa vie ? Je serrai les dents, et avançai. Un pied, puis l'autre. Un pied, puis l'autre. Les paliers se succédaient plus vite que je ne l'aurais souhaité. Premier étage, deuxième. L'escalier s'enfonçait dans l'obscurité, et j'appuyai sur le commutateur, sans succès. Aucune lumière ne s'alluma. Tout était plongé dans les ténèbres.

Il me vint à l'esprit qu'une excellente manière d'être averti de l'arrivée d'intrus serait de relier un système d'alarme à ce minuteur, et je frissonnai. Le noir au-dessus me paraissait de moins en moins engageant.

— Qu'est-ce que tu fais ? murmura Déborah derrière moi.

— Je ne suis pas très rassurée, avoua Aurélie.

De nouveau, cette confidence me rassura. Je me dressai sur mes ergots, avançai de quelques marches. Ça devenait vraiment sombre par ici.

Je sortis mon téléphone de ma poche et l'allumai pour m'éclairer. C'était trop tard pour la triangulation, de toute façon : nous aurions le temps de régler la situation, d'une manière ou d'une autre, avant que la police ne s'en mêle.

Avec l'habitude d'un espion confirmé, je mis le portable sur silencieux – il ne manquait plus qu'il sonne maintenant – et c'est alors que je réalisai que ma messagerie clignotait. Moussah qui m'avait rappelé ? Je collai le combiné à l'oreille.

— Qu'est-ce que tu fous ? siffla Déborah, de nouveau, moins polie cette fois.

— Chht. C'est peut-être Mouss, c'est peut-être important.

Ça n'était pas Moussah, mais une voix plus aiguë, et beaucoup, beaucoup plus stressée.

— Fitz, c'est Jess. Tu sais que ça ne se fait pas, d'appeler les gens à toute heure du jour ou de la nuit ? Mais le message que tu m'as laissé... je n'ai rien compris, mais j'ai l'impression que tu as des ennuis. Dans quoi est-ce que tu t'es encore fourré ? C'est quoi cette histoire de Cerise ? Je viens d'appeler à la PJ mais tu me fais travailler en aveugle, là, merde, je n'aime pas ça, tu te rends compte de ce que tu me fais ? Si tu t'en sors, je te jure, Fitz, je t'étrangle moi-même. Bon, rappelle-moi.

Si vous voulez réécouter, tapez 1. Archiver...

Je tapai 2, tombai sur le message suivant. De nouveau Jessica, à 4 h 17. Je regardai ma montre : à trois minutes près, je l'aurais eue en ligne.

— Fitz, c'est Jess, réponds, bordel, je ne sais pas où tu es, tu me fais peur, vraiment ! Je viens de regarder tout ce qui pourrait avoir un lien avec un kidnapping et un collègue a eu un appel anonyme dans le 12e arrondissement. L'équipe envoyée sur place est tombée sur un gars inconscient avec un bras cassé et un couple incohérent. Il n'a pas tout compris, mais ça serait lié avec ta Cerise. Et ils ont parlé d'un black costaud, d'un grand nerveux et d'une fille à tête de poupée qui étaient présents sur les lieux, ça te dirait rien par hasard ? Fitz, je te jure, décroche ! Le gars par terre a déjà été identifié, il s'appelle Rufus Thelmore, il fait partie d'un gang recherché activement, je ne plaisante pas, j'ai les fiches sous les yeux ! Leur chef s'appelle Philippe Laplume. Malgré son nom, il a un casier gros comme le bras, c'est un escroc notoire ! Usurpation d'identité à Évry, tentative d'extorsion de fonds à Schoelcher en Martinique, fraudes à la carte bleue à Cambridge, en Angleterre, sans parler de plusieurs cas de falsification de documents. Alors appelle-moi, Fitz, bordel, je me fais un sang d'encre !

Je raccrochai, encore secoué. C'était beaucoup d'informations en même temps, et peu de bonnes nouvelles.

— C'était Moussah ? demanda Deb doucement.

— Non, c'était Jess.

— Les renforts sont en marche ?

— Je te rappelle qu'on a décidé de la jouer solo, celle-là. Ou en tout cas, Moussah a pris la décision pour nous tous.

Rufus Thelmore. Timothée. Paraboots. Autant de noms pour la même personne – si une simple rencontre avec lui m'avait terrorisé, comment allais-je faire pour affronter son chef ? Un homme au casier judiciaire chargé, capable de couper un doigt à une fille simplement pour montrer qu'il était sérieux.

Je regardai ma main devant l'écran de mon téléphone, les phalanges, les nervures. J'y tenais à mes doigts.

Je coulai un regard dans le couloir par-dessus la rambarde, cherchant à apercevoir une porte ouverte, un rai de lumière ou quoi que ce soit qui me donnerait une indication. Mais non, rien. Pas d'éclats de voix non plus, ni le basson de Moussah ni les appels au secours d'une Cerise molestée. C'était un palier comme tous les autres, juste un peu plus sombre, juste un peu plus inquiétant.

J'étais très conscient de la présence de mon arme contre ma hanche, et de mon incapacité totale à m'en servir. Qu'est-ce que je pouvais faire ? Si j'avais été Bruce Willis dans *Piège de Cristal*, j'aurais accroché le revolver dans mon dos avec du ruban adhésif, et j'aurais abattu les méchants au moment où ils s'y attendaient le moins, tout en esquivant leurs balles. Mais j'étais Fitz, et je manquais de scotch.

Et de vodka.

– Qu'est-ce qu'on fait ? me souffla de nouveau Déborah.

Je me tournai vers les deux filles. Deb shootée jusqu'aux oreilles, en pleine descente. Aurélie que je connaissais si mal, les yeux brillants, la respiration hachée.

Lorsque ma voix résonna dans la cage d'escalier, je ne la reconnus pas.

— Je ne sais pas… je ne sais pas…

Je ne savais pas.

Nous étions arrivés jusqu'ici, à la porte de ce qui devait être le repaire des kidnappeurs, et je ne parvenais pas à imaginer la suite. J'essayai de calmer ma respiration précipitée. Soudain, l'idée de rappeler Jessica et de lui laisser le contrôle des événements paraissait incroyablement séduisante.

— Si on appelle la police, elle sera là dans un quart d'heure maximum, marmonnai-je. Peut-être que…

Le regard de Déborah me cloua sur place. Sous l'incrédulité, je pouvais deviner quelque chose d'autre – du mépris ? J'avalai ma salive, sans parvenir à m'hydrater la gorge.

— Mouss' est à l'intérieur. Il a traversé tout Paris pour venir ici. Il n'a pas hésité pour aider sa copine, et toi, tu vas le laisser tomber ?

Je grimaçai.

— Je ne lui ai rien demandé. C'est lui qui est parti comme un fou. Et qu'est-ce que tu veux que je fasse, que je tire sur tout ce qui bouge ? Je n'en suis pas capable… je n'en suis pas capable…

Toujours ce regard froid alors qu'elle me jaugeait. Je me laissai tomber sur une marche ; le sang battait à mes tempes. Lorsqu'elle m'enjamba, je ne réalisai pas tout de suite ce qu'elle voulait faire. Elle se pencha sur moi, et ses lèvres effleurèrent mon oreille.

— Tu sais, Fitz, depuis qu'on se connaît, je t'ai toujours trouvé formidable. Un mec brillant, drôle, beau gosse, de la répartie, plutôt bon coup. Un peu ce que j'aimerais trouver chez mon mec. Je t'observais, et je ne te trouvais aucun défaut. Mais en fait, tu es comme tous les hommes : tu n'as pas de couilles.

Le revolver dans ma main pesait trois tonnes. J'aurais pu me fâcher, lui expliquer que je m'étais mis en danger depuis des semaines pour Moussah et sa copine, alors que j'aurais pu rester les bras croisés. À cause d'eux, je me retrouvais avec un hacker dans mon ordinateur, un homme de main qui voulait ma peau, sans même parler de mes relations avec Jessica.

Mais je ne répondis rien, parce qu'elle avait raison. J'étais un lâche, l'un de ceux qui détourneraient les yeux dans le métro devant une agression. Mes mains tremblaient alors que je fixai obstinément le bout de mes chaussures. Des mocassins Tommy Hilfiger. Pour un lâche, j'avais du goût.

Déborah s'engagea sur le palier sans que je tente de l'en empêcher. Il y avait trois portes ; dans la semi-pénombre, je la vis coller son oreille à la première, puis à la seconde, et s'arrêter net.

Elle se tourna vers moi. À cette distance, dissimulé comme je l'étais par la cage d'escalier, elle ne pouvait pas me voir. Pourtant, je sentais son regard peser sur moi.

La main d'Aurélie sur mon épaule manqua me faire pousser un cri. Je l'avais presque oubliée mais elle était bien là, les sourcils froncés, l'expression inquiète.

— Qu'est-ce qu'elle veut faire, ta copine ? Elle a pas l'air claire. Tu crois pas qu'on devrait l'arrêter avant qu'elle fasse une connerie ? Tu as raison, on devrait attendre la police.

Un discours plein de bon sens ; mais trop tard.

Déborah frappa à la porte. D'abord une fois, doucement, puis un peu plus fort. Elle attendit quelques secondes.

Elle frappa de nouveau. Toujours pas de réaction. Sa main se leva encore.

Des pas traînants se dirigèrent vers la porte. Quelqu'un devait regarder par le judas. Deb se tenait droite devant moi, à peine visible dans la semi-pénombre. Mes doigts glissaient sur la crosse du revolver. J'avais l'impression que l'arme allait m'échapper des doigts si je continuais à transpirer. Je n'osais pas m'essuyer les mains sur mon jean par peur d'une fausse manœuvre.

Une voix bourrue s'éleva de l'autre côté, audible jusqu'ici.

— Ouais ?

Déborah se pencha en avant. Malgré son état, elle parvenait toujours à sourire, elle pouvait tourner son charme on/off comme le bouton d'une radio.

— Bonjour, je suis une amie de Moussah et de Cerise. J'ai vu Moussah rentrer, mais il n'est pas ressorti, alors je venais aux nouvelles.

Formidable. On pouvait dire qu'elle avait bien mûri son plan. Je me raidis en attendant le coup de feu inévitable, les cris de rage, les rafales de Kalachnikov. À la place, le silence s'installa de nouveau. J'en profitai enfin pour passer mes mains sur la toile rêche de mon pantalon.

À l'intérieur, les hommes devaient être en train de discuter. Nous attendîmes en silence, un long moment. Déborah debout, moi assis.

— Dis..., commença Aurélie.

La porte pivota et la lumière de l'appartement pénétra dans le couloir. Déborah maintint son sourire en place avec difficulté. Une voix masculine s'éleva en un chuchotement pressé.

— Tu es seule ? Rentre. Et arrête de faire du bruit, putain.

C'était le moment d'agir. J'étais tendu comme une corde d'arc. Je me préparai à bondir, à braquer l'homme, à lever mon arme, mais mes muscles ne répondaient plus. Un sanglot m'échappa alors que je tentais de faire obéir mon corps, sans succès. J'avais l'impression de me fondre dans un cercueil de plomb.

Déborah, jouant son rôle, ne m'accorda pas un regard. Elle avança d'un pas, et je restai toujours aussi paralysé. Dans ma main, le revolver pesait cent kilos. J'avais envie de vomir. Elle allait rentrer dans l'appartement – et voilà. Je me retrouverais seul dans ce couloir, avec mon impuissance et mon dégoût et...

Une main émergea du chambranle, puis un visage, alors qu'un homme se penchait dans le couloir pour examiner les environs. Le rayon d'une lampe-torche se posa sur moi, et je vis les yeux de l'homme s'écarquiller.

Aussi facilement que ça, mes muscles se débloquèrent. Je bondis vers lui, franchis la distance en deux enjambées, plantai le canon du revolver contre son torse. Je me rappelai vaguement avoir vu dans un film qu'il valait mieux ne pas braquer quelqu'un d'aussi près, mais c'était trop tard, de toute façon. Mon cœur s'emballait dans ma poitrine et j'avais du mal à entendre ma propre voix tant le sang battait à mes tempes.

— Un mot, un cri, et je tire, sifflai-je dans un râle de dément.

L'homme ne chercha pas à se débattre ou à argumenter. Les pupilles dilatées, il se contenta de hocher la tête sans dire un mot.

C'était un grand gaillard, sec et musclé comme un nageur. Sa chemise pendait ouverte sur ses tablettes de chocolat, le cliché d'un danseur de R'n'B, et mon arme l'avait cueilli au creux des abdos. Sa main s'ouvrit, et il lâcha son pistolet sur le sol. Ce fut seulement à ce moment que je réalisai qu'il était armé.

Mes oreilles continuaient à bourdonner, et je serrai les dents. Nous nous trouvions dans une petite entrée, vide comme dans un appartement à louer. Le carrelage sous mes pieds était gris et moche. Déborah s'empara de l'arme sur le sol.

— Je savais que tu viendrais.

Je décidai de l'ignorer.

— Vous êtes combien ? murmurai-je à l'homme.

Je pressai mon arme contre lui pour l'inciter à répondre, mais il n'eut pas à se donner cette peine. La porte devant nous s'ouvrait en grand.

— Hey, qu'est-ce que tu fous ?

Je n'osai pas changer de cible mais Déborah agit pour moi : sans hésiter et avec un sang-froid inquiétant, elle pointa l'arme qu'elle avait récupérée vers le nouveau venu. C'était un métis aux airs de gravure de mode, au visage débonnaire, qui leva aussitôt les mains en l'air. Lui non plus ne tenta pas de se servir du pistolet qu'il avait au côté. C'était beaucoup trop facile, et je continuais à sentir ma tête tourner. Il ne manquerait plus que je m'évanouisse pour cause de trop-plein d'adrénaline.

— Pas un geste, ou je tire, grinça Deb, juste assez fort pour qu'il entende.

Pour ma part, je n'étais pas sûr de pouvoir presser sur la détente, mais elle avait assez de conviction pour deux. Avec ses yeux égarés, sa bouche étirée en un pli meurtrier, la position de tir qu'elle avait spontanément adoptée, je la sentais capable de faire un carton sans même se casser un ongle.

L'autre le comprit, lui aussi, il hocha la tête et avança d'un pas. Son expression était résignée.

— De toute façon, c'était la merde depuis le début. Vous êtes qui ?

— Ta gueule ! fit Deb, puis, se contredisant : vous êtes combien dans l'appart ?

L'homme haussa les épaules. Il semblait vraiment las.

— Il n'y a que nous.

— Et Moussah ?

L'autre fit un geste vague en direction de la pièce suivante. Je poussai mon otage, et nous avançâmes de nouveau. Je mourais d'envie d'essuyer la sueur de mes mains, mais je me refusai de dévier le canon de l'arme d'un millimètre. Tout cela n'était pas réel. Je ne me trouvais pas dans l'antre de kidnappeurs, à la merci d'une balle perdue.

Merde, Fitz, tu te prends pour Jason Statham ?

L'appartement n'était pas très grand. Le hall d'entrée débouchait directement sur un salon meublé de manière spartiate. Un canapé Ikea éventré côtoyait deux chaises en osier, une petite table basse et un bureau fatigué. La seule concession au monde moderne provenait de l'écran plat sur le mur nord, qui diffusait FashionTV sans le son.

Moussah était là, et sa vue me rassura aussitôt. Il semblait en bonne santé – et surtout en vie. Des menottes de police, classiques et solides, reliaient ses poignets à un radiateur, mais il ne semblait pas autrement entravé. Je croisai son regard et il haussa un sourcil. Était-il surpris de me voir ici ? Avait-il pensé que je ramènerais la police ? Ou que je rentrerais en hurlant des insanités et en vidant un chargeur sur les kidnappeurs ?

— Vous avez mis le temps pour arriver.

Rien de plus. Il aurait pu nous remercier, pleurer devant l'abnégation dont nous avions fait preuve. Mais non. Je le détestai à ce moment précis.

— Il y a du monde dans l'appartement ?

— Je ne sais pas ; je ne pense pas. Je n'ai vu que ces deux-là.

Ça paraissait incroyable. Nous allions réussir à nous en sortir aussi facilement ? Un début d'espoir se fit jour en moi, alors que j'entrevoyais enfin une issue positive.

Sur notre injonction, les deux petites frappes s'assirent sur le canapé, mains sur la tête. Ils semblaient plus résignés qu'autre chose. Je regardai avec plus d'attention celui que Déborah maintenait en joue.

C'était un métis, grand et élancé, beau avec sa barbe de trois jours et ses yeux d'un noir saisissant. Je lui donnais dans les quarante ans, mais aucune trace de gris ne décorait ses cheveux. Soit il avait une sacrée chance, soit il se teignait tous les jours avec soin. À voir son visage dépourvu de rides et de cernes, je penchai pour la seconde option : ce gars était tout aussi métrosexuel que moi. Et ressemblait diablement à la description que la mère d'Aurélie nous avait donnée de son fameux dragueur.

Pour l'instant, nous contrôlions la situation, et je retrouvai suffisamment de confiance en moi pour m'incliner en une révérence moqueuse.

— Jean-Philippe, je suppose ? Ou Philippe tout court ? Vous n'êtes pas allé chercher loin votre pseudonyme.

Il me regarda sans répondre. Son silence en lui-même était une acceptation.

Moussah agita ses menottes.

— Hey, white trash, si tu pouvais me libérer ?

Je ne quittai pas les prisonniers des yeux.

— La police ne va pas tarder à arriver. Où sont les clés des menottes ? Où est Cerise ? Je vous conseille vraiment de répondre, si vous ne voulez pas vous retrouver dans l'état de votre ami Rufus.

Ils cillèrent avant de sombrer de nouveau dans le mutisme. Ils ne s'attendaient sans doute pas à ce que j'en sache autant. J'avais toutes les cartes en main. J'étais le roi du monde. J'essuyai la sueur qui perlait à mon front, et répétai ma question.

L'homme qui avait ouvert la porte finit par hausser les épaules. Il indiqua la troisième pièce d'un geste du menton.

— Dans la chambre.

— Quoi, Cerise, ou les clés ?

— Les deux. Les clés sont sur le bureau.

— Eh ben voilà, c'était si difficile que ça ?

Nous touchions au but. Déborah semblait assez féroce pour tenir les deux hommes en joue, mais je ne voulais pas pour autant les quitter des yeux. Je me dirigeai en crabe vers la porte de derrière. De nouveau, l'inquiétude montait en moi. Quelque chose allait foirer, mais quoi ?

J'ouvris la porte d'un coup de pied et me jetai sur le côté, anticipant un comité d'accueil musclé, mais rien ne vint. Déborah restait concentrée sur ses cibles ; j'envisageai d'appeler Aurélie en renfort, mais elle était très bien dans le couloir pour l'instant. Je resserrai ma prise sur mon arme et coulai un regard dans la pièce.

Pas d'homme en arme, pas de soldat, pas d'embuscade. À la place, une grande chambre avec trois lits, un bureau dans un coin, une commode, la tour d'un ordinateur. Comme l'avait dit le kidnappeur, les clés des menottes trônaient sur le bureau.

Et Cerise me regardait, assise, les mains dans le dos, les yeux fous au-dessus de son bâillon.

28

Mes derniers doutes se dissipèrent. Le manque de résistance des deux hommes avait pu me faire croire à une plaisanterie, un canular douteux, une mauvaise information de la part de Paraboots. Jusqu'au dernier moment, je m'étais attendu à trouver une chambre vide, un lit défait, et une enquête à continuer de nouveau, avec son lot d'angoisses et de fausses pistes.

Mais non, Cerise était bien là. Elle semblait même en assez bonne forme. Elle portait les cernes de quelqu'un qui n'avait que peu dormi, mais ses yeux n'avaient rien perdu de leur fougue. Sa bouche s'agitait avec fureur derrière le lourd tissu.

Je m'emparai des clés sur le bureau, avançai vers elle d'un pas de somnambule. Je n'oubliais pas que Déborah était seule dans l'autre pièce, et me retournai fréquemment pour vérifier comment elle s'en sortait, mais tout semblait calme.

Je remis mon arme à la ceinture puis entrepris de lui ôter son bâillon. C'était difficile, la corde était serrée, et j'avais les mains moites, mais je parvins enfin à la libérer. À peine eut-elle retrouvé l'usage de la parole qu'elle toussa. Une fois, deux fois. Puis ses yeux accrochèrent mon regard avec une douloureuse intensité.

— Fitz ? Qu'est-ce que tu fais ici ? Qu'est-ce qui se passe ? La police est là ? Comment est-ce que vous m'avez trouvée ?

— C'est une longue histoire, et on n'a pas vraiment le temps. Moussah est là aussi, c'est lui qui t'a cherchée partout. Et on a fini par te retrouver. Attends, je vais te libérer.

Je me penchai vers Cerise, la clé à la main, pour ouvrir ses menottes. Elle portait un gros pansement de gaze à la main gauche, et je détournai les yeux par pudeur. Même si nous étions arrivés à temps, elle ne s'en sortait pas indemne. L'espace d'une seconde, je me demandai comment je réagirais si jamais je me retrouvais enlevé un jour, arraché à mon appartement, jeté sur la banquette d'une voiture, conduit dans un lieu dont je ne connaissais rien par des individus mystérieux, puis finalement torturé et mutilé alors qu'on m'arrachait un doigt, simplement pour prouver que l'on était sérieux.

Je la libérai, l'aidai à se lever. Elle tituba un instant et se raccrocha à moi. Je ne savais pas ce qu'ils lui avaient donné à manger ces dernières semaines, mais elle semblait à bout de forces.

— Merci, parvint-elle à articuler.

Je l'aidai à avancer jusqu'au salon. Lorsqu'elle arriva, les deux hommes détournèrent les yeux. Ils semblaient presque honteux. Je sentis la colère monter en moi devant la manière dont ils s'étaient comportés. La police serait bientôt là, et réglerait leur compte, mais tout ça était tellement *sale*… tellement *pathétique*… avec une arme en main, je me sentais comme un clone contemporain de *Judge Dredd*, prêt à clamer que la loi, c'était moi.

Moussah avait les larmes aux yeux, sans honte, sans pudeur. Un sourire stupide fendait son visage alors qu'il buvait sa compagne du regard.

Tout ça pour ça. Trois semaines de galères, d'enquête, d'interrogations, de doutes, d'angoisses, de marchés de dupes, pour parvenir à les réunir. Je m'accordai un soupir satisfait ; ça en valait la peine.

Je m'approchai de Moussah, la clé des menottes à la main. Il se tortilla pour avancer le cadenas, fit rouler ses épaules.

— Je ne serai pas fâché d'être libre. C'est vraiment une saloperie, ce truc.

Et puis je sentis son ton changer, et sa voix monter dans les aigus, et je me tournai vers lui, et ses yeux étaient écarquillés, et il avait changé de couleur, ce qui était quand même un exploit après douze générations de Camerounais bon teint.

J'entendis un bruit sourd, comme celui d'un vase qui se brise, et des milliers d'éclats de verre qui tombaient sur le sol au milieu d'un cri de douleur perlé.

Puis plus rien.

Je me retournai. Lentement, très lentement. Ma main descendit vers mon arme, mais je savais déjà ce que j'allais voir, et qu'il était trop tard.

Déborah gisait sur le sol sous une montagne de débris et de composants électroniques – les restes de la télévision à écran plat. Des câbles arrachés pendouillaient encore du mur. Quelqu'un n'y était pas allé de main morte pour essayer de l'assommer. À voir son absence de réaction sur le sol, il y était parvenu.

Et ce quelqu'un, c'était Cerise.

Cerise qui tenait désormais le revolver en main. Cerise qui me souriait, une grimace hideuse sur son visage fatigué.

Cerise, quoi.

Je battis des paupières, tentant de trouver une raison logique derrière son acte, mais mon cerveau avait renoncé. Lorsqu'elle pointa le canon vers moi, je levai les mains en l'air. J'avais les jambes en coton, les bras fatigués. La clé qui aurait pu libérer Moussah glissa au sol.

— Cerise ! protesta mon ami, la voix éraillée.

Toute l'incrédulité du monde se lisait sur son visage ; comment le blâmer ? Et pourtant, maintenant que je la voyais nous braquer, certains éléments me revenaient en mémoire. Des petits détails, pas très importants, pris séparément, et pourtant…

Son mot de passe, c'est Schoelcher88. C'est une ville de Martinique.

Une tentative d'extorsion de fonds à Schoelcher en Martinique.

Cerise a réussi à remonter ma trace…

Elle m'a raccroché au nez en me disant que ma fille allait mériter ce qui allait lui arriver.

Les deux kidnappeurs se levèrent de leur siège, plutôt contents d'eux. Le dénommé Philippe vint me prendre mon arme et me l'agita sous le nez en souriant.

– La base de l'escroquerie, c'est de toujours prévoir un plan B, pour le cas où des emmerdeurs viennent foutre en l'air la combine.

Cerise se détourna, l'expression glaciale.

– Faut qu'on file. Les flics doivent déjà être en route. On les bute, et on part.

Les mots étaient utilisés avec tellement de facilité, de *neutralité.* Elle parlait de nous comme si nous n'existions pas. Bizarrement, avant même de penser à ma propre survie, je réalisai que Moussah devait avoir le cœur brisé. C'était un ordre de priorité étrange et pourtant je ne pouvais m'empêcher de compatir.

– Chérie ! balbutia-t-il, l'expression toujours aussi égarée.

Cela au moins lui arracha une réaction. Elle s'avança vers lui, coulant un regard méfiant vers ses menottes avant de faire le dernier pas. Mais je n'avais pas eu le temps de les ouvrir ; elles encerclaient ses poignets d'acier, derrière la chaise, et il ne pouvait pas bouger. Du bout du canon, elle caressa la peau de son visage.

– Tu sais que je t'aime bien, mon sucre d'orge. Je t'aime même un peu trop. Et je ne dois pas être la première à te le dire, mais tu es un super coup. C'est pour ça que j'ai prolongé la relation aussi longtemps, au lieu de l'arrêter quand on m'a mis dans la combine et que j'ai compris que j'allais devoir disparaître. Pour pouvoir coucher avec toi une fois de plus, prendre des forces pour le grand saut dans l'inconnu, j'ai refusé de te larguer la veille. À une journée près, ça aurait changé pas mal de choses, hein ?

Elle soupira.

— Je te regretterai. Vraiment.

Je la regardai, atterré. Je me tournai vers Moussah, assez doucement pour que le gars qui me tenait en joue ne décide pas d'appuyer sur la détente.

— Tu entends ce qu'elle vient de dire ? Tu te serais montré un peu moins doué, on n'en serait pas là. T'aurais pas pu faire comme moi, ne pas assurer le premier soir ?

Moussah ne me répondit pas. Il était concentré sur la fille. Ses joues étaient baignées de larmes.

— Mais, et ton doigt ?

Elle se débarrassa de la gaze sur sa main gauche, la jeta au sol avec mépris. Sa main était intacte.

— Tu pensais vraiment que c'était le mien ? C'est mignon, mon Moussah. Tu es adorable. Un peu con, des fois, mais c'est comme ça que je t'aime. Je suis sûre que ça t'a rendu furieux, qu'on m'ait blessée, hein ? Mais non, c'était juste un vieux doigt trempé dans du formol qu'un pote infirmier nous a donné. On voulait simplement faire flipper une mère de famille psychopathe, pas besoin de gros moyens tu vois.

Avec des gestes rapides et efficaces, les deux hommes débarrassaient la pièce des traces de leur séjour. Philippe regarda d'un air dubitatif la tour d'ordinateur.

— On fait quoi, on prend l'ordi ?

Cerise grinça des dents.

— On s'en fout, c'est pas important ! Il faut qu'on soit partis avant que la police arrive, et on ne laisse pas de témoins. On tue ces deux-là !

L'homme hésita. Il ressemblait à une gravure de mode, certes, mais il portait également au coin des lèvres une certaine indolence, une envie de sourire qui me paraissait incompatible avec un meurtre de sang-froid.

— C'est obligé, de les tuer ? Ça va faire du bruit.

Elle le regarda comme s'il était stupide.

— Bien sûr, que c'est obligé. J'ai dû griller ma couverture pour sauver vos fesses. S'ils survivent, tout est foiré, je suis recherchée comme vous et les flics remonteront sans doute à d'autres affaires.

— Ouais... (L'homme se gratta l'arrière du crâne avec le canon du revolver.) Mais moi, j'ai jamais tué personne, j'ai pas vraiment envie de commencer. Si jamais les flics nous chopent et qu'on les a butés, on sortira pas de taule de sitôt.

— Comment tu veux qu'ils nous attrapent ?

Je forçai un sourire sur mes lèvres sèches.

— Ils sont sur nos pas, ils sont peut-être déjà dans la rue. Et puis, si des amateurs comme nous ont pu vous retrouver, vous pensez que vous tiendrez combien de temps face à la police ?

— Tais-toi !

Cerise se tourna vers moi, et le canon me visa entre les deux yeux. Je sus que c'était la fin et que j'allais mourir comme ça, bêtement, d'avoir encore une fois mis mon nez dans ce qui ne me regardait pas. Allais-je entendre la détonation qui me tuerait ? Mes muscles se tendirent, comme si je pouvais repousser une balle avec un effort de volonté.

Philippe lui agrippa le bras.

— On les tue pas, j'ai dit. Je fais pas dans le meurtre, moi. Ramène ton cul, on file tout de suite. En plus, j'ai pas envie de réveiller tout l'immeuble avec le bruit. Non, ils survivent (sa voix se durcit)... à condition qu'ils ne fassent pas les cons.

Cerise me regarda. Elle regarda Moussah. Déborah, sur le sol, ne bougeait pas. Je me demandai si la question était déjà réglée, pour elle, et si le coup lui avait été fatal. Il y avait du sang sur le sol, mais ça pouvait aussi bien être des égratignures liées au verre brisé que quelque chose de plus grave.

— Si on file comme ça, on ne peut plus demander de rançon. Et je me trouve en cavale aussi. On aura tout perdu.

— Ouais, sauf notre liberté. Fonce, bordel ! On t'attendra pas !

Philippe patienta le temps qu'elle s'engage dans le couloir avant de se tourner dans notre direction. Il agita lentement son revolver devant nos yeux. Son regard était teinté de tristesse, et je sentis tout le poids du charisme de cet homme. La mère d'Aurélie n'avait eu aucune chance. Il me lança la paire de menottes qui avait entravé Cerise.

— Mets-les.

Je m'exécutai, les dents serrées. S'il avait voulu me tuer, il l'aurait déjà fait.

C'était plutôt facile à mettre, des menottes. C'est comme ça que Cerise avait dû faire, pour que je croie qu'elle était prisonnière. Je pensais qu'il y avait une grosse différence entre les vraies et celles qu'on trouvait dans les sex-shops mais, en dehors de la moumoute rose et de la solidité, le mécanisme restait le même. Sur l'ordre de Philippe, je jetai la clé à l'autre bout de la pièce. Il se baissa et la mit dans sa poche. Puis il nous regarda une dernière fois, se détourna de nous, se ravisa.

— Vous penserez à moi quand vous témoignerez. N'oubliez pas de dire qui vous a sauvé la vie. Ça pourra me servir si on se fait coincer.

Avec un dernier sourire triste, il disparut, et nous restâmes seuls. J'entendis leur cavalcade, le bruit de bottes dans l'escalier qui disparaissaient. Je me demandai un instant où se trouvait Aurélie, mais aucun cri, aucune exclamation ne brisa le silence ; elle avait dû avoir le temps de se cacher quelque part.

En me contorsionnant, je parvins à apercevoir ma montre. Quatre heures vingt-huit. Moins de dix minutes s'étaient écoulées depuis que nous avions pénétré dans l'appartement. Même si Aurélie avait prévenu la police, même si Jessica essayait de trianguler mon téléphone, les secours n'arriveraient jamais à temps pour coincer les fuyards. Quant à nous, nous n'étions pas encore sortis de l'auberge. Comment expliquer toute cette histoire ? Je sentais confusément que nous avions franchi la ligne jaune, commis un certain nombre de délits, et que je ne pourrais pas m'en sortir comme d'habitude d'une pirouette ou d'un bon mot.

Il n'empêche, ma position était inconfortable, et j'attendais avec impatience l'arrivée des renforts. Tout, plutôt que de rester là, accroupi, avec des crampes qui n'allaient pas tarder à apparaître et un Moussah qui sanglotait sans retenue.

J'entendis des bruits de pas précipités, et je me dévissai le cou pour voir qui venait enfin nous aider. Aurélie ? Jessica ? Un quelconque policier bourru qui tenterait de tout nous mettre sur le dos ?

Mon cœur manqua un battement alors que Cerise entrait dans la pièce, les cheveux en désordre, essoufflée d'avoir couru, son revolver toujours en main. Elle regarda Moussah, puis moi, et ses lèvres esquissèrent une moue d'excuse.

— Désolée, mais Philippe a déjà filé, et moi je ne peux pas me permettre de vous laisser en vie.

De nouveau, le canon se tendit vers moi.

La balle allait partir. Elle allait vraiment partir. Je vis le canon qui ne tremblait pas, comme dans un de ces génériques de James Bond, et j'imaginai les rainures à l'intérieur qui guideraient la balle jusqu'à mon crâne.

La police était encore loin, Déborah immobile sur le sol, Moussah attaché au radiateur, moi-même incapable de bouger un muscle. Cette fois-ci, pas de deus ex machina pour me sortir d'affaire. Je fermai les yeux, entendis un cri, les rouvris.

C'est vrai qu'il restait encore quelqu'un sur les lieux, mais l'angoisse de ces dernières secondes me l'avait fait oublier.

Aurélie venait de plonger dans les jambes de Cerise et de la mettre à terre.

— J'avais aucune chance contre tes deux potes, j'ai dû me cacher, mais toi, salope, je vais te faire ta fête !

J'échangeai un regard avec Moussah. Réduits à l'impuissance, nous assistâmes au fantasme de 95 % des hommes sur cette terre : un combat de catch entre deux top models. Eh bien ce n'était pas beau à voir.

Deux filles qui se battent, c'est toujours violent. J'avais lu quelque part que les femmes étaient aussi brutales que les hommes, parfois même plus, et qu'elles faisaient d'excellents soldats. À les observer se rouer de coups sur le sol, j'étais tout disposé à le croire. Je me rappelai les quelques bagarres auxquelles j'avais participé ; aucune n'avait cette cruauté et cet engagement de tout le corps. La présence du revolver, qui avait glissé à l'autre bout de la pièce, rendait les enjeux encore plus cruciaux.

Cerise s'était salement cognée en tombant de tout son long. Aurélie avait profité de l'effet de surprise pour monter à califourchon sur elle, et ses bras s'abattaient en rythme alors qu'elle lui donnait des coups de poing. Pas des gifles de rien du tout, ou des griffures, mais des véritables crochets en plein visage. Si elle avait été plus musclée, le combat se serait sans doute terminé ainsi.

En l'état, Cerise parvint à rouler sur le côté et sa main se referma sur les cheveux de son adversaire. Elle tira avec une telle force que l'autre abandonna son assaut pour se protéger. Les deux combattantes poussaient des cris d'orfraie. Pour ma part, je parvins à émettre un filet de voix pour encourager ma championne. Aurélie contre Cerise, ma copine contre celle de mon ami, l'équipe Fitz contre l'équipe Mouss', et que le moins anorexique gagne !

— Vas-y, tu vas l'avoir, cette salope !

Je savais garder ma dignité et mon raffinement en toute circonstance.

Elles continuaient à s'empoigner, à se frapper, à se déchirer les vêtements, et je me demandais, avec un certain détachement, si tout cela n'allait pas tourner au film porno. Mais le combat ne pouvait se prolonger indéfiniment. Cerise était un peu plus grande, un peu plus sportive, un peu plus habituée à ce genre d'échauffourée. Elle profita d'un moment de flottement pour se balancer en arrière, prendre son élan, et donner un coup de tête en plein sur le nez d'Aurélie.

Je connaissais le résultat, j'avais vécu la même chose dans une autre vie. La jeune femme porta la main à son visage ensanglanté, poussa un cri étranglé et recula d'un pas. Cerise en profita pour lui placer son genou dans le ventre. Aurélie eut une drôle de grimace, puis se plia en deux et ne bougea plus.

Cerise se tenait debout, seule, victorieuse. La transpiration collait ses cheveux en bataille à sa peau sombre ; ça lui donnait un air de princesse berbère. Elle avait la lèvre fendue, un œil à moitié fermé, mais rien de tout cela ne l'empêcha de se pencher en grimaçant et de ramasser le revolver.

Lorsqu'elle le pointa de nouveau vers moi, pour la troisième fois en cinq minutes, je n'éprouvai plus la même terreur. À force de voir la mort en face, on finissait par s'y habituer. Et puis, je commençais à me sentir invincible. Quelque chose allait forcément venir perturber mon exécution ; c'était réglé comme du papier à musique. Tu m'entends, Cerise ? De nous deux, c'est moi qui ai une putain de Bonne Étoile.

Alors qu'elle allait tirer, j'entendis de nouveau des bruits de pas, ainsi que des exclamations de fureur. On frappait contre le chambranle de la porte, de l'autre côté de l'entrée.

– Oh, c'est pas bientôt fini ce bordel ? Il est quatre heures et demie du mat, on aimerait bien dormir ! Je vous préviens, on a prévenu la police. Alors rangez les décibels, c'est compris ?

La voix était bourrue ; j'imaginais l'homme de cinquante ans, tiré du lit par les grognements de sa compagne : « Vas-y, va leur dire qu'ils font trop de bruit » « Non mais ça va se calmer, t'inquiète pas » « Mais non, mais vas-y » « Tu m'emmerdes, j'ai pas envie de me lever… »

Cerise regarda Moussah. Me regarda. Se lécha les lèvres. Sa main trembla. Puis, lentement, très lentement, elle retira son doigt de la détente.

– Et merde, observa-t-elle. Il faut croire que je suis partie pour une longue cavale.

Elle glissa l'arme à sa ceinture et s'élança vers la sortie. Dans le lointain, je pouvais entendre le bruit de sirènes de police qui se rapprochaient.

Épilogue

Le bureau était toujours aussi encombré, la lueur du néon aussi agressive. J'observai mes pieds d'un air maussade. En face de moi, Jessica pianotait du doigt sur un épais dossier.

— Ta Déborah est hors de danger. Elle a été conduite aux urgences, mais les médecins n'ont trouvé aucune trace d'un traumatisme crânien. Elle en sera quitte pour une belle bosse, et quelques points de suture. Quant à ton Aurélie, elle s'en sortira avec un nez cassé. Je te rassure, rien qu'un peu de chirurgie esthétique ne puisse corriger. Alors, tu sors avec des mannequins, maintenant ?

Ta Déborah. Ton Aurélie. Les nouvelles étaient rassurantes, mais je ne trouvais pas la force de me réjouir. Notre victoire, si l'on pouvait parler de victoire, avait un goût de cendres. Je gardai le silence.

Jessica ouvrit son dossier, en sortit une feuille, la fit pivoter vers moi.

— Cerise Bonnétoile. Née en 1988 à Schoelcher, en Martinique. On n'a rien sur elle, pas de casier judiciaire, mais ça ne veut rien dire. C'est là qu'elle a connu Philippe Laplume. Bien connu, même, d'après le témoignage de Rufus Thelmore.

Rufus ? Je haussai un sourcil, puis acquiesçai. Bien sûr. Paraboots. Je m'y perdais, avec tous ces noms.

— Quand tu dis *bien connu...*

— Philippe et Cerise couchaient ensemble autrefois. Elle avait dix-huit ans et lui trente-sept.

— Un peu glauque, non ?

Elle renifla.

— Rappelle-moi l'âge de ton Aurélie ?

— Elle a vingt-quatre ans et j'en ai trente, ça va encore, non ?

Un grognement, qui pouvait s'interpréter n'importe comment. Jessica tourna une nouvelle page de son dossier.

— Philippe Laplume est recherché depuis plusieurs mois pour chantage et escroquerie. Il a toujours la même technique, bien rodée. Il séduit des mères de famille esseulées, si possible riches, souvent des femmes au foyer en quête d'un peu d'excitation. Et, lorsqu'il dispose d'assez d'enregistrements ou de preuves, il fait chanter sa partenaire. Mille, deux mille, dix mille euros ou bien il montre la *sex tape* au mari cocu.

— Et elles cèdent ?

— Qu'est-ce que tu ferais à leur place, Fitz ? La plupart des gens n'apprécient pas de se faire tromper. C'est au mieux la fin de la confiance, au pire un divorce coûteux et humiliant. Bien sûr qu'elles cèdent.

— Mais là, ça ne s'est pas passé de la même manière.

— Non. Philippe a vite senti le coup fumant. La femme était riche, très riche et névrosée, très névrosée. Lorsqu'il a appris qu'elle n'avait pas procuration sur les comptes les plus importants. D'où l'idée de monter une combine différente, cette fois-ci.

Je n'avais pas besoin d'entendre Jessica m'expliquer tout le plan, cela faisait déjà longtemps que les éléments s'étaient mis en place. Philippe qui constate que cette mère de famille nourrit un intérêt passionnel pour les résultats de sa fille ; qui fait appel à une de ses relations, un de ses amours de jeunesse, pour jouer le rôle de la terrible rivale ; qui empoisonne petit à petit l'esprit de la mère jusqu'à ce qu'elle se focalise sur Cerise et le danger qu'elle représente.

— C'était un gros coup, pour lui. Si tout se passait bien, ils raflaient quatre cent soixante mille euros sans verser une goutte de sang ni prendre de grands risques. Un plan parfait. *Sans arme, ni haine, ni violence.*

Je repensai à mon épaule sous les doigts de Paraboots. Je revis le canon du revolver pointé vers mon visage. Je sentis de nouveau le coup de pied qui m'avait projeté contre la commode dans la chambre d'Aurélie. Sans violence, ben tiens.

Dès que la mère était tombée dans le panneau, ils avaient simulé le faux enlèvement. À partir de là, tout devenait plus simple. Ils avaient une demande écrite de la mère et un virement, assez pour prouver qu'ils agissaient sur sa demande. Elle était ferrée

– et un kidnapping n'est pas la même chose qu'un simple mail de menace.

— Qu'est-ce qu'elle risquait, exactement ? demandai-je en levant le nez de mes chaussures.

— Pour séquestration ? Vingt ans de réclusion. La justice n'est pas tendre avec les kidnappeurs. Et, bien sûr, si Cerise était retrouvée morte, la sentence aurait été encore plus lourde. Même si ça n'avait que peu d'importance. Vingt ans, ça suffit à terroriser n'importe qui.

Je hochai lentement la tête.

— Qu'est-ce qui va lui arriver, maintenant ?

— Je ne sais pas. (Je la regardai, mais elle se contenta de hausser les épaules.) Non, vraiment, je ne sais pas. Elle est en garde à vue pour l'instant, et le procureur est en train de réfléchir sur la manière dont il va gérer les choses. Concrètement, il n'y a pas eu d'enlèvement, puisque Cerise était consentante. Mais ça n'est pas pour ça qu'elle est innocente. En droit, l'intention peut parfois compter autant que le résultat.

— Tu veux dire qu'elle va faire de la prison ?

— Je veux dire qu'elle va avoir besoin d'un bon avocat. Voire de deux, parce qu'à mon avis son mari va demander le divorce. Il a l'air très éprouvé par cette histoire.

— Tu m'étonnes. Il apprend la même soirée qu'il est cocu, que sa femme est une psychopathe, que sa réputation risque d'être ruinée et qu'on lui demande plusieurs centaines de milliers d'euros. Même pour un sportif professionnel habitué à la pression, ça fait beaucoup.

Elle eut un léger sourire. Ce n'était pas grand-chose, ses lèvres qui s'incurvaient une fraction de seconde, mais j'en tirai un peu d'espoir pour la suite des événements. Puis son expression s'assombrit de nouveau.

— En dehors de Rufus que nous avons récupéré chez les Dupin, le reste du gang est en fuite. Cerise, Philippe, cet autre homme que tu m'as décrit.

— Le genre danseur dans un clip de Rihanna, précisai-je d'un ton docte.

— Oui, voilà. L'un de mes gars te montrera plusieurs photos, on verra si on peut l'identifier.

Tout était donc fini, pour le moment. Nous nous étions lancés dans cette histoire pour retrouver Cerise, et nous l'avions retrouvée – même si ce n'était pas dans les circonstances que j'espérais, avec explosion de joie de part et d'autre, et baiser langoureux de mon pote et sa dulcinée.

D'ailleurs, en parlant de lui...

— Et Moussah ?

— Il est toujours en garde à vue.

Rufus avait porté plainte, bien sûr. Il fallait croire que même les kidnappeurs avaient des droits. Briser un bras net ne faisait pas partie de nos prérogatives. Coups et blessures aggravées ; même nos témoignages en sa faveur n'allaient pas suffire. Dans sa déposition, le père d'Aurélie avait bien précisé que l'homme était sans défense lorsque Moussah lui avait disloqué l'épaule.

Quel enfoiré, quand même. Ce n'était pas la gratitude qui l'étouffait. Il avait également tenté de porter plainte contre nous pour effraction. Seule la parole d'Aurélie affirmant qu'elle nous avait fait entrer de son plein gré, avait empêché qu'on nous considère comme des criminels.

— Tu ne peux rien faire pour lui ?

— Ce n'est pas ma juridiction. Mais même si je le pouvais, je ne le ferais pas. Je t'ai dit que tu avais de mauvaises fréquentations, Fitz, et je le maintiens. C'est la deuxième fois en quelques mois que tu manques de te faire tuer. Je ne serai pas toujours là pour toi. On n'est plus en couple, plus depuis longtemps, et je suis fatiguée de jouer les anges gardiens.

Je restai muet, refoulant l'indignation qui me montait aux joues. Ce n'était pas comme si je lui avais demandé grand-chose cette fois-ci. J'avais mené ma barque comme un grand, sans jamais la déranger. Bon, d'accord, sans jamais *trop* la déranger.

— Il va faire de la prison, alors ?

— Je ne sais pas. Peut-être. (Elle soupira, baissa les yeux, refusa d'affronter mon regard.) Quant à toi, tu es retenu en garde à vue.

Je me redressai sur ma chaise, incrédule.

— Quoi ? Mais qu'est-ce qu'on peut me reprocher, dans cette affaire ? Je suis blanc comme neige !

Elle se pencha sur son dossier.

— Effraction, port d'armes prohibé, menaces, la liste est longue.

— Mais vous n'avez aucune preuve, sur aucun de ces éléments !

— C'est vrai. Mais la bonne nouvelle, c'est qu'on n'en a besoin d'aucune pour mettre quelqu'un en garde à vue. Peut-être qu'en voyant l'intérieur d'une cellule, en côtoyant les gens qui s'y trouvent, en découvrant l'envers du décor, ça te mettra un peu de plomb dans la tête.

Ben merde alors. Je restai là à la regarder, incapable de trouver une réponse qui pourrait exprimer ma colère, ma déception, l'impression d'être trahi et celle, encore plus atroce, d'être considéré comme un gamin turbulent.

Mais elle n'en avait pas fini avec moi.

— Est-ce que tu te rends compte à quel point tu es passé à côté de la mort, encore une fois ? Tu as eu affaire à des escrocs, des bandits spécialisés dans les petites combines et la manipulation. Ce n'étaient pas des assassins, pas des durs. Leur seul côté musclé, c'était Rufus. Imagine ce qui se serait passé s'ils avaient été plus entraînés ? Plus cruels ? Plus malins ? Plus nombreux ? Tu crois vraiment que tu aurais pu rentrer chez eux comme ça ?

Je l'écoutai sans rien dire. Je revoyais le revolver qui me mettait en joue, une fois, deux fois, trois fois.

J'avais eu beaucoup de chance. Comme d'habitude.

Elle me regarda droit dans les yeux ; son expression était indéchiffrable.

— Ça m'emmerderait vraiment que tu te fasses tuer, Fitz. Vraiment. Il n'est pas trop tard pour changer de vie. Médite là-dessus pendant les prochaines vingt-quatre heures.

Il était onze heures cinquante-sept, un dimanche. Et, alors que les policiers rentraient dans le bureau pour me mener en cellule, je ne pouvais penser qu'à une chose : ce ne serait pas encore ce midi que j'allais présenter Déborah à mes parents.

Remerciements

Merci à Julie pour son amour, son soutien, sa patience et sa taille mannequin.

Merci à ma famille pour les relectures incessantes.

Merci à Jihad, que j'avais oublié dans le premier livre.

Merci à Étienne pour m'avoir ouvert les portes de son agence et m'avoir inspiré le personnage de Nathan.

Merci à toutes les équipes de Podium Agency dans leur ensemble.

Merci enfin à toutes les filles qui ont passé ce casting et dont le charme et la simplicité m'ont fourni la matière de ce roman :

Fiona Aubertin
Julie Dicques
Léa Cousin
Elmindra Beghin
Aida Diouf
Charlène Le Viavant
Élodie Hairon
Manon Lafont
Charlotte Bruneau
Élise Cros
Émilie Flamain
Bérénice Bos
Séverine Maria
Manon Magalhaes
Mégane Voiret
Caroline Can
Justine Bidan
Éléonore Affre
Charlène de Sousa
Anna Alves
Mégane de Almeida
Marine Minette
Paula Bueno
Ambre Texier
Camille Delclos
Marion Neyrinck
Carla Duquesne
Stacy Lassale
Camille Picavet

Et bravo à Camille Courroux, la gagnante du concours 2012, qui n'a pas eu besoin de kidnapper qui que ce soit. Enfin, pas à ma connaissance…

Ce volume a été composé
par Nord Compo

Cet ouvrage a été imprimé en France
par CPI Bussière
à Saint-Amand-Montrond (Cher)
en décembre 2012

LE MASQUE
s'engage pour l'environnement
en réduisant l'empreinte carbone
de ses livres.
Celle de cet exemplaire est de :
650 g éq. CO_2
Rendez-vous sur
www.lemasque-durable.fr

N° d'édition : 01. — N° d'impression : 124148/4.
Dépôt légal : février 2013.